世界文学と
日本近代文学

野網摩利子［編］

東京大学出版会

World Literature and Modern Japanese Literature

Mariko NOAMI, Editor

University of Tokyo Press, 2019
ISBN 978-4-13-086058-1

はじめに

野網摩利子

本書は、密接な関わりのある世界文学を見出して行う、日本近代文学の精緻な分析である。日本近代文学作品ならびに日本近代における翻訳作品が、世界史・世界文化の摂取により、生成してゆく現場を明示することに努めた。作家自身の世界文学の読書歴に基づくことに留意し、実証性を担保している。

作家が、世界の文学を読むことで引き起こされる創作意欲を捕らえてみよう。日本の文学風土から得られるような、なかば先天的な既得の要素に対する大幅な変革が内在的に進行する場の捕獲を試みたい。

日本近代という環境だけでも、各種の刺激は微分化すればするほど多くあるが、文学作品が取り巻かれているのは、そして、文学作品側から見渡しうるのは、時間的にいっても何百年規模、空間的にいっても地球規模である。創作家は同時代社会の自国文化ばかりを摂取しているわけではないからだ。

各日本近代文学作品は近代日本語を用いる等の一定の型を使用しながらも、その文学を産み落とすまでに、世界の歴史・文化・文学を見渡し、取り込み、結合している。その複雑なエピジェネティクス（後成）の様態は、人間の遺伝子のそれに勝るとも劣らないだろう。

「現代的な人間とは、自分自身を自ら創出する人間のことなのだ(1)」と、ミッシェル・フーコーが「啓蒙とは何か」でボードレールを解析しながら述べている。ヒトゲノムの解読を済ませた現代の遺伝学は、遺伝子決定論の脆弱性に突き当たり、研究の焦点を個体の発生・成長に向かって変え、エピジェネティクスに考察の軸足を移した。その最新科学の動向は、フーコーに限らず現代人が抱いてきた問いと足並みを揃えた感がある。

文学内部の変革がいったん動き始めれば、つぎつぎと文学作品の内部要素があらたまる。そのように見るなら、文学作品は有機体であり、絶え間なく自己触発を行って増殖する生物であるといえよう。文学作品という有機体が、取り巻かれる環境との相互作用で、爆発的ともいえる展開を遂げるさまを示せるだろうか。我々著者が共有した問題はこれである。

本書はまた、活況を呈している世界文学論に参戦する一書である。現在、世界文学論はつぎの二種の基軸を持つ。一、翻訳を通して文学と出会い、読み込むに至るその認識論的行為に関する分析。二、文学の役割や文学を取り囲むコンテクストを考える社会学的方面からの分析。ここには、翻訳の助けを得てマクロの文脈に注目することによってしか、精読を旨とする専門研究者に対抗できないという、世界文学論者の事情も横たわる。代表的世界文学論の論点と、不可避的に抱え込まれる論理の破綻については、ダリン・テネフによる序論をご覧いただきたい。

対して本書は、それぞれの作家が原語で読んでいた読書にまで立ち入ることの可能な専門家による、真の実証性を備えた、厳密かつ詳細な文学研究である。そのうえで、無限と言ってより広がりを見せる作家の思考範囲を押さえている。先に示せば、英・仏・独・露・米・ニカラグアの文学・文化・歴史を実証のフィールドに誘い込み、日本近代文学作品との関係性を論証した。

大づかみな捉え方では把握できない、世界文学と日本近代文学との具体的な関係性、ならびに、個別の世界文学作品との関わりが炙り出された日本近代文学生成の様相を味読いただきたい。

ダリン・テネフの序論では、世界文学こそが共有された文学空間を作り、その空間から新しい文学概念が誕生すると明確に打ち出す。我々、本書の執筆者は、世界文学作品をめぐる読み（作家による読書や読者による読み）と、個別作品とを相互に反応させ、世界文学にいわば遺伝子解析を施し、いまだ発見されていないその後成的修飾を見出してゆく。この問題意識を掻き立てるのが彼の序論である。

第一部「世界文学は理論のなかに産まれる」では、理論的可能性を洗い出しながら、その応用を国内外の文学作品に即して示そうとする。

第一章、ダリン・テネフ「世界文学のエピジェネティクス」では、現代生物学を席捲するエピジェネティクスをモデルとして世界文学を考察する方法を提案する。文学の外部の要素によって、文学内のある部分が活性化されたり、他の部分が不活性化されたりする。文学の外部は文学内部の遺伝子に対して書き込みを行うことができるのだ。

第二章、マイケル・ボーダッシュ「漱石の（反）世界文学と（反）翻訳」では、翻訳に対する、漱石の抵抗の理由を、作者および作品までもが死んだもののように取り扱われるからであるとみる。一方で、漱石「カーライル博物館」では作家カーライルの死後の様子が描かれ、漱石による翻訳もなされた。世界文学論における翻訳の議論に大きな一石を投じる論考である。

第三章、スティーブン・ドッド「運動としてのモダニズム――ニカラグアから日本へ」は、植民地に生きる人々にとって、モダニズムとは宗主国の支配下から身を引き剝がす革命的精神であると定義する。梶井基次郎「雪後」からは文化に染み込む政治性に応答する声を取り出し、梶井「のんきな患者」からは地元共同体社会への同情を読み取る。革命的精神に通じるモダニズム文学の有りようを析出した。

第四章、小森陽一「『坊っちゃん』の世界史――ラファエロからゴーリキーまで」では、『坊っちゃん』という小説が、植民地侵略をめぐる世界史、ラファエロを画中に取り込んだターナーの「歴史画」（本書カバー挿図の鑑賞を乞う）、日露戦争時のロシアと日本の都市騒擾、経済格差と相関する近代学歴社会の状況と、丁々発止を重ねていると導き出す。

第二部は「世界文学の聞こえる場所」である。文学は五感を作動させる。あなたのいるそこへ世界から文学が忍び入る。この忍び入り方およびその結晶化を考察してみようではないかという試みである。古代文学に通じる声の問題と現代人の孤独化をめぐる問題とを世界文学の観点から論じ、日本近代文学につなぐ。

第一章、野網摩利子「古謡と語り――漱石の翻訳詩から小説へ」では、漱石が読んだ古英詩、翻訳した『オシァン』、そして、漱石作品『行人』中の盲人の語りに着目し、それらの共鳴によって促される世界文学の生成現場に立ち会っている。

第二章、ダリン・テネフ「猫との会話と文学の可能態――コレットの『牝猫』と谷崎の『猫と庄造と二人のをんな』について」では、フランス・日本の二小説を扱い、人間には理解不可能なはずの猫の発話の分析を通じて、自分の言語の境界を超えてしまう人間の決定的瞬間を取り出す。

第三章、スティーブン・ドッド「フランツ・カフカの「変身」と宇野浩二「夢見る部屋」というモダニストの部屋」では、モダニズムが産み出す文学という観点を打ち出し、現代社会における文化の断片化、人間の孤立化を、ドイツ・日本の実験的小説に読み取る。

第四章、リンダ・フローレス「自分のアイデンティティへ――高橋たか子『空の果てまで』とモーリヤック『テレーズ・デケルウ』」では、アイデンティティを築く場所を亡くす女性登場人物に注目する。家に閉じ込められた「囚人」として読み取れるテレーズ・デケルウの声は、高橋作品における、家からの「逃亡者」、久緒に引き継がれた。

第三部「引き継がれる世界と生命」においては、構成、語り、文体といった、文学の形が、時空を越えて文学同士を結び付ける様態について析出する。

第一章、マイケル・ボーダッシュ「世界文学としての三つの生命――漱石、スタイン、ジェームズ」では、哲学者ウィリアム・ジェームズによる「意識の流れ」論を介在させて、アメリカの小説家・詩人のガートルード・スタイン『三つの生命』と漱石「一夜」の語り手の意識を分析する。さらに、ジェームズが着目した繰り返しの意味を両作品に読み取り、そこに現れる余分な生産物に意義を認めた。

第二章、野網摩利子「文学の生命線――『リリカル・バラッズ』から漱石へ」では、『彼岸過迄』の短篇間の連結を促すのは『リリカル・バラッズ』中のワーズワス詩であるとする。ワーズワス詩の読者であった漱石が、人から聞いた話同士を結び付けて思考する主人公の創造に至る。異なる文学作品同士が時空を越えて連帯する。

どこの近代文学も、世界の文学の翻訳のために翻訳者の試みた文体が、その後の文学において、あるいは、生活の言語として定着してゆくという文体史を持つ。世界文学論で、翻訳論が主題の一つとなっているのは、そのような日常言語にまで食い入る文体問題があるからだ。

第三章、谷川恵一「世界文学の文体チューニング――手紙の中のローザ・ルクセンブルク」は日記や手紙の女性語に着目したうえで、その翻訳文の諸相を提示する。なお、ローザ・ルクセンブルクはドイツ革命時の女性革命家である。世界で焦がれるように競って読まれた。彼女の手紙文は「詩的」とみなされ、「文学」として受けとめられている。このような「文学」展開まで掬い取れるのは、世界文学の伝播状況だけでなく、世界文学から産み落とされた種子が根付いた先まで追いかけてゆく本書の世界文学論の特長による。

世界文学全集は多く編まれてきており、編まれるたびに新鮮な作品が入ってくる。世界文学の愛読者が、より文学に深入りすることを望むならば、世界文学性とは何かと問いかけ、世界史ならびに世界文化と相照らし、作品の生成過程や翻訳状況に分け入る本書を読まれたい。

本書はまた、現代哲学に追いついてきた生命科学を視野に入れた、文学研究による、世界の知の再編成であることを強調しておく。

（1）「啓蒙とは何か」、石田英敬訳、『フーコー・コレクション』（6 生政治・統治）ちくま学芸文庫、二〇〇六年、三七九頁、原著一九八四年。

目次

第二部　世界文学の聞こえる場所

第三部　引き継がれる世界と生命

序論

ダリン・テネフ

一　世界文学と日本近代文学

世界文学の概念を踏まえたうえで日本近代文学を練り直す必要があるのは世界文学が日本近代文学への新しい観点を可能にするからである。日本近代文学を単に国文学の枠組みで研究するのでもなく、西欧文学と日本近代文学の関係を、「影響」という、いかなることも単純化してしまう依存関係に還元してしまうのでもない。そのような批評態度を超えるチャンスが世界文学の概念によってこそ与えられているのではないか。では、世界文学をどのように把握すればよいか。世界文学の概念といっても、世界文学に関するおびただしい研究を一瞥すれば、世界文学をどのように理解すべきかということについての討論がいまだに終わっておらず、一つの概念が批評共同体によって受け入れられているというより、いくつもの概念が闘争していることがわかる。

本論の目的は、生物学の学問分野であるエピジェネティクスをモデルにして、世界文学の概念を練り直すことである。ただし、エピジェネティクスの話の前に、日本近代文学との関係で、世界文学についていくつかのポイントを押さえておきたい。

まず、日本近代文学との関係での世界文学の考察といえば、明治二十年代以降外国文学（ロシア文学、フランス文学等）が紹介され、翻訳され始めた過程や西欧の概念体制が日本に導入され、多様な芸術・文芸現象に当てはめられようとした過程が思いつかれるであろう。たしかにそういった過程は日本文学を世界文学に拓いたということもできる。そのような過程の中での、そしてそういった過程によって変えられていく日本文学はもはや唯一の国家のスタンダードで考えられず、より広い文脈が必要とされるようになった。しかしそのことは世界文学自体（そういうものがあるとするならば）について具体的に我々に何を教えてくれるのかははっきりしない。

ある国の文学作品が別の国に紹介され、翻訳された際、その作品は世界文学といえるものになっているのだろうか。そもそも、一つの作品は世界文学だ、といえないのではないか。換言すると、一つの作品は世界文学の遺産に入ることやその代表作の一つであることは十分ありうるが、世界文学そのものではない。世界文学の概念を通して特定の作品についての理解が変わるとしても、作品そのものを読んでも、世界文学の概念についてどういうことがわかるだろうか。世界文学の概念はおそらくその作品に論理的な意味で先立つのでなければ、ある作品を世界文学を代表するものとして読解できることはないだろう。作品をもって世界文学に接することは十分考えうるが、そうなるにはある意味で読者がすでに「世界文学」のことを把握していなければならない。すると文学作品自体は内在的に世界文学的特性を包含していると言い難くなる。逆に世界文学が作品の理解を変えることができるのであれば、それはある形で世界文学というものの可能性はいつもすでに作品に内在的に書き込まれているからだといわねばならない。世界文学は文学作品の外部にありながら、その内部にも必要だといえるが、逆説的に響く本定義が抱え込んでいるエニグマをどのように解決できるだろうか。

述べてきたように、世界文学の曖昧な概念によって特定の作品に対する態度が変わるとしたら、我々はその世界文学の概念によって意識的に、あるいは無意識的に、作品が違う文脈に移され、国境を越える作品ネットワークに刻印されるからであろう。ということは、世界文学とは独特の空間を作ることを意味するのだ。その概念はどんなに曖昧であろうと、世界文学はある種の共有された文学空間を作るといえよう。国文学の枠組みを超えるとは、特定の作品が世界中の諸作品と同じ文学空間に参入することである(1)。共有された文学空間としての世界文学とは世界文学の曖昧な概念そのものである。

曖昧な概念であっても、そのことにより気づくこともある。世界文学が生産する共有された文学空間は文学の働きとともに、文学の概念そのものを変えてゆくということはその一つである。そもそも文学というのはいつでもどこでも同じ意味を持っているのではなく、逆に、文化それぞれにおいて違う意味を持ち、違う機能を果たしているのであって、そういった多様多義的な言語的生産物をすべて文学といえるかどうかという問いに関して肯定的に答えるのは難しいくらいなので、文学の概念が複数あっても不思議ではないだろう。しかし、文学に関する一般的な問い、あるいは問いとしての文学は近代にはじめて現れ、しかもけっして世界文学の理念を生み出した過程と無関係ではなかった。文学に関する一般的な問いは諸国文学の共有する文学空間においてはじめて可能になるのではないか、という観点からすれば、疑いなくその文学空間から新しい文学の概念が生じるだろう(2)。

日本近代文学においてもその共有された文学空間が意識されていた。ということは、世界文学は日本文学の創作様態をも変えた、ということを意味している。坪内逍遥と二葉亭四迷の例を挙げるまでもないだろう。

ただし、作家が意識するしないにかかわらず、世界文学のエニグマは残るだろう。世界文学は作品の外部にあると同時に作品の内部にも存在しなければならない。このエニグマをどのように理解し、解決すべきであるか？　いいかえれば、共有された文学空間としての世界文学はいかに特定の作品の内在的な意味とその理解を変えることができるだろうか。

1　漱石の脱歴史化

この問いに向かい合う前に、世界文学が生産する共有された文学空間は、日本近代文学のどういう現象によって指示されているのか、いくつかの事例を挙げたい。

明治文学に詳しくない人でもすぐさま自然主義と浪漫主義のことを思いつくだろう。もともと自然主義も浪漫主義もヨーロッパにあった流派の名称から名付けられたものであり、それのみではやはり日本における自然主義と浪漫主義を論じるさい、影響論に陥りかねない。影響関係がなかったとはいわない。が、影響で説明しきれない点がいくつかある。その一つは共有された文学空間の働きである。影響関係でいうならあくまで依存関係に焦点が行く。別に西欧文学と日本文学が同じ文学空間になくてはならない理由はどこにもない。世界文学の重要な側面が隠蔽される恐れがある。

世界文学の現象として日本における自然主義と浪漫主義を検討するために、夏目漱石のそれらに関する解釈が参考になる。「創作家の態度」から引用しよう。

そこで、かの西洋の文学史に起つた何派もしくは何主義と云ふものは、其傾向から推して、此等の客観的態度の三叙述、もしくは主観的態度の三叙述の左右へ排列されるものだらうかと思ひます。先づ写実派、自然派、の様なものは前者に属し、浪漫派、理想派抔と云ふものは後者に属するのではなからうかと思ひます。（夏目漱石「創作家の態度」、漱石全集第十一巻『評論・雑篇』岩波書店、一九六六年、一四〇頁）

漱石は、西洋の文学史に起こった現象をその現象が具現化する方向の視点から論じることで、影響論から決定的に自分の議論を切り離している。そうするとその文学史的な面が還元されてしまうのではないか。後で明らかになるように、必ずしもそうではない。しかしながら、ある種の脱歴史化が漱石の議論に活性化されていることで、西洋の文学がその線的な歴史から引き抜かれ、西洋の文学よりも拡張された文学空間に置かれている。そこで、影響があろうとなかろうと、西洋文学と日本文学のどちらにもホモロジカルな（相同的な）傾向が働いていると明確にすることができるようになる。その拡大した文学空間は西洋のものでもなければ、日本のものでもない。西洋文学の伝統と漢籍の伝統が触れ合うことを可能にしたのはそういった文学空間である。その文学空間は独特の歴史的状況で生産されたにもかかわらず、(3) その文学空間はあらゆる歴史的限界を乗り越える力を持っているようだ。だからこそ、柄谷行人の主張するように、漱石が歴史的な概念を構造的な要素にすることができたのではないかと思われる。

ロマン主義と自然主義は、歴史的な概念であり、歴史的な順序の中であらわれている。だが、漱石はそれを二つの要素としてみる。（柄谷行人「文学について――漱石試論II」『マルクスその可能性の中心』講談社、一九九二年、二二六頁）

なるほど、漱石の議論はある意味で構造主義的に（当然ながら、構造主義そのものが現れる以前に、*avant la lettre*）歴史的な順序を脱歴史化し、西洋と東洋とに潜在的に存在していた傾向を素描した。注意しなければならないのは、漱石がその議論を提供したのは当時の日本文学を論じるときであったということだ。世界文学が生産する共有文学空間を措定せずに当時の日本文学（いわゆる近代文学）を論じることは難しい。漱石による（構造主義以前の）構造主義的方法があったとするならば、それは日本文学と西欧文学などを別々に論じるのではなく、あくまでも同じ文学空間に置かれているという前提のもとで論じられ、そのうえでその方法が採られたといえよう。そもそも、漱石が「文学とは何か」という問題を提起したのも、十年をかけてその問題を解明する計画を立てたのも、共有文学空間の前提なしには不可能であったろう。もし漱石が「西洋における文学の自明性そのものを問題にした」のであれば（柄谷行人『反文学論』講談社学術文庫、一九九一年、六六頁）、その問題自体も世界文学に生み出された効果なのである。

しかしながら、漱石はそのような構造主義的な側面にとどまってはいない。歴史的な概念ではなくなった浪漫派と自然派とはもはや文学作品の内在的な本質ではない。漱石は次のようにいう。

自然派と浪漫派とは本来の傾向から云ふとやはり左右に展開している様ですが或るところになると、どっちとでも解釈が出来るもので、要は読者の態度いかんによって決せられるものだと云ふ事は。（夏目漱石「創作家の態度」、一四一頁）

読者の態度によって決められるのであれば、単に作品を一義的に定義する本質としてではなく、作品に潜んだ一つの可能性（一つのチャンスでありながら、一つのリスクである）にすぎないものとして理解すべきだろう。この論理で行くと、世界文学の共有文学空間によって脱歴史化された自然主義と浪漫主義は主義一般として取り出しうるが、それと同時に文学作品とのつながりが緩やかになる。「私の個人主義」や「彼岸過迄に就いて」などで自分の作品は浪漫派のものでもなければ、自然派のものでもないと強調する夏目漱石が「ただ自分は自分であるという信念を持っている」（夏目漱石「彼岸過迄に就いて」『彼岸過迄』新潮文庫、二〇〇三年、六頁）というとき、これらの主義によって把握されない作家や作品の特異性を見出しているといえよう。これらの主義は直接に作品を定義するものではないというわけである。読者の態度に依存する傾向は作品に潜む一つの可能性だと述べたが、その可能性は作品の内在的性格によるものでありながら、外部の状況にもよるものであろう[4]。作品の内在的性格であると同時に読者の態度を必要とする可能性のうちには作品の内と外が絡み合っているといわねばなるまい。ゆえに、こういった可能性は内と外の二個対立を不活性化し、脱構築するとまでいえるかもしれない。

2　露風のアナクロニズム

漱石の議論にはまた後で戻りたいが、その前に少なくとももう一つの事例を取り上げたい。日本近代文学、特に近代詩は西洋の象徴主義の影響を受けていることは周知のとおりである。ジャン・モレアスらが唱えていた象徴主義は、モダニズムを紹介した流派の一つとして速力をもって世界中に広まった「世界文学」にとって非常に重要な役割を果たす文学現象であった。面白いことに、日本に象徴主義を紹介してその代表者の一人であった三木露風は早いうちに、漱石と同じく、歴史的な概念である象徴主義を脱歴史化して、しかし、漱石と違って、構造的な傾向として象徴主義を一般化する代わりに、また違う文脈に再歴史化した。端的にいうならば、露風は象徴主義を、明治以前の、すなわちフランスの象徴主義を可能にした近代が現れる前の、日本文化に見出した。

一九一五年（大正四年）に発表した『露風詩話』の中で露風は次のように書いている。

我々の象徴詩はもう、フランスの象徴詩とも、ちがつてゐるのだ。即ち我が象徴詩は、もう、日本のものとなつてゐるのだ。自分は、古代の日本の作品などこそ、立派な象徴主義の作品であると信じてゐる。（三木露風「思想の井」『露風詩話』白日社、一九一五年、三二頁）

仏蘭西の象徴法はボオドレエル、マラルメ、ヴエルレエヌによつて盛んになつた。今の詩人では、レニエ、メエテルリンク、ヱルハアレンなどが此派から出た。又別に英国ではイエーツが夢幻的象徴を唱へてゐる。もとより同じ象徴と云つても、其の國に於て、其の氣候風土によつて、其の色を異にするのが當然である。さうであつて見れば、日本に於ける象徴の精神が芭蕉や雪舟や光琳になつてゐることは毫すこしも怪しむに足りないのである。（三木露風「詩體（長詩及短詩）」『露風詩話』白日社、一九一五年、一一五頁）

三木露風の議論は時間錯誤の罠にかかっているように見える。芭蕉や雪舟における象徴の精神があったとしても、それは象徴主義の導入した象徴の意味とは全く違う。しかしながら、露風の議論は直接に芭蕉等を問題にしているのではなく、第一に日本近代象徴詩の現象を論究している。日本における象徴詩がなぜフランスの象徴詩と異なっているのかあるいはいかにして日本近代象徴詩は日本のものになったのか、という問いを立てている。

この問いに対する彼の答えはイポリット・テーヌを思わせる議論を用いて、気候風土で二つ（以上）の文学の異なるところを説明しようとしているが、この議論の基礎をなしているのはより一般的なことで、つまりある（象徴詩なら）象徴詩を日本のものにするのは、その国の（この場合、日本の）文学的伝統であるという。また、象徴主義が発生し、日本に紹介されたときに古代の伝統を遡及的に読み直すことができたのはつぎの可能性があったからというわけだ。その可能性とはすでにその伝統自体に潜んでいたのであり、近代詩によって日本の古代の伝統が活性化されたということであろう。だからこそ、フランスやベルギーの象徴主義はイギリス（といっていいか、という問いはここで留保するが）におけるイェイツの象徴詩とも違って、日本の近代象徴詩とも違う。それだからこそ、芭蕉等に象徴の精神を見出すことができる。ここで措定される過程にはおそらく少なくとも三つのしくみが含まれる。第一に、フランスなどから日本に象徴詩を導入するしくみがある。第二に、象徴詩を日本のものにするしくみである。そのしくみは日本の文芸伝統に働く。最後に、他所から導入された象徴詩が日本のものになることで、遡及的に日本の古典などに象徴主義の可能態を描き出すしくみがある。理論的にはそれらのしくみを区別し、分別することができようが、時間的に考えれば、それらは同時に働いているといえよう。

露風の後に、日本古典文学に象徴主義を見出す者がいなかったとはとても言えない。最近亡くなった大岡信は次のように日本の象徴主義を論じている。

中世の和歌あるいは歌論、さらには芸道論などについて、その「象徴主義」が云々されることがあるのは人が知る通りだが、象徴の語がそれらの中で実際に用いられているわけではないので、たとえば十九世紀末フランスの、「象徴主義宣言」（一八八六年、ジャン・モレアス）による明確な自覚にもとづいて行われた象徴主義運動などと同日に語るわけにゆかないのは言うまでもない。中世日本の象徴主義という表現は、その意味ではかなり内容曖昧な、比喩的性格をもった表現だといわねばなるまい。

しかし、述語の論議をひとまずおいて、中世和歌の主導的な理念あるいはその展開の姿について考えてみると、象徴主義的な性質がそこに多分に認められるということは、どうやら疑えないことのように思われる。（大岡信「日本詩歌の「象徴主義」——「幽玄」の思想が語るもの」『詩の日本語』中央公論社、一九八〇年、一二七頁）

「幽玄」。この語の中に、中世和歌の「象徴主義」の問題の大方が含まれている。それは一般論としてもそうだし、今ひきあいに出したフランス象徴主義の理念との「類似」と「相違」についても、この一語の中に問題のほとんどすべてが包含されているのではないかとさえ思われる。（大岡信「日本詩歌の「象徴主義」——「幽玄」の思想が語るもの」、一三〇頁）

大岡信は露風と同様に十九世紀末や二十世紀初頭だけではなく、日本の文芸伝統に「象徴主義的」と規定できる要素があったと主張している。そこで大岡信は「象徴主義」という表現は内容のあいまいな比喩的表現ばかりではないと証明するために、フランスの象徴派と中世和歌の理念が「類似」していることを明らかにしている。その類似をもって象徴主義の観点から遡及的に和歌を読み直している。興味深いことに大岡信はその類似を論じることが何によって可能になっているのかという問いを立てない。大岡信の議論も時間錯誤の罠にかかっているといえるだろう。アナクロニズムがその議論の基礎をなしている。だから、そのアナクロニズムがなければ日本中世和歌に象徴主義を見出すことはできなかったはずだ。

後でまたアナクロニズムの問題に戻るが、ここで主張したいのは、三木露風も大岡信も単に間違っているといえないところである。すでに明らかになっているように、私が述べたいのは、フランスの象徴派と日本の中世和歌の理念を類似させるには十九世紀の象徴派と中世和歌が同じ文学空間に置かれていなければならないということである。芭蕉や和歌における象徴主義を論じることは俳句や和歌を世界文学として読むことに他ならない。三木露風も大岡信もそういう文学空間を措定しておきながら、その文学空間自体を探求しない。その文学空間はある種の連続性を生産するが、必ずしもそれぞれの作品や文学現象の異質性を還元するとはかぎらない。

「遡及的」といった言葉を利用したが、適切ではないかもしれない。なぜなら、その言葉は単一の線的歴史を思わせるからである。歴史が単一ではなく、複数であるとしたら、かつ線的なものではないとしたら、「遡及的」という言葉をあきらめたほうがいいかもしれない。前述の各種のしくみが同時に働いているのであれば、文学史上の異なる時代や領域を指し示す文学現象（例えば、フランスの象徴派や芭蕉の作品や中世和歌など）が遭遇することが可能となる。そのしくみを活性化するのが世界文学なのではないか。同じ文学空間に置かれている文学作品や文学現象を遭遇させ、対話させることができるので、現在のものを過去のものの見地から見直すだけでなく、過去のものを現在のものの見地から見直すことも十分考えられる。近代文学において、そして近代文学に関する言説において、それは珍しくなかった。露風や大岡信は例外ではない。その意味で文学史的時間錯誤を思わせる事例は世界文学の働きの徴候だとさえいえる。例えば、シュルレアリスムが現れる前から萩原朔太郎の詩にはすでにシュルレアリスム的な要素があったと断言するなら、それは世界文学の生産する共有文学空間における、シュルレアリスムと朔太郎の詩の遭遇のことをも意味する。(5)

3　漱石のラディカルな「歴史主義」

しかしながら、世界文学は脱歴史化を意味するだけではない。ある種の脱歴史化を認めざるを得ないことは漱石の議論で明らかになっただろうが、どういう歴史から、どういう歴史の概念から文学現象を引き抜くかを問題にしていない。脱歴史化とは時間を空間化することであって、空間化することで異なった時代の作品や現象の遭遇を可能にする。すでに述べたように、共有文学空間を作る空間化は、作品や文学現象を同質化するのではない。そういった空間化は時間を無化するのではない。「時間錯誤」や「遡及」はまず線的な時間の流れを思わせるが、脱歴史化と空間化は、線的な時間と線的な歴史の概念を拒絶し、より複雑な歴史の概念を必要とする。「創作家の態度」での漱石の議論にはそういった考え方がみられる。

日本も、支那も、英吉利も、独乙も、同じ現象を同じ順序に過去で繰り返して居るとは参らんのであります。（夏目漱石「創作家の態度」、一〇七頁）

すると同じ絵の歴史でもラファエルが出ると出ないとで二通り出来上ります。（事実が一通り、想像が一通り）風俗画の方も其通り、歌麿のあるなしで事実の歴史以外にもう一つ想像史が成立する訳であります。（中略）絵画の歴史は無数無限にある、西洋の絵画史は其一筋である、日本の風俗画の歴史も単に其一筋に過ぎないと云ふ事が云われる様に思ひます。（夏目漱石「創作家の態度」、一〇八頁）

いざとなると西洋の歴史に支配されるかも知れませんが、普通頭の中で判断すれば西洋の文学史と日本の文学史とは現に二筋であって、両方とも事実で両方とも真であるのは誰が見ても分り易い事でありますから、其辺はどうでも構ひません。又一般に申して西洋の方が進んでいるから万事手本にするんだと言ふ人があっても構ひません。私も至極御同感であります。只歴史の解釈を私の様にした上で、西洋を手本にしたら間違が少なかろうと思ふのであります。さうしないと弊が出てくる。さうしてその弊に陥って悟らずに居る事があります。（夏目漱石「創作家の態度」、一〇九頁）

以上の引用から漱石の「ラディカルな」――とでもいうべき――歴史主義が窺われる。それぞれの領域にそれぞれの歴史が流れているので、一つの、いつもどこでも繰り返される順序を措定する歴史の概念は批判されている。その歴史の概念とは歴史を一筋しか許さない線的なものである。その概念に対して漱石は多種多様な歴史の概念を提起するように見える。歴史は複数ある。しかもそれぞれの歴史における筋は必然的なものではなく、偶然性をはらんだものであって、さらに言えば、歴史はここで実現されなかった可能性、「事実の歴史以外にもう一つの想像史」に取り憑かれているのである。漱石は歴史主義を批判したことで一つの必然的で普遍的な歴史の概念を拒み、構造主義を思わせる脱歴史化を導入したが、その脱歴史化は、実際、ラディカルな歴史主義の場を拓いたといえよう。世界文学の共有文学空間はそういった、偶然性をはらんだ、複数の、多種多様な歴史を可視化したのだといってよい。

ゆえに、世界文学が営まれるのは単に時間の空間化ではない。世界文学の場合時間を空間化するとは本来、一つ以上の時間があると明らかにすることだ。複数の、そして重層的な時間を考えられるようにする。普遍的で、線的な歴史を批判することで、漱石は歴史を空間化し、歴史的な現象を構造的要素にしただけではなく、複数の歴史の可能性を拓く、ラディカルな歴史主義を素描した。ラディカルな歴史主義は、ある現象が一つの線的な時間の流れにではなく、複数の時間の流れに同時にあるということを主張する。想像しうる歴史、ありえたかもしれない歴史が事実の歴史を貫いている。それぞれの時間が絡み合うこともできるし、互いを否定することもできる。それぞれの時間が同時にあることを考察する試みは、一つの線的な時間の視点からするとアナクロニズムに見えてしまうだろう。この意味で、ラディカルな歴史主義とはアナクロニズムの歴史主義だといってよい。それは、どんな歴史の現象も異質性を孕んでいることをも意味する。

二　世界文学の概念

線的歴史に対して批判的である夏目漱石や柄谷行人の議論、アナクロニズムをもって古典に象徴主義を見出す三木露風や大岡信の議論、これらの二つの議論は事例にすぎないが、どれも日本近代文学が世界文学の生産する文学空間を措定することを指し示していると同時に、その指示に対する反省である。しかし前述したように、「共有された文学空間」とは世界文学の曖昧な概念であり、世界文学と文学作品の関係を十分明晰にすることはできないだろう。総じて、世界文学の曖昧な概念――通俗的解意とでもいえようか――は世界文学という現象を暗示するのだが、その内なるダイナミックスやそれが活性化するヒエラルキーなどを問題化するには不足している。とはいえ、作者たちが世界文学の概念を考慮しなくても、その曖昧な概念に無自覚であっても、世界文学の働きは妨害されることはないだろう。なぜなら、世界文学は必ずしも作者の意図によるものではないからだ。とすると、いかに世界文学を理解すべきか？

当然ながら、十八世紀末と十九世紀初頭から多くの研究者・思想家が世界文学のことを論じてきた。特に二十一世紀初頭から世界文学に対する関心がよみがえり、急速に世界文学に関する研究が増え、討論が深まりつつある。その多くの研究の中にいくつかの世界文学の曖昧ともいえない概念が提起された。本論で提供する、世界文学の働きを理解するためのエピジェネティクス的モデルに移る前にごく簡単に世界文学の概念の発生について述べたい。

1　世界文学概念の発生

周知の通り、**Weltliteratur**（「世界文学」）は通常、後期ゲーテの思想にさかのぼるが、ゲーテ以前にも「世界文学」という表現が使われていた。アウグスト・ルートヴィヒ・フォン・シュレーツァー（August Ludwig von Schlözer）やクリストフ・マルティン・ヴィーラント（Christof Martin Wieland）が初めてその表現を導入したと考えられる。シュレーツァーは一七七三年にアイスランド文学とアイスランド史についての論文の中で、世界史と世界文学を同時に論じた。歴史家であったシュレーツァーは世界文学を諸国の代表作品の総合リストとして理解していた。(6) 十八世紀末にヴィーラントも **Weltliteratur** の言葉を使った。ただし彼の場合、世界文学は **Weltmann** あるいは **homme du monde**（「世慣れた人」）の意味だが、直訳すれば「世界人」という）の学識（Gelehrsamkeit）として把握されている。ヴィーラントはホラティウスの書簡を翻訳する中、**Weltliteratur** という表現を導入し、ホラティウスの時代が世界文学・学識の時代であったのは、当時の学者たちがよく勉強し、さまざまな経験をし、世慣れた人であったからだ、と論じている。(7)

ゲーテのほうは十九世紀の二十年代にWeltliteraturのことを唱えたことはよく知られているが、ここで主張したいのは、世界文学を代表作品のリストとして理解するシュレーツァーや世慣れた人々のための文学として世界文学を理解しているヴィーラントに対して、ゲーテは交流や伝達や翻訳の面を主張し、プロセスとしての世界文学を論じた、ということである。(8) ゲーテの議論において世界文学は作品のリストや学識のような静的なものではなく、多様な文学作品を繋ぐ動的なものであるわけだ。

概して、「世界文学」という表現が生じたときに、少なくとも三つの異なった世界文学の概念も成立したといえよう。が、いずれも先述のアナクロニズムや世界文学と個々の作品の関係などの問題に対して解法を与えるとは思われない。

2　世界文学概念の現代

現代文学批評で最も重要と思われる世界文学論に目を転じると、フランコ・モレッティやデイヴィッド・ダムロッシュやエミリ・アプターなどがいる。遠読の方法で知られているモレッティ(9)はイマニュエル・ウォーラーステインの世界システム論をもって、世界文学を論じ、市場と形式と現実の関係がいかに文学生産を形成するかを研究し、「世界文学を研究することは――必然的に――世界中の象徴的へゲモニーを目指す戦闘を研究することだ」(10)と主張している。モレッティは多くの西洋外の国々における小説の発生を探求し、つまるところ、世界文学の要素としてローカルな素材、ローカルな形式、西洋形式の影響、その三者をあげている。(11) 要するに、世界文学はローカルなものと西洋形式の折衷とされた。モレッティによると、十八世紀以前にも世界文学と定義できるものはあったが、それらを理解するには世界システム論ではなく、むしろ生物学進化論が必要だ。それに対して、十八世紀以降の世界文学は世界文学市場によって支配されている以上、世界文学市場を理解するために世界システム論が必要だという。彼のいう進化論や世界システム論は実際、影響論を基礎にしていると思われる。しかも彼の遠読法は世界文学と個々の作品の関係をより不明瞭にするようである。

ダムロッシュのほうは、流通過程、翻訳過程、生産過程といった三つの過程が世界文学を形成すると論じている。[12]彼は特に翻訳可能性を強調し、世界文学のことを翻訳を通して豊かになる文学（直訳すれば、翻訳によって得るものがある文学）と定義する。ダムロッシュによれば、小説は翻訳しやすいので、詩と比較すれば、小説のほうが得るところがあるというのだ。日本近代詩における象徴主義やモダニズムなどを考えあわせると、ダムロッシュの議論は必ずしも普遍的だとは言えない。[13]しかしながら、翻訳によって価値を増す文学としての世界文学は、ダムロッシュが提起している三つの定義の中の一つの定義にすぎない。[14]他の定義もおもしろいので、ここで、簡単に取り上げたい。一番目の定義は、世界文学とは諸国民文学の省略法的な屈折（elliptical refraction of national literatures）だという。二番目の定義はすでに述べたもので、世界文学は翻訳を通して豊かになる文学だという定義だ。三番目の定義は、世界文学は国々の代表作品を一緒にした古典的リストではなくて、読み方あるいは読みのモード（a mode of reading）であるという。一番目の定義にある「省略法的な屈折」とは、違う国の文学が紹介される場合そのすべての側面とすべての要素が紹介されるのではなく、ある側面が省略されたり、ある要素が還元されたりするという意味である。[15]なるほど、それぞれの作品の文脈とのつながりやその文学伝統との関係やその価値観などが還元されてしまうのは当然であろう。しかし興味深いのは、どの側面、どの要素が伝達されて、どのようなところが省略されるかがどのように決められるのかという点である。世界文学としてある作品を読むとそこに少なくとも必ず二つの文化が交渉し、お互いを屈折させる、とダムロッシュはいう。[16]だとすれば、何を省略するかという指示は単に文学作品のうちにあるのではないということになろう。と同時に、変化をもたらす、その作品が世界文学になる外在的根拠は作品内になければ、効果的ではなくなる。

三番目の定義は、異なった形で似たような問題を提起する。世界文学とは読み方である、しかもどんな読み方でもいいというのではなく、読者のいる場所や時間の限界を超え、異なった世界へと導く読み方である。すると、その読み方は作品そのものに根拠が求められるはずだが、世界文学は作品内にはないので、読み方としての世界文学はいまだに世界文学と文学作品の関係を明らかにしていない。実際、ダムロッシュの主張している読み方は、先述した漱石の議論――つまり、個々の作品においてどの面が浪漫派的かどの面が自然派的かは読者の態度によって決せられることがあるという議論――と類似している。

ダムロッシュの一番目と三番目の定義を通して提起できる問題はおそらくダムロッシュの理論では解決できないだろう。いいかえれば、ダムロッシュが導入している世界文学の概念でさえ世界文学と日本近代文学の関係を明晰にするには不十分であるということだ。とはいえ、ダムロッシュの主張している流通と翻訳と生産は西洋文学と日本近代文学の間になかったわけではない、かつ、重要な役割を果たさなかったのではない。むしろ、その逆である。が、表面的に見れば当然のように思われるその諸過程がいかにして効果的でありうるのか、いかにして文学がその諸過程によって――しかも「遡及的に」も――変形されうるか。文学のそういった変形可能性をどう把握すればよいか。繰り返しになるが、読者による読書過程はあるが、読者だけによるのであれば、個々の作品はどうだってよいということにならざるを得ず、個々の作品がなくてもよい、あるいは、どの作品でもよいということになる。すべての作品が交換可能なものであるということになる。個々の作品の特異性を抹殺することになろう。さもなければ、作品が、変形を受けられるような内的可能態を措定しなければならない。読者によってもたらされた変化を受けるのは作品である。たとえば、すべての詩には象徴主義的と言えないような作品とそうでない作品とがあるだろう。作品の特性と読者によって世界文学が受ける変化とはどのように繋がっているのだろうか。

そういった問に答えるためにおそらく、世界文学の概念を練り直す必要がある。ダムロッシュやモレッティの提唱している概念とはまた違う概念が必要だ(17)。

（1）明瞭であろうが、ここで紹介した「文学空間」とブランショの有名な「文学空間」とは同音異義語にすぎない。ブランショの主張している文学空間は本論で触れる文学の可能性と無関係ではないが、この問題には取り組まない。

（2）我々は今日利用している文学の概念はおそらく、最初十八世紀末から十九世紀にかけて、そして十九世紀の後半から二十世紀の始まりにかけて、二段階的に現れたといえる。いうまでもなく「十八世紀末から十九世紀の始まりにかけて」という時代は「世界文学」の理念を生み出した時代であり、十九世紀の後半から始まる時代はモダニズムの時代である。しかし本論文の課題を超えるためここではこの問題を論及できない。

（3）歴史的状況というのは、つまりその文学空間の生産に政治的・経済的・社会的要素が絡み合っているということを意味している。

（4）外部の状況は読者の態度を包含するが、その態度自体は複数のことに依存することを忘れてはいけない。そもそも、十九世紀末の西洋文学の文脈の外に浪漫主義や自然主義を見出す読者の態度は世界文学なしにはあり得ないのではないか。

（5）清岡卓行は次のようにいう。「例えば同じ象徴主義でも、上田敏や蒲原有明の場合と萩原朔太郎の場合と比較すると、非常に図式的な一つの言い方で欠点もあると思いますが、上田敏や蒲原有明の場合は、象徴主義と高踏派の私学が重なる部分、あるいは要素を含んで仕事が展開されていた。それに対して、萩原朔太郎の場合は、象徴主義と超自然主義が重なる部分を含むような形で、ただし、超自然主義が関わるということについてはほとんど無自覚で、仕事が運んでいた」（清岡卓行の発言、那珂太郎、清岡卓行、渋沢孝輔「萩原朔太郎の現在・共同討議」『ユリイカ』第七巻第六号、一九七五年、一一九頁）。清岡卓行に限られる断言ではない。朔太郎のシュルレアリスムが無自覚のシュルレアリスムであれば、それをシュルレアリスムとして定義する立場自体を問題にしなければならないはずだが、ここで強調したいのは、「無自覚」という言葉の含意する意味である。それは、つまり、作者が自分の作品が置かれている文脈に対して無自覚であっても、その作品は文脈における様々な現象と関連していることにかわりはない、ということである。いいかえれば、作者の意図はこの場合ある程度不活性化される、ということになる。

（6）シュレーツァーについて Wolfgang Schamoni, "'Weltliteratur' – zuerst 1773 bei August Ludwig Schlözer, *Arcadia*, 43/2008, S. 288–298 を参照のこと。

（7）ヴィーラントについて Hans-J. Weitz, "Weltliteratur – zuerst bei Wieland," *Der eizelne Fall*, Berlin, Heidelberg: Springer, 1998, S. 349–352 を参照のこと。

（8）ゲーテの唱えた世界文学について数えきれないほど多くの論文が存在するが、ここでシュレーツァーとヴィーラントとゲーテを比較して、より大きな啓蒙主義の文脈をも分析するガリン・ティハノフに言及したい。Galin Tihanov, "Cosmopolitanism in the Discursive Landscape of Modernity: Two Enlightenment Articulations," In: D. Adams, G. Tihanov（eds.）, *Enlightenment Cosmopolitanism*, Abingdon, New York: Legenda, 2011, pp. 133–152 を参照のこと。

（9）Franco Moretti, *Distant Reading*, London: Verso, 2013（フランコ・モレッティ『遠読――〈世界文学システム〉への挑戦』秋草俊一郎・今井亮一・落合一樹・高橋和之（共訳）、みすず書房、二〇一六年）を参照のこと。

（10）Franco Moretti, "Conjectures on World Literature", *New Left Review*, 1/ 2000, p. 64.

（11）Ibid, pp. 58, 65.

（12）David Damrosch, *What is World Literature*, Princeton: Princeton University Press, 2003（デイヴィッド・ダムロッシュ『世界文学とは何か』秋草俊一郎・奥彩子・桐山大介・小松真帆・平塚隼介・山辺弦（共訳）、国書刊行会、二〇一一年）を参照のこと。

（13）『世界文学に反して』でエミリ・アプターは翻訳可能性の基準だけで世界文学を論じることを見事に批判している。同論文で彼女はモレッティの議論に対しても批判的である。Emily Apter, *Against World Literature. On the Politics of Untranslatability*, London: Verso, 2013 を参照のこと。

（14）Cf. Damrosch, *What is World Literature*, p. 282.

（15）省略法と楕円形と世界文学の関係について、John T. Hamilton, "Ellipses of World Literature," *Poetica* 46（1–2）/ 2014, pp. 1–16 を参照のこと。

（16）Cf. Damrosch, *What is World Literature*, p. 283.

（17）本論で論及できないことだが、世界文学に対する関心がよみがえったのは二十世紀末から二十一世紀にかけての時であったのは決して偶然ではない。グローバル化という名称のもとにある諸過程と無関係ではない現象であった。モレッティやダムロッシュなどの議論の端緒となっているのは現代文学の状況にほかならない。グローバル化の中の現代文学は文学史上最も翻訳されて、流通されているものだと思われる。それでは現代の支配的な世界文学の過程とはどういうものであるのか。現代における世界文学の特徴はどんなものであるのか。二十世紀にも、十九世紀にも潜在的にあった側面が形をとって表れ、支配的になったのではないか。

　現代文学の景色を眺めると次のことが見える。一方、それぞれの文学生産を分別するためにある特徴（正確にいえば、特徴群）が固定化される。夏目漱石や柄谷行人が指摘しているのは、西洋文学にしても、日本文学にしても、その自己同一性は確実なものではなく、むしろどれも組み替え可能な別の歴史をもち、自分との差異を孕んでいるということだ。しかし、グローバル化はその内在的差異を拒み、それぞれの自己同一性（アイデンティティ）を固定化する差異しか認めようとしない。それは文学生産の過程を強く揺さぶる。自己同一性を固定化してくるのは固定化された差異である。その固定化された差異によって、「日本文学」や「フランス文学」や「ロシア文学」のイメージが発生するのである。そのイメージはわかりやすく、外国で宣伝する際に効果的であるかもしれないが、偶像にすぎない。他方、自己同一性の支えとなっている固定化された差異は文学空間の同質化に関与する。逆説的に響くだろうが、差異を形成するのは、国々の文学を比較可能にする、文学の同質化である。その過程に参加しない作品は排除される。ダムロッシュなどが唱えている翻訳可能性は同質化に寄与しよう。この点を敷衍することはできないが、モレッティがいうように、世界文学システムは唯一の、不均衡な空間にもとづいている（Franco Moretti, "Conjectures on World Literature," p. 56.）。不均衡、あるいは不平等であることは、（政治的な・経済的な意味において）支配的である文化がヘゲモニーを握っていることを意味する。その文化はヘゲモニー的である限り、普遍化されつつある。そしてその普遍化の効果として同質化がある。逆に、支配的文化ではない場合、普遍的なものに対して自分をエキゾチックなものとして表象し、アピールするのだ（本論で利用している「自己エキゾチック化」の概念はボヤン・マンチェフの導入したネーショナル・エキゾチシズムに基づいている。Boyan Manchev, "Vechnoto zavrushtane na Odisei,"（「オデュッセウスの永遠回帰」）*Kultura*, 23/ 2002 を参照のこと）。自分をエキゾチックなものにする（self-exotization）過程は文学に限らない。音楽や絵画、映画やダンス、理論や思想にまで及ぶ過程であろう。普遍化と同様に、自己エキゾチック化はある種の自己同一性を固定化しようとしている。どんな自己同一性も差異化によって自己が形成され、差異を孕んでいることを忘れて。

第一部　世界文学は理論のなかに産まれる

第一章　世界文学のエピジェネティクス

ダリン・テネフ

一　方法論をめぐって

世界文学に関わる問いに取り組むには方法論的な用心を要する。モレッティが指摘しているように世界文学は、対象ではなく、問題であるので、その問題を解析するために新しい批評方法が求められる(1)。モレッティが遠読（distant reading）という方法を提起しているが、それがニュー・クリティシズムの close reading（厳密に近くから読むこと）と対立するものである限り、世界文学と個々の作品の関係はいかなるものか、いかにして個々の作品が世界文学によって変えられることが可能なのか、ということに答えることはできないように思われる。

本論ではエピジェネティクスを世界文学のモデルとして取り上げていきたいと思うが、その前にモデルの意味を簡単に明らかにしたい。本来、文学理論において「モデル」という言葉がよくつかわれていたが、まともなモデル理論はなかったに等しい。最近モデルのことを主題化してモデル理論を立てようとする試みがある(2)。本論は特にベルント・マーの一般的モデル論を基にしたマティアス・エードベアーの文学理論が提唱しているモデルの概念を借りたいと思う。

マーの理論[3]によると、何でもモデルになれるのである。モデルになったものをモデルにするのはそのものの内的性格ではなく、そのものに対する統握（Auffassung）である。あるものをモデルにするのはモデル・エージェントの統握である。モデルは必ず何かのモデルであり（Model von）、何かのためのモデルである（Model für）。例えば、チューリングマシンは人間がタイプライターで記号を打つという活動のモデルであり、計算機能の効果的詳述のためのモデルである[4]。この例からモデル（チューリングマシン）が対象となったもの（タイプライターで打つ活動）に似る必要はないということが明晰になる。模倣関係でなくてもよいのである。モデルを何のために使うか、いわゆるその応用は実践的目的だけではなく、認識論的目的をも包含することができる。マーはもとの対象をマトリクスと名付ける。モデルはマトリクスから応用に向かった何かの積荷（Cargo）を持ってくる。

マーの弟子であるマティアス・エードベアーやラインハード・ヴェンドラーはモデルの能動的な役割を強調している[5]。ヴェンドラーは興味深い例を挙げている。ノーベル賞受賞者であるライナス・ポーリングは一九四八年に繊維状のタンパクであるαケラチンの構造を考慮しながら、一枚の紙をいじくって、物質的にタンパクと全く違う紙を折り込み始め、その折り込んだ紙をαケラチンのモデルにして（というのは、紙をモデルとして統握した）、αケラチンの構造を発見した[6]。周知の通り、それはＤＮＡの二重らせんの発見に導く重要な一歩であった[7]。αケラチンの発見に紙が重要な役割を果したということは明らかであるが、強調したいのは、ポーリングはどうなるかということを知らずにやったという点である。したがって、予測できない方向に研究者を導く一枚の紙は能動的役割を果したといわねばならぬ。それは一枚の紙としてではなく、モデルとしての役割であった。

文学作品のモデルを形成するとき無自覚に理論を利用する場合は多いが、文学作品の要素をモデル化の道具にすれば、何らかの理論を当てはめるのではなく、理論そのものを変化させつつ、作品をもって作品の可能態を素描することができる。[8] しかしながら、世界文学の場合はそうもいかないのである。なぜなら、そこに一つの作品ではなく、多数の、しかも直接に関連していない作品を踏まえなければならないからである。さらにいえば、述べたように、世界文学はある意味で個々の作品の外にある。ということは、一つの作品をもって世界文学のモデルを立てることに特に何の利点もない。作品の内的可能態を踏まえながら、作品に内在的に書き込まれている外的なものとして世界文学を論じるためにどういうモデルが適切であるのか。解法は多数あるだろうが、本論でエピジェネティクスを世界文学のモデルにしてみたい。その根拠は後で明らかになるだろう。本論において「エピジェネティクスのモデル」という表現は具体的に、エピジェネティクスをマトリクス（もと）にした、世界文学を理解するためのモデルという意味を持っている。

エピジェネティクスのモデルは理論の空虚な構築物ではないが、だからといって、世界文学そのもの（というものがあるならば）の実在を明示するものでもない。エードベアーが指摘しているように、モデル理論は構築主義的でもなければ、実在論的でもない。[9] ただ、他の世界文学論と比べて、世界文学の現象や世界文学と日本近代文学の関係を把捉するには効果的であると信じたい。

二　文学のＤＮＡと世界文学のエピジェネティクス

本論の冒頭ですでに世界文学のエニグマを素描してみた。世界文学は文学作品の外部にありながら、その内部にもあらざるを得ない、というエニグマである。[10] そういったエニグマに取り組むには、現代生物学に目を転じてみれば、新鮮な観点を獲得することができる。エピジェネティクスをモデルにすることで世界文学の働きに関する洞察がいくつか得られるだけではなく、世界文学のエニグマをも解決できるのではないか、と思う。

エピジェネティクスは今日生物学の前衛にある分野であるが、その名前から窺えるようにエピジェネティクスをジェネティクス抜きで理解することは難しいであろう。とすれば、文学のエピジェネティクスの前に、文学のジェネティクス（遺伝学）、つまり文学のDNAについて一言いわねばならない。文学にDNAがあるのか？　あるとしたら、それはどういうものだろうか。そして、DNAやエピジェネティクスはこの場合メタファーとして機能するのだろうか。DNAとエピジェネティクスが文学と類似している点はどんなものなのか。そういった諸問に立ち向かう必要があるだろう。

人文学において最近エピジェネティクスに言及する論文が増えつつある。その中に最も重要に見えるのはカトリーヌ・マラブーの『明日の前に――後成説と合理性』なのだ[11]。その本の中で十八世紀の自然哲学から二十一世紀の生物学までエピジェネシス概念の発生と発展をたどりながら、マラブーはカントの超越論をエピジェネティクスの観点から練り直しているのである。彼女は超越論を前成説（preformationism）として理解するのは誤謬であり、超越的なるものは生の形成・変形する力と絡み合っていると主張している。

人文学にはマラブー以外にもエピジェネティクスを取り上げている面白い論文が多数ある[12]。本論と直接関連しない限りここでは取り扱わない。が、興味深いのはその諸論文はエピジェネティクスをメタファーとして利用しているのではない。むしろ、生物学的な問題の哲学的・社会学的・政治学的含意を研究している。

三　ジェネティクスとエピジェネティクス

世界文学のモデルとしてのエピジェネティクスを素描する前に、簡単にジェネティクス（遺伝学）とエピジェネティクスのことについて、述べたい。重要なところを明確にするため、詳細なことを全部省略し、専門的なところをできるだけ単純化する。

周知の通り、遺伝学（ジェネティクス）は遺伝子によって伝えられている情報に関する諸現象を研究する生物学の分野である。情報はＤＮＡの塩基配列にコード化され、世代を超えて伝わっていく。十九世紀にグレゴール・メンデルは生物の形質は親の体内で子に受け継がれることを基にして、形質が刻印された遺伝粒子が存在する仮説を立ててから、二十世紀の五〇年代にワトソンとクリックが、遺伝情報の継承と発現を担うＤＮＡ（デオキシリボ核酸）の二重らせん構造を発見するに至るまで遺伝学は大いに発展してきたが、現代遺伝学のストーリーが始まったのはワトソンとクリックの発見以降だといってよい。分子生物学という分野が開拓され、ＤＮＡが細胞にどのように機能しているかやコード化された情報がどのように転写し、翻訳されるのかということが具体的に研究され、さまざまな生物のＤＮＡの解読がなされた。つまり遺伝学はＤＮＡそのものの研究と同時に、ＤＮＡの情報はいかにＲＮＡによって伝令され、転移されているかなどの研究も推し進めてきた。例えば、ジャック・モノ（とフランソワ・ジャコブ）が二十世紀の六〇年代に、ＤＮＡがＲＮＡを介して、細胞に必要なタンパク質を製造する生化学反応の起点であることを証明し、ＤＮＡの指示を伝える独特のＲＮＡ（メッセンジャーRNA、またはmRNAと呼ばれる）を発見した。要は、遺伝学（ジェネティクス）はＤＮＡとその転写・伝令・翻訳・転移などの過程を研究する学問である。

エピジェネティクスはＤＮＡの塩基配列の変化に依らない遺伝情報の変化を研究する学問である。[13] ＤＮＡの塩基配列の変化を伴わない変化は主に表現型の変化のことであろう。エピジェネシスはそういった変化のことを指し、エピゲノムはＤＮＡの塩基配列の変化に伴わないで変化した遺伝情報のことを指す。

具体的な話は後でするが、ここで確認しておきたいのはエピジェネティクスはＤＮＡのコード化された情報に対して外的ファクターがその表現型を制御し、変化させるということを明らかにする学問であることだ。すなわち、エピジェネシスはゲノムの発現に伝わってきている、環境やダイエットなどのありうる外的起源（external sources）の作用のことを含んでいる。[14] DNAにとって外的であるそのファクターはどういうものなのか、そしていかにDNAの表現を変化させるのか。

DNAとタンパク質の一種であるヒストンはクロマチン（染色質）を形成する。クロマチンの基本単位はヌクレオソームという。ヌクレオソームは糸のようなDNAと糸巻きのようなヒストンからなる。クロマチンは多数の糸巻きが連なったような繊維構造として記述されるが、その繊維構造は複数の配列を持っている。一般的にヘテロクロマチンとユークロマチンとが分別され、前者は凝縮したもので、後者は脱凝縮して、ほぐれた状態のものである。染色体は凝縮されたクロマチンから成る。転写される遺伝子はユークロマチンの領域に存在し、その領域自体は細胞核の内部にあるのに対して、ヘテロクロマチンはほとんど細胞核の周縁部にあって、その遺伝子の発現は抑制されている。つまり、ヘテロクロマチンにある凝縮した形の遺伝子は不活性の状態にある。DNAの「糸」が非常に長いため、タンパク質がそれを折りたたみ、コンパクトにするが、そうするとそこに保存されている情報に直接にアクセスすることができなくなる。そのため、遺伝学とエピジェネティクスの関係はある本とその読書の関係に喩えられたり、図書館にある本とどの本を読むべきかという指示に喩えられたりする。[15] DNAにコード化された情報を本として想像すれば、その本が書かれた後、印刷され、多くの人がその本を手に入れることができるが、内容はどの印刷面を見ても同じなのに、それぞれの読者で読み方が異なり、解釈が違うという点がゲノムの発現と類似しているわけである。DNAを図書館として把握すれば、それぞれの図書館に違う本のコレクションがあるように、人々の（もちろんヒトに限ることではなく、ありとあらゆる生物に関することだが）DNAは違って当然である。二人が同じ図書館を使っても、必ずしも同じ本を読むわけではないのと同じく、一卵性双生児の場合でも、DNAの塩基配列に違いがなくても体質などにわずかな差異がよく見られる。DNAの図書館でどの本を読むべきか、どの本を読むべきではないかはエピジェネティクスが取り扱う問題である。この喩えに後で戻りたい。

具体的に、エピジェネティクスが研究しているのは、主にヒストンとそのバリアント、なおかつＤＮＡのメチル化やヒストンの諸化学修飾（モディフィケーション）[16]、なおかつ非コードＲＮＡのことである。それらのすべての過程でゲノムの発現を変化させることができる。変化としては、クロマチン内の遺伝情報を読み取れるようにするクロマチンの改変（リモデリング）、転写活性化・不活性化、二本鎖切断の修復、染色体凝縮、細胞のアイデンティティの維持・増殖・分化、等々の例が挙げられる。

そういった変化が様々なエピジェネティックな現象を起こす。例えば、細胞分化という過程の中で、同一のゲノムが利用され、異なる細胞と器官が作り上げられる。そのプロセスは胚細胞の本来の可能性に徐々に制限がかけられ、特定の細胞が作り出せることを意味する。細胞分化にはＤＮＡメチル化やヒストン修飾、非コードＲＮＡが関与している。面白いことに、脱分化という、一旦分化された細胞がその特徴を失い、本来の可能性を取り戻す過程もある。また、成熟した生物の一部の分化細胞をもって、その生物のクローンが作り出されることは知られているが、それはつまり、遺伝子が分化によって不可逆な変化を受けていないということで、その過程はリプログラミングという。一方、エピジェネティックな変化が場合によってリプログラミングで消去されず、次の世代に受け継がれることもある。すなわち、ＤＮＡにコード化されていない情報も遺伝されうるのである。ゲノムだけではなく、エピゲノムも世代を超えて伝えられるわけだ。

それ以外に、父親と母親のゲノムを識別するように印がつけられていることで片方のゲノムが不活性化される、ゲノムインプリンティングという現象や、エピジェネティックなファクターの定める染色体上の相対的位置により遺伝子の発現が変わる、位置効果という現象などがある。どの現象においても、遺伝子型には変化がないが、表現型が大きく変わる。

エピジェネティクスの研究する過程や現象を熟考すると、ＤＮＡにコード化された情報、また、その情報を転写、伝令、翻訳、転移するＲＮＡは、単に外在的にコントロールされているのではなく、それらと絡み合ったり、複合体になったりすることで外的なファクターが内在的な構造の中に機能していることが明らかになる。

本論においてエピジェネティクスをモデルにするとき、生物学の立場に立って諸々の要素や生化学反応などを実験的に取り扱うのではない。むしろ、科学哲学[17]の観点から、それぞれの機能と現象をある程度抽象化し、その論理を把握するべきである。よって、ヒストンの物質的な特徴やメチル化の生化学的側面はエピジェネティクスをモデルにすることと関係してこない[18]。

四　エピゲノムとしての世界文学

〔…〕ce qui a été découvert〔avec la génétique modern〕, c'est le texte, c'est qua la re-production, structure essentielle du vivant, fonctionne comme un texte. Le texte est le modèle. C'est plutôt le modèle des modèles.（Jacques Derrida, séminaire, *La vie la mort*, 1975, Paris: SeuiL, 2019, p. 112）

〔…近代遺伝子学によって発見されたのは、テクストであって、つまり生き物の本質的な構造である再《レ・》―生《プロ》／生殖作用《ドゥクシオン》はテクストとして機能していることである。テクストはそのモデルである。むしろモデルのモデル／一番重要なモデルである。（ジャック・デリダ『生・死』セミネール）〕

では、文学の遺伝子や世界文学のエピジェネティクスをどのように把握すべきか。まず「文学の遺伝子」についていえば、この表現における「遺伝子」は通常メタファー（隠喩）として理解されるだろうが、必ずしもメタファーではない。その理由は二つある。第一に、メタファーとは何であるかという問いに答えるには、遺伝するということはどういうことかや遺伝子とはどういうものかということを明確にしなければならないだろう。なぜなら、メタファーが情報の転移の修辞法であるならば、情報を伝えることが明瞭でない限り、メタファーのことも明らかではないからである。情報をいかに保存し伝達するのかは遺伝子に関する問題であろう。メタファーとしての遺伝子が何か別のこと（例えば文学のこと）を明らかにするには、遺伝子としてのメタファーを論じなければならないが、その場合遺伝子は隠喩的なのかという問いを提起する必要があるので、結局すべてが「遺伝子」の文字通りの意味（literal meaning）に戻るように思われる。しかし、逆に、遺伝子のこともメタファーなしで理解することはできないともいえる。遺伝することにはいつもすでに隠喩性が含まれていなければ、狭義でのメタファーの問題も生じなかったであろう。狭義とともにいつももう一つの、定義できない広義のメタファーがあるかのように[19]。言葉からすると、生物学での意味の「遺」と「伝」はもともとメタファーではないか。そもそも生物学においてでさえ、遺伝子は一つの意味を持つのではなく、二つや三つの意味を持っていることが最近指摘されている[20]。DNAそのものは物質的な生化学的構造をもってはいるものの、その機能を理解するにはある種の言語性、テクスト性、一般化されたテクストのモデルが常に遺伝学において措定され利用されてきた。少なくともワトソンとクリックの二重らせん構造の発見以来、遺伝学はテクストのモデルに頼ってきた。本節の始まりに引用したデリダの言葉はノーベル賞受賞者であるフランソワ・ジャコブについてのコメントでありながら、遺伝学全体についてのコメントであり、今日でも妥当だといえる[21]。

エピジェネティクスのほうにも同様の傾向がみられる。DNAを本に喩えたり、図書館に喩えたりする例をすでに指摘したとおりである。それ以外にもタンパク質や酵素群をリーダー（読み手）やライター（書き手）とし、エピジェネシスの諸過程は「書き込む」ことと「読み取る」ことと「消す」ことであると、つねに考えられている[22]。これらの言葉は不適切であるというのではない。そして、それらの言葉はメタファーにすぎないともいわない。「コードリーダー」（code reader）や「読み取り」などは遺伝学とエピジェネティクスにおいてはもともとメタファーでありながら、正確な概念である。しかしながら、だからといってその概念の隠喩性を否定するわけにもいかないし、その隠喩性の必然性を無視するわけにもいかない。「遺伝子」などに単純な、文字通りの意味（literal meaning）はないのである。
その正確に定義できない広義での隠喩性の働きを露わにしているのは文学なのではないか。文学こそがメタファーとメタファーでないものの境界を絶え間なく揺り動かし、消し去り、書き直すのではないか。だとすると、「文学の遺伝子」という表現において「遺伝子」ははっきり区別できない狭義と広義（その言葉もふさわしいかという問いを保留し）を持ち、単なるメタファーではない。

ここから第二の理由に移ると、これまで述べたことと関連するが、遺伝子と文学との間には、類似だけではなく、何らかの連続性があるといえる。どれもある種の情報とその伝達との構造化にかかわっている。構造化の手段が異なるのはレベルの差異を指示し、それは発展の敷居を素描する。遺伝学の場合、ＤＮＡの二重らせん構造があり、その構造はより小さい生化学的構造によって形成されている。文学を形成する諸構造——その中に自然言語や心理学的要素や習慣などを指摘できる——がそれと比較できないほど異なるように見えるのは複数の敷居が生物学との間にあるせいだ。敷居があるため、その連続性を、非連続性を囲む連続性として定義すべきであろう。つまり、異質性を含む連続性である。遺伝子と文学の連続性を進化論の視点から考察すべきかは本論で論及しないが、「文学のＤＮＡ」といった表現において、ＤＮＡをメタファーではなく、情報と継承との原理として理解すべきだろう。ＤＮＡ構造の生化学に還元できない原理を情報と伝達の構造化の一般的原理として理解すれば、「ＤＮＡ」の意味を一般化することができる(23)。敷居、破裂、異質性があるからこそ各レベルにおいて情報とその伝達の意味が変わるが、それと同時に連続性はそれぞれのレベルを貫く。自然対文明や自然対芸術や自然対歴史などといった、ある種の文化が生産した単純な二個対立に拠らずに、現代科学哲学の視点から自然の境界を練り直すとき、我々はそういった非連続性を含む謎めいた連続性に出くわすだろう(24)。

しかし、ＤＮＡを文学のモデルとして利用するとき、ＤＮＡと文学の連続性が示唆されていても、機能上のアナロジーは生と文学の関係あるいは連続性の性格について論究することを必要としない。モデル論はマトリクスとそのマトリクスによって把握されている対象との間に因果関係や依存関係を措定せずに、生物学と文学の遭遇を可能にする。同時に、モデルとはメタファーではない[25]。モデルとしてのＤＮＡは文学が情報とその継承の視点から練り直されることを可能にする。

だとすれば、文学のＤＮＡはどういうものを指すのだろうか。文学のＤＮＡとは文学の構造だけを意味しているのではなかろう。文学の構造の伝わることができること、ないし受け継いだ、継承した構造が新しい作品を構成すること、その二つのことを意味するであろう。具体的にいうと、文学のＤＮＡはモチーフ、テーマ、筋（プロット）、物語構造、韻、韻律、登場人物の典型的性格、主人公の構成法、ジャンル、修辞的トポス、修辞法、虚構設定等々を含む。固定化された手法はみな継承されうる。内容や形式にかかわらず、構造化された面は反復可能で、個々の作品の限界を超えることができる。従来のモチーフや韻律や修辞法などを受け継いだ作品はそのＤＮＡを受け継ぐのである。

例を挙げよう。『新古今和歌集』の歌は和歌の伝統を受け継ぐ。和歌の遺伝子群を。十九世紀フランス文学におけるソネットの形式はペトラルカのソネット形式を継承する。ウェルギリウスの『アエネーイス』はそのストーリーをホメロスの『イリアス』と『オデュッセイア』に倣い、そのＤＮＡが伝わり、西洋の叙事詩のＤＮＡとして固定化されたといえる。俳句における季語の使い方は俳句の遺伝子の一つとして理解することができる。日本の自然主義はフランスの自然派の遺伝子を継承し、ビート・ジェネレーションはある意味で日本俳句の遺伝子を継承したといえる。文学史に目を転じると、古今東西を問わず例は無数にあるだろう。

注意すべきは受け継ぐ仕組みが非常に複雑だという点である。右の例は単純で誤解を招くが、どの例も綿密に分析するとその複雑性が明らかになるだろう。生物学と同様に、遺伝子になぞらえられる文学的なるものはいつも複数存在する。俳句における季語のことだけを挙げても、それに対するルールや慣行が多数あり、季語のことを一つの遺伝子ではなく、遺伝子群として理解したほうが適切だと思われるが、さらに一つの遺伝子から複数のタンパク質が作られるように文学のほうにも一つの遺伝子から複数のことが生じると推測してみると、どれほど複雑な仕組みであるか見当がつくだろう。それだけではない。受精卵が母親と父親から一対の遺伝子を受け取るように、文学作品も複数の遺伝子を受け取ることができる。日本の古典物語における和歌の役割を考えれば明らかなように物語の中に和歌のＤＮＡが継承されている。逆に、歌枕などを通して、和歌も物語のＤＮＡを受け継ぐことができるだろう。もう一つの例を挙げると、プーシキンの『エヴゲーニイ・オネーギン』は詩的形式のＤＮＡと小説上の筋のＤＮＡを同時に受け継いでいるといえる。文学の場合、ＤＮＡの場合と違って、構造は一つの規定されたものではなく、螺旋より迷路を思わせるだろう。

生物学上の情報と文学上の情報は当然ながら違う。実際、生物学において最近「情報」という概念が批判されるようになっている。生物学の範囲でも「情報」が複数の意味を持ち、遺伝子だけに当てはまる一つの意味はいまだに見つからない。要は、エピジェネティクスや発生学での「情報」の意味を取り除くような、遺伝子だけにふさわしい「情報」の意味はないのである(26)。情報の概念を放棄することを推薦している学者もいる。しかしながら、情報のその性格にこそチャンスを見出すこともできるのではないか。情報は一つの形態を持つのではなく、複数の形態を持つのであれば、生物学のいうところの遺伝子に限る意味を探すより生物学の境界を超える文化や社会のことまでを含む「情報」を踏まえようとする試みは、情報の形態変化をたどることができよう。グレゴリー・ベイトソンの古典的な定義によると、情報とは「差異を生み出す差異」である（"A 'bit' of information is definable as a difference which makes a difference"(27)）。差異化の中で情報がその形態を変化させることは、複数種の情報をある分野の狭義での「情報」として認められずに、誤認されることを意味する。変形可能な情報は必ずしもそのニュートラルな名前の下で考えられてきたのではないのは言うまでもない。文化のレベルで伝統や価値観や世界観や習慣などは情報の異なった形態とみなせるのではなかろうか。

文学のDNAはある種の、文学が内在化されたコードを思わせるであろう。コード化された情報を継承することができる。しかし挙げられた例から窺われるように、その情報の全部が表現されるわけではない。ボードレールのソネットはソネットの伝統（ソネット遺伝子群）のあるところを主張し、あるところを不活性化する。日本の自然主義はフランス自然派のある側面を表現し、ある側面を表現しない。そして、どの部分が活性化され、どの部分が不活性化されるかを決定するのは文学のDNAではない。決定するのはエピジェネティックなファクターであろう。例えば、ボードレールが生きた十九世紀のパリの環境やボードレールの芸術観が広い意味でそういうファクターであろう。タンパク質の生産がDNAとRNAに依存するがごとく、ボードレールの作品が存在しなかった十九世紀のパリは想像しがたい。と同時に、パリの環境はその作品に独特の影響を及ばし、ソネットのDNAのどのところをサイレンスにさせるかを決定したファクターだといっても過言ではなかろう。すでに主張したことだが、エピジェネティクスは単に外的なファクターのことを研究するのではなく、いかにその外部のファクターが、DNAの塩基配列やその情報を転写、伝令、翻訳、転移するRNAを内側から制御し促進することができるかということを研究するのだ。したがって、エピジェネティクスを文学に応用するモデルとする文学研究は単に文脈や歴史の研究にとどまるのではない。――むろんそういう研究も必要だが、エピジェネティックなものではない。――ボードレールの場合、単に十九世紀のパリを研究するのではなく、いかに十九世紀のパリがボードレールの文学作品を内在的にコントロールしていたかを研究するわけだ。それはつまり文学作品のテクストしか認めない内在的批評でもなければ、外在的な事実しか扱わないナイーヴな実証主義的批評でもない。そして社会学ともカルチュラル・スタディーズとも大いに異なる。エピジェネティクスをモデルとして文学に応用する文学研究は外部が内部のファクターとして機能することを研究するのだ。表現変形を端緒にして、その根拠を探る。具体的にいうと個々の作品や作品群を分析しながら、文脈、文化、社会、政治、経済、宗教、信仰、科学がどのようにそれぞれの作品において文学のプロセスと絡み合い、文学構造を活性化したり、不活性化したりするか、文学の表現型をいかに変更するか、といった問題を提起し、考察する。

このような方法は世界文学の働きを明らかにするには最もふさわしいと思える。なぜなら、世界文学は文学外の諸ファクターをもって文学の表現型を変えるからだ。世界文学は環境と文学ゲノムのクロストークの一つの場とみなすことができる。とすれば、世界文学は文学のエピゲノムだといってもよい。とはいえ、世界文学はそれ以上でもそれ以下でもない。

「世界文学」という表現はある大きな社会的・政治的・科学的・経済的変化に伴って現れたものである。その変化は近代の冒険であった。むろん、モレッティなどが指摘しているように、近代以前にも世界文学と名付けられる現象はあった。が、「世界文学」という表現が現れたのは十八世紀末・十九世紀初頭であったのは偶然ではない。十七世紀以降「世界」の形相が変わりつつあり、それに伴って世界も変わりつつあった。自然科学と技術の発展や産業革命と資本主義の発生や帝国主義と近代植民地化などといった過程は世界文学と無関係ではなかった。具体的にどのように関連していたかということについて一つの仮説を立てよう。世界文学が変わりつつあった近代世界を文学作品内情報のレベルで導入し、それによって文学風景を変えた。一つの可能性として、その過程は科学や政治や経済などによって行われた文学上の諸価値の再分配であったといえるだろう。「価値」は文学のDNAに属するものではないと思われる。しかし文学の遺伝子と複合体をなしているようである。例えば、西洋の政治的・経済的権力は直接に文学内構造に関連しないが、その権力によって西洋小説の形式が価値のあるものと認識され、小説のDNAが活性化され、形式の転写、翻訳、転移の過程が始まったといえよう(28)。むろん、これはあくまで単純化した例にすぎないが、政治や経済は直接に文学に影響を及ばさず手法やジャンルなどに関わってくる文学的価値の形で作動するその仕組みを明らかにする例になろう。本論で価値論に論及できるスペースはないが、文学における価値とはヌクレオソームにおけるヒストンタンパク質のようなものだといえる。

DNAがヒストンと会合体をなし、クロマチンの基本単位であるヌクレオソームを形成するとホモロジカル（相同的）に文学構造のそれぞれの要素が価値と絡み合うのである。さらに、ヒストンには五種類ありかつ複数のバリアントがあると同じように、価値にもさまざまな種類がありバリアントがある。[29] ヒストンバリアントとしては遺伝子の連鎖に問題が生じるとき、DNA修復を可能にするものや、転写の活性化と制御に関連しているものなどがある。

文学の場合、たとえば萩原朔太郎の『月に吠える』が刊行されたとき森鷗外は「日本にも初めて象徴詩が生まれましたね」といったようだが、[30] 褒め言葉であるその発言は『月に吠える』以前の日本象徴詩にあった問題を修復しようとするようにも聞こえる。森鷗外の言葉は褒め言葉であり、攻め言葉でもある。そして攻め言葉としては日本文学に問題があったことに注目させ、褒め言葉としてはどのようにその問題を解決すべきかの示唆をしている。まさにヒストンバリアントのように。

ヒストンが多様な化学修飾を受けるように文学的価値もモディフィケーションを受ける。類似は、それ以外にも多数あろう。価値は文学の一種のヒストンであると提唱するとき、誤解を招かないように、それはヒストンのモデルをもって価値のことを考え直すことを意味する、と付け加えなければなるまい。文学的価値は自動的に機能しているのではない。しかしながら、単なる外的ファクターによるだけではなく、文学作品そのものも価値を生産することができる。DNAの塩基配列がタンパク質の生産にかかわっていると同じように。つまり、文学的価値は文学の外にも内にもあるように思える。よって、価値を与える仕組みはエピジェネティックなものとして理解することができる。

世界文学はローカルなものと西洋形式の折衷だ、とモレッティが指摘していることをすでに述べた。エピジェネティクスのモデルからみると、モレッティやダムロッシュなどが提起している世界文学はジェネティクスに近いようである。外来のDNAと出生地の（ローカルな）DNAがともに世界文学を作ることを唱えているように思える。二つの文化の遭遇で生まれる作品はその二つのDNAを受け継ぐのは当然であろう。しかし、その場合支配的になるDNAを規定するのはジェネティックなものであろうか。近代小説が日本に紹介されたとき、小説のストーリーにかつての日本に言及するところが多数あったとしても、小説の形そのものは西洋小説の伝統を受け継いでいる。江戸の文学伝統がそこにはなかったとは言えないが、サイレンス化されていた面がある。その現象をゲノムインプリンティングのモデルで説明できる。指摘してきたように、ゲノムインプリンティングとはDNAの由来を識別できるようにそれぞれのDNAをしるし付け、片方のDNAをサイレンス化することである。この過程にはDNAのメチル化[31]かつRNA干渉[32]が関与している。日本近代小説において海外の形式が優先されたのは江戸の文学が独特の意味でしるし付けられたからであろう。江戸の文学伝統を不活性化するようにしるしを付けたのは坪内逍遥の『小説神髄』のような文芸評論であろう。そういった文芸評論はDNAのメチル化のような役割を果たした。正確にいうと文芸評論はDNAにメチル基を導入する酵素のようなのだ。ヒストン修飾の一種であるヒストンのメチル化と違って、DNAのメチル化は直接にDNAそのものを制御することができる。文学のDNAが継承できる構造のことを指すのであれば、その構造の表現型をコントロールするのはまさに評論や批評や文学理論なのではないか。換言すれば、文学理論は文学の外にあるものに見えるが、文学理論を欠く文学はないだろう[33]。

近代日本文学に導入されたジャンルは外来のDNAがもたらしたのだとしても、そのDNAは複数的で複雑なものであり、その全部が発現されたとはいえない。ローカルなDNAが部分的に制御されたと同時に外来のDNAも日本の習慣などによって表現型を変えさせられたといえる。ダムロッシュは世界文学を翻訳を通して豊かになる文学として定義しているが、豊かになることがいかにして可能であるかといえば、それはおそらくローカルな習慣による同一の遺伝子の異なる発現に基づいていると思われる。実際、翻訳自体もエピジェネティクスの視点から見直す必要がある。日本に海外の文学を紹介し、翻訳することはメッセンジャーRNAなどの果たす役割を連想させる。しかしどの作品ないし文学思潮を日本に紹介すべきか、翻訳すべきかという問いに対する答えはエピジェネティクスが出す。簡単にいえば、メッセンジャーRNAなどをコントロールするのは非コードRNAである。近代日本に非コードRNAとホモロジカルな（相同的な）役割を果たしたのは、一方で『小説神髄』のような文芸評論であり、他方で、夏目漱石や森鷗外のように帰朝者たちの教育であったといえよう。

ダムロッシュが諸国民文学の省略法的屈折として、または読みのモードとして世界文学を定義するときも、我々はその定義をエピジェネティクスのモデルを通して読み直すことができる。省略は遺伝子の制御によるもので、屈折は異なる発現を起こすモディフィケーションによるものだといえる。読みのモードは文学構造が発現するために必要なメカニズムで、そのメカニズム自体は文学DNAにコード化されていない。

要約すれば、世界文学を形成するのは文学のコード化された構造ではなく、その構造と絡み合っている外的なファクターのほうである。そのファクターとしては政治や経済や科学や宗教などの権力を文学のレベルに紹介する価値、文芸評論、批評、文学理論、教育、等々である。近代世界の変化に伴って諸国民文学の遭遇が可能になったが、そのときどきの文学のどの構造的特徴が発現されるかはそういったファクターに左右される。あるコードが海外からトランスジーン（外来の遺伝子）として導入されたとしても、活性化されるか否かは文学の中心に刻印された外的なものによって決定される。モチーフや韻律やジャンルなどは文学以外の何ものにも依存しない自律的なものでありながら、必然的に外的なことに依存する他律的なものである。エピジェネティクスのモデルは文学が閉鎖的システムでないことを明らかにし、いかに開放的システムとしての文学に外部を内的な可能性として書き込むことができるかを素描する。世界文学のエニグマは、世界文学が文学作品の外部にありながら、その内部にもあらざるを得ない、というふうに述べたが、もはやそれはエニグマではないであろう。世界文学は外的なファクターによって形成され、エピゲノムとして文学に書き込まれている。個々の文学作品においてその環境と結合している異なったエピゲノムがある。そのエピゲノムこそが文学の遺伝子との接触を可能にする。そのエピゲノムを通して遺伝子が同じでも機能的差異を示したり、異なる形で発現したりするのである。だからこそ近代に生じた世界文学のエピゲノムを通して近代以前に書かれた作品に接するとき、以前には予測できなかったはずの文学現象に出くわすのである。

　先に挙げた日本近代文学の例に戻ると、いくつかのことが明確になる。漱石と露風の例は二重的な意味でエピジェネティックであるといえる。一方、露風も漱石もエピジェネティックなメカニズムを指し示している。古代の日本の作品を立派な象徴主義の作品として定義する露風のアナクロニズムを、世界文学のエピゲノムの視点から読み直すとアナクロニズムに見えなくなる。日本近代文学における世界文学のエピゲノムは古代作品の特定の側面を活性化しながら、その側面の古代名——というものがあったとするならば——を不活性化し、西洋から入ってきた、価値のある名前で名付けた。漱石の場合、彼は文学の本来の傾向を叙述することで文学の一種のＤＮＡを素描していると解釈できる。また、西洋から入ってきた自然派や浪漫派は偶然的な歴史のエピゲノムによるそのＤＮＡの表現型として読み取ることができる。「西洋の歴史に支配される」脅迫とはそういうふうに理解しうる。だとすれば、歴史自体の組み替え可能な構造、いわゆるその絶対的偶然性は文学のＤＮＡとそのエピゲノムの持つ可塑性ないし可能態を指すといえよう。具体的に起こった発現ではなく、表現変形可能性そのものを。ゲノムとエピゲノムの効果ではなく、その条件を。他方、露風と漱石の二つの議論は文芸評論としていつもすでにエピジェネシスに関与しているのである。『露風詩話』も「創作家の態度」もエピジェネティックに常にその文学を変えつつある。我々は同一の作品でも露風や漱石を読んだ後それを読み直すとその意味が変わったことに気付くだろう。

　エピジェネティックなコードがあるかどうかについては面白い議論が今も続いている。ヒストンコード仮説によるとヒストンタンパク質の構造を決定するコードは十分考えられるが、そのコードは遺伝子コードと違って普遍的ではないのである[34]。面白いことに、コードがあろうとなかろうと、エピゲノムは世代を超えて遺伝されうることがすでに証明されている。[35] 文学の場合はどうだろう。序論の第一節で例として漱石の議論を取り上げる柄谷行人、そして露風と同様に時間錯誤的に中世和歌に象徴主義を見出す大岡信を引用した。漱石や露風の議論自体が近代日本文学における世界文学のエピゲノムに参加しているのであるならば、柄谷行人の漱石論や大岡信の日本象徴主義論はそのエピゲノムが受け継がれたことの証拠なのではないか。

本論では世界文学をエピジェネティクスのモデルを通して練り直すことを提起した。多数の事柄を単純化し、多数の問題に論及できなかった。常に省略を旨とし、綿密な分析を一切行わなかった。エピゲノムとしての世界文学がいかに日本近代文学に対する態度を変化させうるかを素描してみた。本論の試みはそれ以上の目的を持っていない。完全な理論というより理論の始まりを開拓したかったからである。理論の始まりだけでも、もはや文学のエピジェネシスに関与するはずだ。

（1）"That's the point: world literature is not an object, it's a *problem*, and a problem that asks for a new critical method［…］" Moretti, "Conjectures on World Literature", p. 55.

（2）Darin Tenev, *Fictia i obraz. Modeli*（『虚構とイメージ―モデル』), Plovdiv: Janet 45, 2012; Robert Matthias Erdbeer, "Poetik der Modelle,"（「モデルの詩学」）*Textpraxis*, 11/ 2015, S. 1–35.

（3）Bernd Mahr, "Das Wissen im Modell", *KIT-Report Nr. 150*, Berlin: Institut für Telekommunikationssysteme, Projektgruppe KIT, 2004; Bernd Mahr, "On the Epistemology of Models," In: *Rethinking Epistemology*, ed. Günter Abel, James Conant. Berlin, New York: Walter de Gruyter, 2011, pp. 249–300; Bernd Mahr, "Modelle und ihre Befragbarkeit. Grundlage einer allgemeinen Modelltheorie." *Erwägen Wissen Ethik*, no. 26/ 2015 を参照のこと。

（4）Bernd Mahr, "On the Epistemology of Models," pp. 259–262.

（5）Matthias Erdbeer, "Poetik der Modelle," Reinhad Wendler, *Das Modell zwischen Kunst und Wissenschaft*, München: Wilhelm Fink, 2013 を参照のこと。

（6）Reinhad Wendler, *Das Modell zwischen Kunst und Wissenschaft*, S. 23–27.

（7）James D. Watson, *The Double Helix*, New York: Atheneum, 1968（ジェームズ・ワトソン『二重らせん』江上不二夫・中村桂子（共訳）、講談社、一九八六年）を参照のこと。

（8）Darin Tenev, *Fictia i obraz. Modeli*; Robert Matthias Erdbeer, "Poetik der Modelle" を参照のこと。

（9）Robert Matthias Erdbeer, "Poetik der Modelle" を参照のこと。

（10）むろん、それは世界文学に限ったエニグマではない。ジャンルや文脈や社会などを個々の作品ならびに作品群との関係で考え直してみると必ずこのエニグマがぼんやりと現れるだろう。ここで論及できないが、エニグマが同じであっても、文学をめぐる慣行がそれぞれの場合で異なるので、その解法も異なるものでなければならぬ。一般化できないわけだ。が、一般化できないことについての一般的議論として、ジャック・デリダの「ジャンルの掟」に言及したい。ジャック・デリダ『境域』若森栄樹訳、書肆心水、二〇一〇年を参照のこと。

（11）Catherine Malabou, *Avant demain. Épigenèse et rationalité*, Paris: PUF, 2014（カトリーヌ・マラブー『明日の前に――後成説と合理性』平野徹（訳）、人文書院、二〇一八年）。マラブーの最新の著作にもエピジェネティクスが論じられている。Catherine Malabou, *Métamorphoses de l'intelligence*, Paris: PUF, 2017, pp.77–91 を参照のこと。

（12）Ian James, "(Neuro) plasticity, Epigenesis, and the Void", *Parrhesia*, 25/ 2016, pp. 1–16; Shea K. Robinson, "The Political Implications of Epigenetics," *Politics and Life Sciences*, 35/ 2016, pp. 30–53; Shea K. Robinson, *Epigenetics and Public Policy. The Tangled Web of Science and Politics*, Santa Barbara, CA: Praeger, 2018; Clare Colebrook, "Epigenesis and the Outside"（forthcoming）などがある。

（13）David Allis, Thomas Jenuwein, Danny Reinberg, *Epigenetics*, New York: Cold Spring Harbour Laboratory Press, 2007（D・アリス、D・ラインバーグ、Th・ジェニュワイン（編）『エピジェネティクス』堀越正美（訳）、培風館、二〇一〇年）を参照のこと。日本語でわかりやすくエピジェネティクスを紹介する本として、大山隆・東中川徹『エピジェネティクス』裳華房、二〇一六年、がある。大山はデイヴィッド・アリスらの定義に基づいて、次のようにエピジェネティクスを定義する――「エピジェネティクスとは「DNAの塩基配列の変化に依らず、染色体の変化から生じる安定的に継承される形質や、そのような形質の発現制御機構を研究する学問分野」のことである」。本論においてエピジェネティクスの単純化された記述は主にこの二つの著作による。

アリスとジェニュワインとラインバーグが編集した『エピジェネティクス』の二〇一五年に出た増補新版には短い記事が増加され、エピジェネティクスに関する興味深いケースの数が増えたので、エピジェネティクスについてより詳しい情報が得られる。それ以外にも多数の論文集が最近出版された。その中で Eva Jablonka, Marion J. Lamb, *Evolution in Four Dimensions. Genetic, Epigenetic, Behavioral, and Symbolic Variation in the History of Life*, Cambridge: MIT Press, 2005 や Walter Doerfler, Petra Böhm

(Eds.), *Epigenetics – A Different Way of Looking at Genetics*, Dordrecht: Springer, 2016 や Reinhard Heil, Stefanie B. Seitz, Harald Koenig, Jurgen Robienski（Eds.）, *Epigenetics: Ethical, Legal and Social Aspects*, Sprigner, 2017 を勧めたい。

（14）　D. Allis, Th. Jenuwein, D. Reinberg, *Epigenetics* を参照のこと。その点において、エピジェネティクスは直接に生態学と関連しているのである。Scott F. Gilbert, David Epel, *Ecological Developmental Biology*（2nd edition）, Sunderland: Sinauer Associates, 2015（初版は日本語訳もある。スコット・ギルバート、デイビッド・イーペル『生態進化発生学』正木進三・竹田誠木生・田中誠二（共訳）、東海大学出版会、二〇一二年）を参照のこと。東中川徹は次のように述べる。「エピジェネティクスは環境とゲノムのクロストークの場とみなすことができる」（大山隆・東中川徹『エピジェネティクス』、二〇三頁）。

（15）　DNAを本に喩え、エピジェネティクスをその本の読解に喩えた一人としてトマス・ジェニュワインがいる（Malabou, *Avant demain. Épigenèse et rationalité*, p. 152 がその文章を引用している）。凝縮したDNAを図書館に喩え、エピジェネティクスはどの本はどこにあるのか、どの本を読めばいいか、ということを示すという形象は D. Allis, Th. Jenuwein, D. Reinberg, *Epigenetics* による。

（16）　エピジェネティクスはヒストンの修飾としてそのメチル化やアセチル化やリン酸化やユビキチン化などを研究している。本論で必要でない限り、それらの修飾については述べない。

（17）　科学哲学は長い間生物学を無視してきたようだが、最近その状況が変わりつつある。David Hull, Michael Ruse（Eds.）, *The Cambridge Companion to the Philosophy of Biology*, Cambridge: Cambridge University Press, 2007; Anouk Barberousse, Denis Bonnay, Mikael Cozyk（dir.）, *Précis de philosophie des sciences*, Paris : Vuibert, 2011 を参照のこと。

（18）　もちろん、何のためのモデルであるかによるが。

（19）　ジャック・デリダはこの現象をメタファーのカタストロフィー（catastrophe métaphorique）と呼んでいる。ジャック・デリダ『絵葉書（Ⅰ）』若森栄樹・大西雅一郎（共訳）、水声社、二〇〇七年を参照のこと。本論のメタファーに関する議論はデリダの隠喩論に基づいている。ジャック・デリダ『哲学の余白〈下〉』藤本一勇訳、法政大学出版局、二〇〇八年とジャック・デリダ「隠喩の退隠」『プシュケー　他なるものの発明（Ⅰ）』藤本一勇訳、岩波書店、二〇一四年を参照のこと。デリダは一九七五年に『生・死』セミネールで遺伝学とメタファーの関係を分析している。Jacques Derrida, *La vie la mort*, Paris: Seuil, 2019 を参照のこと。

（20）　Paul E. Griffiths, Karola Stotz, "Gene", In: D. Hull, M. Ruse（eds.）, *The Cambridge Companion to the Philosophy of Biology*, Cambridge: Cambridge University Press, 2007; Thomas Pradeu, "Philosophie de la biologie", In: A. Barberousse, D. Bonnay, M. Cozyk（dir.）, *Précis de philosophie des sciences*, op. cit. を参照のこと。グリフィッツとシュトッツが指摘する遺伝子の三つの意味は

（一）手段としての遺伝子、（二）名義の遺伝子、（三）生物学上の生産物（主にタンパク質）の構造を規定するヌクレオチドの配列としての遺伝子である。

（21）Francesco Vitale, *Biodeconstruction. Jacques Derrida and the Life Sciences*, trans. Mauro Senatore, New York: SUNY Press, 2018 を参照のこと。

（22）大山隆・東中川徹『エピジェネティクス』、八二、一六〇、一九七頁を参照のこと。マラブーもエピジェネティクスのその隠喩性を指摘し、生物学的なるものの中心に解釈学的な次元を見出そうとする（Malabou, *Avant demain. Épigenèse et rationalité*, pp. 151–155, 270–275）。

（23）情報が問題になっている限り、遺伝学やＤＮＡの構造だけではなく、サイバネティックスをも踏まえなければならないように思われる。サイバネティックスが二十世紀の五〇年代・六〇年代に遺伝学の多くの研究者に影響を及ばしたのは言うまでもない。本論でサイバネティックスのこと及び文学とサイバネティックスの関係について詳述するスペースはないが、遺伝学やエピジェネティクスをモデルにすることで、生と文学の、単に間接的とはいえないその関係に目を転じさせることができよう。

（24）ということは、自然の外に何もないということではなく、自然は——デリダのいうテクストと同じく——外（dehors）そのものであるということを意味している。本論でこの点を敷衍することはできない。

（25）モデルとメタファーの類似と相違について Max Black, "Models and Archetypes," *Models and Metaphors*, New York: Cornell University Press, 1962, pp. 219–243 を参照のこと。

（26）Susan Oyama, *The Ontogeny of Information*, Durham: Duke University Press, 2000; Thomas Pradeu, "Philosophie de la biologie", In: A. Barberousse, D. Bonnay, M. Cozyk (dir.), *Précis de philosophie des sciences*, op. cit. を参照のこと。

（27）Gregory Bateson, *Steps to an Ecology of the Mind*, Chicago: University of Chicago Press, 2000 (1972), p. 315.（グレゴリー・ベイトソン『精神の生態学』佐藤良明（訳）、新思索社、二〇〇〇年）。

（28）政治や経済などが文学構造と直接つながっていないという議論に反すると思われるルカーチの小説理論なども実際エピジェネティクスの仕組みを素描しているものとして読み直すことはできる（ジェルジ・ルカーチ『小説の理論』原田義人・佐々木基一（共訳）、ちくま学芸文庫、一九九四年を参照のこと）。

（29）ここでその相同性の点を敷衍しないが、コアヒストン（ヌクレオソームの中心構造部分にある四種類のヒストンのこと）とリンカーヒストン（中心構造の外側にあるリンカーＤＮＡと中心部のＤＮＡに結合する一種類のヒストンのこと）を区別できるように、文学構造の要素に絡み合う価値と要素と要素の関係にかかわる価値とを区別することはできるだろう。

（30）安西均「大正詩史」『明治・大正・昭和詩史』現代詩鑑賞講座〈十二〉、角川書店、一九六九年、一九四頁。
（31）DNAのメチル化とはDNAにメチル基を導入することで、メチル基を導入するのは特定の酵素である。
（32）RNA干渉はメッセンジャーRNAが分解されることで遺伝子発現が抑制される現象のことである。
（33）フィリップ・ラクー＝ラバルトとジャン＝リュック・ナンシーが現代利用されている文学概念の端緒となった十八世紀末のドイツ浪漫派を論じながら、次のように書く。「文学がその理論を生産することで生産されるのである」（Philippe Lacoue-Labarthe, Jean-Luc Nancy, *L'Absolu littéraire*, Paris: Éditions du Seuil, 1978, p. 22）。まさに文学のエピジェネシスのことを論じているかのようである。
（34）D. Allis, Th. Jenuwein, D. Reinberg, *Epigenetics*, op. cit. と大山隆・東中川徹『エピジェネティクス』を参照のこと。
（35）大山隆・東中川徹『エピジェネティクス』、一七六―一九三頁を参照のこと。

第二章　漱石の（反）世界文学と（反）翻訳

マイケル・ボーダッシュ

一　「世界文学」理論と翻訳

「世界文学」という概念について考察する時、必然的に「翻訳」という問題にぶつかる。例えば、デイヴィッド・ダムロッシュによると、世界文学とは翻訳などの過程によって作品の出身地から遠く離れて外国の読者の目にも届く作品である。(1) このような見方をすると、日本近代文学は翻訳される時に初めて世界文学になる。ある意味でこれは当然な見方だろう。

しかし、最近このような翻訳、とくに英訳を通して作品が世界文学になるという見方に異議を唱える論者も現れている。特に作品を外国語の原文で読むことを重視する比較文学の研究者たちの中ではこういった反翻訳、反世界文学の傾向が強いようである。例えば、エミリー・アプターの『反世界文学・翻訳不可能の政治性』（二〇一三年）がその例だ。(2) より最近のものとしては、二〇一六年に出版されたアーミル・ムフティーの『英語を忘れろ！　オリエンタリズムズと世界文学』がある。(3)

大抵の世界文学論は帝国主義などの歴史的な暴力について考察する時、今まで無視されてきた周辺化された文学を認め再評価するべきだと論じ、その手段として翻訳を肯定している。しかし反世界文学論の立場では、この世界文学という概念そのものが帝国主義の産物である。したがって周辺のマイナーな文学を世界文学にするために翻訳を行うと、それを世界文学として生かすというより、実はそれをある意味で殺す結果になってしまう。少なくとも脱植民地化されている文学をまた帝国主義の枠組みに閉じこめることになる。だから反世界文学論者によると、翻訳を行う前にまず世界文学という概念そのものを考え直す必要があるということになるのだ。

例えばアプターには、一九九〇年代以降活発になった「世界文学」論は今まで周辺化されていた作品や作家を視野に入れるという点は評価すべきだと認めているが、その過程については批判している。「世界文学」のもとでは、それぞれの文学作品の同等性や交換可能性が前提になっていることに対して疑問を示し、翻訳を無条件に望ましいことと前提することを欠点として指摘し、「翻訳不可能」なものが隠蔽されていると批判している。さらにこのような「世界文学論」は経済のグローバル化と、経済市場の原理によって人文学を軽視する大学組織のリストラとも関連していると指摘する。そしてアプターはこのような状況に対してフランス人の哲学者のバルバラ・カッサンが言う「翻訳不可能なもの」を活かすべきだと主張している。ある作品が違う言語に翻訳される時、かならず翻訳できない部分が出てくる。そして、複数の作品が翻訳されたら、あるいは複数の言語に作品が翻訳されたら、翻訳不可能なものの数と種類が広がるはずだ。これらの翻訳不可能なものを細かく分析すれば、歴史性や倫理性の複雑さを尊重しながらいままでと違う「世界文学」を構築できるだろうと提案している。つまり、翻訳不可能なものを可能にする世界文学だ。

ムフティーの方も見てみよう。彼は翻訳に頼っている現代の世界文学理論の多くは「世界文学」という概念と帝国主義や資本主義の歴史との関係を見逃していると言っている。ムフティーは『オリエンタリズム』の著者であるエドワード・サイードの弟子で、現在の世界文学理論の多くは十八世紀のオリエンタリズム学問の役割を忘却していると論じている。近代ブルジョア文化の中心的な概念になる「世界」と「文学」は両方とも、初代のオリエンタリズムの学問の産物である。だから、ムフティーによると「世界文学」という概念を批評するためには、まずその概念を最初から可能にした歴史的な条件を追求する必要がある。

「世界文学」を可能にした理論は十八世紀に現れた。西欧の帝国主義とそれに伴うオリエンタリズムの学問から生まれてきたものだ。十八世紀の後半からアラビア半島やアジア大陸の古典的なテクストがヨーロッパのそれぞれの言語に翻訳されて、かなりの反響を呼んだ。この翻訳によって、オリエンタリズムの学者たちはリリック・ポエム、つまり抒情詩というジャンルを発見し、いうまでもなくその発見が十九世紀のロマン主義運動に強い影響を与えた。つまり、文学を内面的な感情の表現とみなす近代の文学概念はほぼ十八世紀のオリエンタリズムの産物だ、とムフティーは結論づけている。

それだけではない。世界という空間が、それぞれの国民や民族の領分に分かれているもので、それらの国民や民族はそれぞれ自分の独特の伝統や文化、文学を持っているものだ、とする世界観も十八世紀のオリエンタリズムの産物だ。ムフティーによると、この世界観は同時に資本主義を前提にする空間のイメージにもなっていた。

結局、「世界文学」の「世界」の概念と「文学」の概念は偏りのない概念ではなく、資本主義と帝国主義の歴史の産物だ、というのがムフティーの考えだ。これらの概念の出現によって、かつて世界中に存在していた違う種類の世界観や文学観が隠蔽される結果になってしまった。そして、ムフティーによると、この状況は今日の世界文学論にも続いている。現在の英語のグローバルな共通語としての役割、そして世界文学における英訳の中心的な役割はこの十八世紀の帝国主義やオリエンタリズムの遺産である。このような状況のもとで、ムフティーは現在の「世界文学」の概念を批判しながら、違う意味での「世界文学」の可能性を模索している。

二　漱石の「世界文学」概念

その違う「世界文学」の可能性について論じるとき、ムフティーは夏目漱石の名前を挙げているが、これは筆者にとって興味深い指摘だ。以前論じたことであるが、多分夏目漱石も翻訳に頼る「世界文学」という概念に対して疑問を持っていたと筆者は思っている。(4)『文学論』の「序」で、漱石は自分の文学理論の出発点を次のように描いている。「漢学に所謂文学と英語に所謂文学とは、到底、同定義の下に一括し得べからざる、異種類のもの」にならなければならない。このことを発見した時、漱石は「文学」という概念の本質を追求し始めた。時代を問わず、世界のどの国においても通じるような普遍的な文学の定義を追求することにしたのである。(5)

これはまさに「世界文学」という概念の発見だったと言えるであろう。しかし、この問題を解決するために、漱石は様々な意味で「翻訳」という手法を避けた。まず、彼の『文学論』の中では、世界文学、特に英文学の作品からの引用文が数多く取り入れられているが、漱石はそれらをほとんど翻訳せず、英語のままで引用している。

それだけでなく、彼は世界文学の理論を描く時に、数学の様式、例えば（F+f）という数式を利用する。つまり、「文学」の基本的な概念を、日本語や英語で表現するより、翻訳をする必要がなく、世界中に通用する数学の様式を用いて表すことを選んだ。この論文集のタイトルにある「DNA」も、フランコ・モレッティが進化論の構造を文学史の研究に導入する試みに触れるものだが、モレッティの科学的で数学的な精神は漱石の『文学論』の延長線の上にあると言えるかもしれない。(6)

なぜ漱石は翻訳をいやがったのだろうか。一つの理由は翻訳の「忠実さ」の問題にあると思われる。例えば、明治四十四年の作品、「坪内博士と『ハムレット』」で、漱石が坪内逍遥の『ハムレット』の和訳を批判した時の言葉がヒントになる。

> 坪内博士の訳は忠実の模範とも評すべき丁重なものと見受けた。あれだけの骨折は実際翻訳で苦しんだ経験のあるものでなければ、ほとんど想像するさへ困難である。余は此点に於て深く博士の労力に推服する。けれども、博士が沙翁に対して余りに忠実ならんと試みられたがため、遂に我等観客に対して不忠実になられたのを深く遺憾に思ふのである。我等の心理上又習慣上要求する言語は一つも採用の栄を得ずして、片言隻句の末に至るまで、悉く沙翁の云ふがままに無理な日本語を製造された結果として、此矛盾に陥たのは如何にも気の毒に堪へない。沙翁劇は其劇の根本性質として、日本語の翻訳を許さぬものである。その翻訳を敢てするのは、これを敢てすると同時に、我等日本人を見棄たも同様である。翻訳は差支ないが、その翻訳を演じて、我等日本人に芸術上の満足を与へやうとするならば、葡萄酒を正宗と交換したから甘党でも飲めないことはなからうと主張すると等しき不条理を犯すことになる。博士はたゞ忠実たる沙翁の翻訳者として任ずる代りに、公演を断念するか、又は公演を遂行するために、不忠実なる沙翁の翻案者となるか、二つのうち一つを選ぶべきであった[7]。

漱石によると、良い翻訳をするためには、原文のテクストと日本語の読者の両方に忠実であることはできない。つまり、どちらかを裏切らなければならない。これはシェークスピアの問題だけではなく、あらゆる翻訳は、ある程度、不誠実でなければならないのである。漱石が翻訳を気に入らなかった理由の一つはそのためだろう。そして漱石が翻訳という裏切りに頼らない世界文学を探求した理由の一つもここにあるであろう。

もう一つの理由は翻訳の「政治性」にあると思われる。先に引用したムフティーやアプターが論じているように、世界文学の概念の前提になっている翻訳という過程は、ただ一つの国の言葉からもう一つの国の言葉に書き直すという、中立的で、等価交換できるような事柄ではない。翻訳の過程には、必ずその二つの国の間の力関係、あるいは彼らが共存する世界秩序の関係も影響する。翻訳は必ず歴史的なコンテクストで行うことであり、イノセントな出来事ではない。

漱石はこのことについてある程度意識していたように思われる。例えば、『坊っちゃん』の中で、翻訳にかかわる一つの興味深い例がある。坊っちゃんが学校内の不公平な力関係を発見する場面で、漱石はわざわざ翻訳ということに触れる。英語のことわざである「might is right」を坊っちゃんが理解できないので、山嵐が解説している部分である。山嵐は「強者の権利」と翻訳するが、実はこれはやや誤訳で、「力は正義なり」の方が英語の意味に近い。どちらにしても、翻訳されるテクストはまさに、翻訳による世界文学の概念の基本的な問題を表す英語のことわざ、「might is right」という言葉である。つまり、グローバルな秩序においては皆が等しく従うべきルールがあるように見えるが、結局のところ、強いものの都合で物事が運ぶことになってしまう。フェアに見えるが、実はフェアではない。翻訳も同じだ。必ず政治性、つまり力関係が裏に存在しているのである。漱石はこの文章で、翻訳そのものの政治性という肝心な部分に触れているのではないかと思う。

『三四郎』にも翻訳を問題視する場面がある。以前拙論で論じたように、この小説で漱石は意図的に外国語の言葉を導入している。例えば三四郎が「ダーター、ファブラ」や「ハイドリオタフヒア」という不思議な言葉に出会う時、漱石はそれらを登場人物のためにも読者のためにも翻訳しない。外国語の音やリズムが日本語の環境の中で繰り広げる効果を描くことが目的であろうが、これらもアプターがいう「翻訳不可能なもの」に類するだろう(8)。

三　漱石の翻訳への憚り

漱石は自分の小説の翻訳に対してもかなり疑問を持っていたようだ。例えば、安藤寛一から『吾輩は猫である』の英訳原稿を受けとった時、漱石はそれほど喜んでいない。明治三九年七月二日の高浜虚子宛の書簡でその反応が垣間見える。

小生は生涯に文章がいくつかけるか夫が楽しみに候。又喧嘩が何年出来るか夫が楽に候。人間は自分の力も自分で試して見ないうちは分らぬものに候。握力杯は一分でためす事が出来候へども自分の忍耐力や文学上の力や強情の度合やなんかはやれる丈やつて見ないと自分で自分に見当のつかぬものに候。古来の人間は大概自己を充分に発揮する機会がなくて死んだらうと思はれ候。惜しい事に候。機会は何でも避けないで、其儘に自分の力量を試験するのが一番かと存候。（中略）猫を英訳したものがあります。見てくれと云ふて郵便で百ページ許りよこしました。難有い事であります。しかし人間と生れた以上は猫杯を翻訳するよりも自分のものを一頁でもかいた方が人間と生れた価値があるかと思ひます。(9)

漱石は「ありがたい」という言葉を使っているが、全体の感じとしては、あまりありがたがっていないようだ。明らかなのは、翻訳の価値をあまり認めていないということである。

大正五年八月九日の山田幸三郎宛の書簡では、『草枕』のドイツ語訳の可能性について漱石はより否定的な態度を示している。

拝復御手紙拝見致しました。「草枕」を独訳なされる事は初め〔て〕承知致しましたあんなものに興味をもたれ御訳し下さるゝ段甚だ有難い仕合せです私の方から御礼を申上ます。然しあれは外国語などへ翻訳する価値のないものであります現在の私はあれを四五頁つゞけて読む勇気がないのです。始めから御相談があれば無論御断り致す積でしたさういふ訳ですから雑誌はよろしう御座いますが単行本にして出版する事丈はよして下さいまし以上(10)

ここで、漱石はなるべく自分の作品『草枕』が翻訳されるのを避けたいという立場をとっている。その理由は『草枕』自身の弱点にあると建前として言っているが、その裏には翻訳ということ自体に対する漱石の懐疑心が窺えるとも思える。

そして、アメリカの漱石の翻訳者の一人として、私がいつも念頭に置いている大正五年七月一五日付け、厨川辰夫宛の手紙がある。

拝復其後愈御勉強結構に存じます。私の病気を御見舞下さいまして有難う御座います。私は始終病気です。但起きてる時と寐てゐる時とある丈です。

上田敏君が死にました。十三日に葬式がありました。人間は何時死ぬか分りません。人から死ぬ死ぬと思はれてゐる私はまだぴく〳〵してゐます。

私の書物なんか亜米利加人に読んでもらふやうなものは一つもありません。

御返事迄　匆々(11)

漱石が翻訳を避けた理由のもう一つは、誤訳の可能性にあるだろう。彼がこの可能性を意識していたヒントが、いくつかある。例えば、漱石本人がモデルになっている、『吾輩は猫である』の苦沙弥先生は、何回か学生の前で誤訳をしてしまい、そのために笑いものにされる。例えば、苦沙弥先生が番茶を savage tea と翻訳してしまったことが話題になる場面、そして翻訳不可能なはずの固有名詞のコロンバスを翻訳したことが話題になる場面がある。これらの場面で漱石は誤訳を物語の種として利用している。つまり、誤訳という出来事から、新しいストーリーを創作しているわけである。

四　「死後の生」としての翻訳

翻訳の理論と誤訳の可能性を考える時、翻訳論の歴史における誤訳が引き起こした有名な出来事を思い出す。それは、ヴァルター・ベンヤミンの一九二一年の「翻訳者の使命」という論文の英訳にかかわる事件である。ベンヤミンは翻訳と原文の作品の関係を論じているところで、翻訳は必然的に原文の作品に遅れて現れるものだと論じている。そのため、ドイツ語で翻訳は作品の「Fortleben」から来るとベンヤミンは述べる。ハリー・ゾーンがこの文章を英訳したとき、ドイツ語の「Fortleben」を英語の「afterlife」にした。日本語訳もほぼ同じ意味で、これを「死後の生」と訳している。つまり、翻訳とは作品や作者が死んだあとのもう一つの人生に当たると翻訳されている。そして、英語圏の論者の多くがこの「翻訳＝死後の生」という概念をよりどころにして、活発に新しい翻訳論を作った。しかし、多くの学者が指摘しているように、これは誤訳である。ドイツ語の「Fortleben」の意味は「死後の生」というより、「生き続ける」ということを意味している。つまり、ベンヤミンは作品や作者が死ぬことをかならずしも翻訳の前提条件にしていなかったのである。

これは立派な誤訳の例になるが、この翻訳のミスがまさに生産的なものになった。[12] 多くの新しい翻訳理論と世界文学理論がこの誤訳のおかげで生まれた。そして、実は、この誤訳は漱石の翻訳への躊躇を理解するためにも良いヒントになり得る。翻訳という行為は原作や作者の死に関わると考えたから漱石は翻訳を嫌ったのではないだろうか。

例えば、明治三九年七月二日の高浜虚子宛の手紙に戻ると、最後の部分が注目される。「人間と生れた以上は猫杯を翻訳するよりも自分のものを一頁でもかいた方が人間と生れた価値があるかと思ひます」。これを別な言葉でいえば、人間は死ぬものであるから、人間として生まれたら、その限られている時間を価値があるように使うべきだ。翻訳するより原作を書いた方がよい。つまり、人間に死ぬ運命があるからこそ、翻訳のような二次的な行為はやめたほうが良いという意味になるだろう。

大正五年七月一五日の厨川辰夫宛の手紙も翻訳と死との関係を前提にしている。再度見てみよう。

私の病気を御見舞下さいまして有難う御座います。私は始終病気です。但起きてる時と寐てゐる時とある丈です。

上田敏君が死にました。十三日に葬式がありました。人間は何時死ぬか分りません。人から死ぬ死ぬと思はれてゐる私はまだぴく〳〵してゐます。

私の書物なんか亜米利加人に読んでもらふやうなものは一つもありません[13]。

これを読むと『こころ』のなかの先生の遺言の終わりの方に出てくる文章を思い出す。先生はこう書く。「この手紙があなたの手に落ちる頃には、私はもうこの世にはいないでしょう。とくに死んでいるでしょう」。厨川辰夫への手紙のなかで漱石が言っているのは、「この手紙があなたの手に落ちる頃にも、私はまだこの世にいるでしょう。まだ死んでいないでしょう」という意味になる。

それだけではなく、ここで漱石は自分の死んでいないことを翻訳と直接関係づけているように思う。この手紙の中身をちょっと強引に別な言葉で書き直すと、次のようになる。私は病気だが、まだ生きている。翻訳者の上田敏は死んでいる。作者の私もいつ死ぬかわからないが、とりあえず今のところは私はまだ生きている。だから、私の作品を英訳しないでください。

ここまでいかないにしても、漱石にとって、翻訳とは文学作品や作者の死とかかわるものであったように思うのだ。

五　「カーライル博物館」における翻訳

以下、ここまで論じたことを土台にして、漱石の初期の作品、「カーライル博物館」を簡単に分析したい。十九世紀の代表的な作家カーライルを取り扱うことで、漱石はここで「世界文学」という問題に直接向き合っている。だから必然的に翻訳という問題もこの作品の中に出てくる。「カーライル博物館」では、実は漱石も翻訳者だ。そしてこの作品で翻訳は「死後の生」という問題と絡んだ形で現れている。「カーライル博物館」のテーマを簡単にまとめてみると、それは作家や作品が死んだあと、何が残るかという問いである。この短編が提示する答えは、死後、翻訳が残りうるということだ。

作品の冒頭から、すでに死の問題が出る。ロンドンの公園でカーライルが演説者と出会う場面を想像したあとで、語り手はこう書く。

カーライルは居らぬ。演説者も死んだであらう。然しチエルシーは以前の如く存在して居る。否彼の多年住み古した家屋敷さへ今猶儼然と保存せられてある(14)。

作家が死んだあと、何が残るか、つまり文学における「死後の生」とは何かというテーマは、そのあとも展開する。例えば語り手がカーライル博物館の客間を描いている文章がある。

是は昔し客間であつたさうだ。色々なものが並べてある。壁に画やら写真やらがある。大概はカーライル夫婦の肖像の様だ。後ろの部屋にカーライルの意匠に成つたといふ書棚がある。夫に書物が沢山詰つて居る。六づかしい本がある、下らぬ本がある、古びた本がある、読めさうもない本がある。其外にカーライルの八十の誕生日の記念の為めに鋳たといふ銀牌と銅牌がある。金牌は一つもなかつた様だ。凡ての牌と名のつくものが無暗にかち〳〵して何時迄も平気に残つて居るのを、もらうた者の烟の如き寿命と対照して考へると妙な感じがする(15)。

遺品、特にカーライルがもっていた書物を見る語り手は、どうしても作家の死んでいること、カーライルの「烟の如き寿命」を思い出す。

そして三階の寝室を観察するときを描く文章もある。特にカーライルが「往生した時に取つたといふ漆喰製の面型《マスク》」を見るとき、やはり作家の死んだ後になにが残るかということを考えさせられる。

三階に上る。部屋の隅を見ると冷やかにカーライルの寝台が横はつて居る。青き戸帳が物静かに垂れて空しき臥床の裡は寂然として薄暗い。木は何の木か知らぬが細工は只無器用で素朴であるといふ外に何等の特色もない。其上に身を横へた人の身の上も思ひ合はさるゝ。傍らには彼が平生使用した風呂桶が九鼎の如く尊げに置かれてある。風呂桶とはいふもの丶バケツの大きいものに過ぎぬ。彼が此大鍋の中で倫敦の煤を洗ひ落したかと思ふと益其人となりが忍ばるゝ。不図首を上げると壁の上に彼が往生した時に取つたといふ漆喰製の面型がある。此顔だなと思ふ。此炬燵櫓位の高さの風呂に入つて此質素な寝台の上に寝て四十年間八釜敷い小言を吐き続けに吐いた顔は是だなと思ふ。(16)

そして、ツアーの最後に、語り手は裏の庭に案内される。ここで、漱石はカーライル自身の言葉を引用する。ここでは晩年のカーライルがその庭に立って、自分の死んだ後のことを想像している。

カーライルが麦藁帽を阿弥陀に被つて寝巻姿の儘啣へ烟管で逍遥したのは此庭園である。夏の最中には蔭深き敷石の上にさゝやかなる天幕を張り其下に机をさへ出して余念もなく述作に従事したのも此庭園である。星明かなる夜最後の一ぷくをのみ終りたる後彼が空を仰いで「嗚呼余が最後に汝を見るの時は瞬刻の後ならん。全能の神が造れる無辺大の劇場、眼に入る無限、手に触るゝ無限、是も亦我が眉目を掠めて去らん。而して余は遂にそを見るを得ざらん。わが力を致せるや虚ならず、知らんと欲するや切なり。而もわが知識は只此の如く微なり」と叫んだのも此庭園である。(17)

『文学論』で漱石が英文学の作品を引用するときはほとんど翻訳せずに引用しているが、ここで漱石はカーライルの英語の日記の言葉を和訳している。またカーライルの英語の手紙を翻訳した形で引用しており、『カーライルズ・ハウス・カタログ』という一九〇一年にロンドンで出版された案内書からも情報や文章を引用している。

翻訳を避けたがった漱石がなぜここで翻訳したかには様々な理由があったと思う。「カーライル博物館」が載った雑誌『学鐙』の読者の期待に合わせようとしていたことが一つであろう。そして、小森陽一が論じているように、この作品に描かれている世界は明らかにグローバルな商品交換のネットワークと繋がっている。例えば、『カーライルズ・ハウス・カタログ』では、カーライルの家賃は年間三十五ポンドだったと書いてあるが、漱石の「カーライル博物館」では、その金額は三五〇円に翻訳されている。カーライル夫人が収穫するくるみの価値もカタログによると六ペンスだったが、漱石の翻訳で二十五銭になる。小森氏の言葉を借りるなら、漱石が「国際為替相場の取引市場が頭の中で回転していたということ」(18)である。この意味でも、この作品は一つのグローバル・マーケット、つまり世界規模の文学市場を前提にする世界文学という制度に関わっていると言える。

現在の多くの世界文学論のもとで、世界文学は一つのグローバルな市場となり、作品はその市場のもとで、等価交換できるようなものととられている。その交換を可能にするのは翻訳で、現在では特に英訳が主になる。これまでに論じてきたように、漱石はこういった翻訳に基づく世界文学という概念を疑わしくみていたと思う。しかし、「カーライル博物館」では、漱石も直接翻訳者になっている。なぜであろうか。

それは自分の死と関係していたからではないだろうか。先に述べたように、この作品のテーマは、作家の死後、なにが残るかということである。ベンヤミンの誤訳を利用すると、翻訳は作家や作品に死後の生を与えるものになる。翻訳しなければ、作家や作品の死後、なにも残らないということになる。「カーライル博物館」の結末の近い文章で、語り手は裏庭を見ながら考える。

婆さん云ふ「庭の東南の隅を去る五尺余の地下にはカーライルの愛犬ニロが葬むられて居ります。ニロは千八百六十年二月一日に死にました。墓標も当時は存して居りましたが惜いかなその後取払はれました」と中々精しい(19)。

漱石山房の庭にある猫の塔を思い出させる文章であるが、この印もなにもないニロの墓は死後の生はないということのシンボルになっているのではないか。

六　結論の代わりに

結局、翻訳からは簡単に逃げられない。人間は死ぬ運命を持つから翻訳が必要になる。『想像の共同体』の著者ベネディクト・アンダーソンの言葉を借りると、それはバベルの塔の後の人間の宿命である[20]。人間は生きる時間が限られているから、存在するすべての言語を覚えることは不可能だ。人間は死ぬから、どうしても誤訳の可能性を含む翻訳に頼らなければならない。しかし、逆にベンヤミンの「翻訳者の使命」の誤訳を思い出すと、翻訳をする場合、まず原作の作品や作家はある意味で死ななければならない。

これはムフティーやアプターの反翻訳論・反世界文学論にも通じている。ムフティーは現在の世界文学の概念が英訳に依存していることを批判しているが、彼自身で指摘しているように、彼の批判も英語で書かれている。彼の目的は英語の中から、英訳にたよる現在の世界文学の概念の限界や矛盾を暴くことである。そしてそれによって、いままでと違う意味の世界文学の可能性を生かすことを目指している。そして、アプターは翻訳の必要をみとめながらもその過程によって現れてくる翻訳不可能なものの重要性を指摘する。新造語、あるいは今までと違った意味を持たせられた言葉、外国語の言葉、翻訳禁止の文、誤訳語などを、アプターは翻訳不可能なものの存在を示す「病症」としている。つまり漱石の文学によく見る現象を、テクストに翻訳不可能なものが入っている「病症」として論じる。この翻訳不可能なものに注意しながら、作品の世界文学としての新しい見方、作品の過去と現在への関係を可視化する見方を開くことができるという。世界文学のＤＮＡは翻訳そのものより、翻訳不可能なものにあるのかもしれない。

『文学論』などでは漱石も翻訳と世界文学の裏にあった歴史的な事情を把握してそれらを批判的に取り扱っていた。と同時に「カーライル博物館」では世界文学を取り扱う時、翻訳不可能なものの存在に接触しながら彼自身が必然的に翻訳者にもなった。人間は死ぬから、その死後の生を翻訳に頼るしかなかったのだ。しかし、その事実を認めながら、漱石は翻訳の可能性を無条件に前提しないような、新しい「世界文学」の概念も想像していた。その発想は漱石の没後百年がたった今も「ぴくぴく」している。

（1）デイヴィッド・ダムロッシュ『世界文学とは何か？』秋草俊一郎ほか訳（国書刊行会、二〇一一年）を参照。
（2）Emily Apter, *Against World Literature: On the Politics of Untranslatability*, London: Verso, 2013.
（3）Aamir R. Mufti, *Forget English!: Orientalisms and World Literatures*, Cambridge, MA: Harvard UP, 2016.
（4）拙論「夏目漱石の《世界文学》・英語圏から『文学論』を読み直す」『文学』一三巻三号、二〇一二年五月・六月号、二—一六頁を参照。
（5）『漱石全集』第一四巻八頁。漱石のテクストの引用は『漱石全集』（岩波書店、一九九五—九九年）により、振り仮名は省いたことをお断りしておく。
（6）Christopher Prendergast, "Evolution and Literary History," *New Left Review* 34, July/August 2005, pp. 40-62 を参照。
（7）『漱石全集』第一六巻、岩波書店、一九九五年、三八二—三八三頁。
（8）拙論「象形文字とギリシャ語・漱石を英訳するという挑戦」フェリス女学院大学日本文学国際会議実行委員会編集『世界文学としての夏目漱石』岩波書店、二〇一七年、一二三—一三一頁。
（9）『漱石全集』第二二巻、岩波書店、一九九六年、五一八—五二一頁。
（10）『漱石全集』第二四巻、岩波書店、一九九七年、五五〇頁。
（11）『漱石全集』第二四巻、岩波書店、一九九七年、五四四頁。
（12）Caroline Disler, "Benjamin's 'Afterlife': A Productive (?) Mistranslation-In Memoriam Daniel Simeoni," *TTR* 241, 2011, pp. 183-221.
（13）『漱石全集』第二四巻、岩波書店、五四四頁。
（14）『漱石全集』第二巻、岩波書店、一九九四年、三四頁。
（15）前掲『漱石全集』第二巻、三七頁（傍線引用者）。
（16）前掲『漱石全集』第二巻、三九—四〇頁（傍線引用者）。
（17）前掲『漱石全集』第二巻、四三—四四頁。

（18）小森陽一「世界文学としての夏目漱石」フェリス女学院大学日本文学国際会議実行委員会編『世界文学としての夏目漱石』、一―二八頁。

（19）前掲『漱石全集』第二巻、四三頁。

（20）"the fatality of Babel: no one lives long enough to learn *all* languages"（Benedict Anderson, *Imagined Communities: Reflections on the Origin and Spread of Nationalism*, rev. ed., London: Verso, 2006, p. 136）.

第三章　運動としてのモダニズム

――ニカラグアから日本へ

スティーブン・ドッド
（訳＝田中・アトキンス・緑）

はじめに

モダニズムの起源を特定することは本当に可能なのか？　モダニズムという言葉を定義するには、その運動の誕生に貢献した無数の歴史的な要素と人的な干渉、つまり人間の干渉、に注目する必要がある。加えるなら、モダニズムは十九世紀後半と二十世紀前半のヨーロッパで集中的に発達しているにもかかわらず、実はモダニズムは多岐にわたる場所や文化に関連づけられた世界的な現象である。言い換えれば、まず、我々がモダニズムを運動として語るとき、政治的あるいは芸術的思想を共有する人々が集まってそれを推進するものというのがひとつの定義であろう。しかしその一方で、運動という言葉にはもう一つ、ある場所から別の場所へ移動するという文字通りの意味もある。

本章では、後者の定義に則《のっと》り、ラテンアメリカからヨーロッパ、そして日本へのモダニズムの物理的な移動とその重要性に着目したい、第二節では、日本の、とくに、梶井基次郎の文学を中心にして、モダニズムと政治との関係について検討する。

一　ニカラグアから日本への運動

大陸間におけるモダニズム運動は、昨今私が課題とする広義的なテーマと関連する。そのテーマは思想がいかに時間や空間を経て変化するかという点にある。すなわち、人間の思考が浮上する過程とはどういうものなのか、そしてそれはどのように発展するのか、思想はどのように一つの場所から別の場所へと移動するのか、そして、思想の始まりと終わりを繋げるものは何なのか。

もしもモダニズムが場所と関連のない現象だとしたら、モダニズムをどの程度まで一元的な概念として語ることができよう。局所的な状況と切り離せない、いくつかの異なるモダニズムを思い描いたほうがより適切ではないか。そしてもし、場所に基づいたモダニズムの多元性について語ることが意味をなすのであれば、モダニズムを単一な特異的かつ抽象的な概念で語るのは根本的に無意味なものではないか?

これらの課題について議論するために、モダニズム（*modernism*）をより深く理解するために、まずハリー・ハルトゥーニアンによる日本のモダニティ（*modernity*）についての言葉を引用する必要がある。具体的に言うと、ヨーロッパを中心としたモダニズムこそが中核的な例であり他のモダニズムの例はそれに対して見立てとするべきだという認識が一般的だとすれば、ハルトゥーニアンの意見はそれに反するものだからだ。

ハルトゥーニアンは、日本のモダニティは西洋の陰で生まれたいわゆる二次的な解釈だという一般的な認識に反論している。むしろ、モダニティはより広くグローバルな〝共存する（coexisting）〟モダニティを構成する過程の一環として起こったと示唆する。言い換えると、日本でモダニティの歴史的瞬間が生じたのは当時の経済的ないしは社会的状況が融合したからであり、それはヨーロッパやアメリカ内での類似の発展に沿ったもので、必ずしも欧米のモダニティへの依存性はなかったということになる。

この論点には説得力がある。なぜなら日本のモダニズムは——それはモダニティと関連はあっても同一のものではない——他国のモダニズムに従属的でなく、むしろ共存的な現象として認識されるべきだという可能性を浮上させるからである。

しかしながら、私は日本のモダニズムは完全なる孤立から浮上したと示唆したいわけではない。結局のところ、日本のモダニティが西洋のそれと平行的に同時進行したものであるというのが事実なら、明治時代からの日本と外国との密接なつながりが現代の西洋中心の体制との統合性を助長させたのも事実ではないだろうか。したがって、日本の文学的モダニズムは国内または国外からの複数の影響が混和して創発されたと考えるのが最適であり、また、それは特定の日本人作家たちがそれぞれ生きている現代の世界とどのように取り組むかを形作ったといえる。

無論、ヨーロッパやアメリカの文化から外れていながらも文学を通じてモダニズムの理念を形成したのは日本だけではない。実際に、モダニズムの概念を最初に生み出したのはニカラグアの詩人ルベン・ダリオという人物である。当時、ラテンアメリカの新しい文学的運動を発信するためにスペイン語の言葉「モデルニズモ（*modernismo*）」を造ったのも、ダリオにほかならない。さて、ニカラグアにおけるモダニズムの誕生を語るには、当時のスペイン宗主国の圧政的な植民地支配に対し、ラテンアメリカの国々がどう反応したかが焦点になる。ここでは、植民地精神がいかにモダニストの理念というものを創り出したかについてフレドリック・ジェイムソンの意見をいくつか引用しよう。彼の言葉はいかにモダニズムがニカラグアだけではなく日本の作家たちにも光を投じたかという点で興味深い。

『モダニズムと帝国主義』においてジェイムソンは植民地支配の結末を以下のように論じている。

> 全体像としての経済の重要な構造的部分は、今や都市を越え、祖国での実存的な体験や日常の外側にあり、海を越えた植民地にあり、そこでの各々の生活は［……］宗主国側からは未知で想像の及ばないものであり続ける。

このような空間的非連続性の直接の影響は、体制の全体像が把握できなくなることだ(1)。つまり、モダニズムが起こったのは、もはや把握しきれなくなった社会的ないしは経済的体制の全体像を一括して、理解しようとする際に暗示的な矛盾が生じるまさにその瞬間であるとジェイムソンは示唆するのである。

植民地とその人々の世界は、宗主国の日々の生活の範疇を超えるものである。そしてモダニズムの主な働きの一つは、神秘的な「海を越えた（over the water）」異世界に対する宗主国の無理解を明示することでもある。文学的モダニズムはこういった混乱や、現実の全体像をとらえる困難さ、未知との対峙、そして孤立した感情といった無理解を形式的な特徴として明確に浮き彫りにしている。まとめれば、モダニズムは宗主国と植民地化された地域との厳しく問題の多い関係性を浮き彫りにする道具であるとジェイムソンは提示した。

しかし、その一方で、モダニズムは植民地に生きる人々にとって力を与えるような代替えの理念だったとも言えるのではないか。植民地側の人々は、宗主国側には得ることのできない第二の視点を持っている。もちろん、第一の視点は宗主国とも共有しているという事実は無視できない。第一の視点は、宗主国はそれぞれの植民地の生活における諸々の事象を、宗主国の目を通じて見ることができるということである。この厳然たる宗主国からの視点の影響の大きさは、植民地における主流の文化の必然的な事象を括る法的機関、慣習、そして小説を通じて感じることが可能だ。

しかし、他方では、植民地にはいかなる時も宗主国の手に及ばない第二の視点がある。つまり、ジェイムソンが植民地の生活は宗主国にとっては常に未知で想像のできないものだと論じているが、一方で私は、植民地の目線はまた異なるものを映していると考える。端的に言えば、植民地の人々はそれぞれの地域の経済ないしは社会に対するより切実な意識を抱いていると言えるのではないか。そのうえ、この第二の視点は人々に議論の場——すなわち、世界に関する斬新で、より先駆的な見識を論じる場——を提供する。

言うまでもないが、植民地は宗主国の権威から完全に逃れることはできない。それどころか、ニカラグアの植民地の人々がそれぞれの人生を完全にはコントロールできないと理解していたからこそ、混乱と分裂をテーマにしたモダニズムが誕生し得たのだ。つまり、宗主国の支配下という状況におかれた生活を経験したことによって勇気づけられたからこそ、彼らは困窮を打破するための革命的なモダニズムを起こすことができた。そしてまた、このモダニズムは当時の政治にも強く影響を受けている。

ラテンアメリカの場合、モダニズムの理念が起きるきっかけとなった政治的状況は次のとおりである。一八九八年に起きた米西戦争によって敗北し崩壊したスペイン帝国は、ダリオや同じ世代の作家たちに著しい影響を及ぼした。彼らは植民地支配からキューバやプエルトリコが解放されたことを歓迎した一方で、アメリカの拡張論政策によって危機にさらされたラテンアメリカの政治的独立や文化遺産について危惧していた。宗主国としてのアメリカは――その実用本位な物質主義はアングロサクソンないしはプロテスタントの伝統を基にしているわけだが――ラテンアメリカの伝統が根差したラテン文化にとって実存的脅威だった。

ますます増幅する北方からの文化的な影響と対峙したラテンアメリカのモダニスト作家たちは、伝統的なラテン形式を彷彿とさせる、より貴族的で洗練されたスペイン語の形態を作り上げ、それを通じて自らの文化に活力を与えようと試みた。ダリオの詩と短編小説をまとめた書籍『青 *Azul*』（一八八六―一八八九）はこういった文学的革新の草分け的な例である。この本で著者は貴重な石や珍しい植物や神話的な物語といった異国的な事象に着目しており、それらは植民地での陰鬱な日常を切り抜けるための手法であったと思われる。さらに、ダリオの作品は妖精や姫君といった牧歌的かつ理想化された美に到達することで失われた統一性や調和性の再発見を試みたのである。

表面的には、これらの古い神話や貴族的な言語形式への関心は、一見ラテンアメリカのモダニズム作家たちが保守的な態度に戻ったようにも見える。しかし、実際はその逆だった。こうして豊かな言語的ないしは文化的遺産を堂々と主張することによって、ダリオや他の作家たちは宗主国と植民地側との権力関係の再構築を図ったのだ。こうしてモダニズムは、新世界と旧スペイン宗主国との階級的関係を壊すだけの力がある、活力を取り戻した言語を確かに伝えることになった。

ラテンアメリカのモダニズムにおける異国風言語の使用は、中流階級的な日々の生活からの逃避と説明できる一方で、ある程度においては、宗主国によって押し付けられた文化的規範に対する拒絶でもある。さらには、モダニズム作品は現実主義あるいは自然主義文学への反動でもあった。また、宗主国側が物事の自然な状態として考えていた「常識的な」現実に対する拒絶とも解釈できる。ラテンアメリカのモダニズムが保障したのは、宗主国の見た現実をより感覚的で難解な現実に入れ替えることと、「瞬く光と何ら違いのない（nothing more than shimmering visions of light）(2)」と形容されるものの創成だった。

新世界で起こったモダニズム文学に強い光というモティーフがたびたび登場するのは気候的な要因もあるとされる。たとえば、ラテンアメリカの圧倒的な豊かさやジャングルの色鮮やかさが必然的に詩人たちの感性に影響を与えたに違いない。ある意味では、新世界の緑が繁茂した土壌は圧倒的で不快なものとしても認識されていた。この理由から文学的モダニズムは自然界を支配して美しい言葉へ変化させたいという欲求としても解釈できる。同時に、モダニズム作家たちは伝統的に期待されているものと対峙し、驚きをもたらすための人工性や芸術的創作性への探究にも精進したとも言えよう。

十九世紀の終わりにラテンアメリカからカタロニアへと伝達されたのはまさしくこの光と芸術的快楽の力強い理念であった。ダリオは一八九八年にバルセロナを訪れ、「音楽性、流動性、そして器質的かつ瞬発的な再生（musicality, fluidity, and organic, spontaneous regeneration）(3)」に触発されたモダニズムを持ち込んだ。そしてこのモダニズムの形式は、ダリオの一九〇〇年のパリ旅行をきっかけに、ヨーロッパ人の想像の世界にますます拡がる。この現実に対するユニークな見識はヨーロッパにて色と感性の花火を爆発させたとも言える。

ハルトゥーニアンが共存的モダニティに関して述べたように、すべてはタイミングである。世紀末にダリオが渡欧した時期に日本はまさしく明治時代の最後の十年を迎え、西洋の攻撃的な帝国主義から祖国の独立性を維持するために西洋の技術や経済や社会の体制について学んでいた時期でもあった。そして、その過程の一環として、日本の知識人たちは西洋から生まれた新しい文化的ないしは文学的な流行に魅了されていた。たとえば、速度と近代技術を美化したフィリッポ・マリネッティの『未来主義創立宣言』が一九〇九年にパリのフィガロ紙にて初めて発表されたとき、森鷗外はそれを極めて重要視して、パリで発表された数か月のうちに翻訳を行った。この事実は、日本が経験している西洋の国々と同様の熱狂的な状況に対する森鷗外の認識を表していよう。

たとえば、デヴィッド・ハーヴェイは西洋のモダニズムの中心的なテーマについて語る際に、その誕生と田舎から都市への広範な移住の関係について触れている(4)。常に拡張している都市環境の反動として、モダニズムが明瞭に表現するものの中には、力強い流動と変化だけでなく、技術的な発展や速度や動きに対する強い関心も含まれていた。

実は、日本人にとって田舎から都市への移住は目新しいものではない。なぜなら江戸はすでに徳川の頃から大都市だったからだ。十八世紀の初頭には江戸の人口は百万人を超えており、世界で最も人口密度の高い都市だったのは言うまでもない。しかし、東京が近代都市として群を抜いていたのは明治末期の移住のスケールの大きさに起因する。一九〇〇年から一九三〇年の間に、東京の人口は百万人から六百万人まで膨れ上がった。さらに、明治時代に導入された鉄道に象徴されるように、より新しくより速い交通機関も西洋から導入され、日常生活における時間の流れの実感のしかたに直接的変化が引き起こされた。

関東大震災の二年後に東京を捉えていたスピード感と力強い前向きさについては、前田愛がその手がかりを示唆する。一九二五年六月に、東京放送局（JOAK）は初めて通信を行った。前田は、朝日新聞に掲載されたヨーロッパへの飛行機旅行の企画と新たに発展したラジオ通信こそが通信技術の発達の速さを象徴していると論じ、そうして西洋と日本の文化的なギャップが消えることで単なる概念だった「一つの世界」という考えが確かな感覚になったと語る。(5)この論文で前田がとくに注目するのはより具体的な技術的発展についてだが、人々がそれぞれ新しい方法で周囲の環境と精神的に関わりを持ちはじめた事実についても示唆している。前田の用いた「感覚」という言葉は、一九二〇年代に新感覚派という名のもとに集まった横光利一などの作家たちの例証したモダニズムを彷彿とさせる。

日本と西洋の知的交流については他にも述べるべきことがある。これには西洋のモダニズムが日本における文学的生活に与えた影響なども含む。しかし、本稿では、最初に挙げた基本的な疑問に回帰することで、この第一部の結論を導き出したい。具体的には、ニカラグアと日本でそれぞれ誕生したモダニズムの関係についていくつかの点を明らかにしたい。

いくつかの地域的な状況が特定の時期に特定の場所で起こった様々なモダニズム運動に強く影響を与えたことは言うまでもない。たとえば、必然的に、ニカラグアとその宗主国との関係はラテンアメリカのモダニズムの特徴ある感覚を彩った。その点では、モダニズムの多元性について追究するほうが、一元的なものとしてとらえるよりも筋が通る。

しかし、他方でモダニズムは、様々な異なる文化の知識人や作家たちが共有する世界観の枠組みとして読み取ることもできるという点も無視できない。たとえば、日本はニカラグアのように正式な形で、ある国の植民地となったことはないが、西洋の権力に押し付けられた支配体制に喘いでいたという点ではニカラグアと同じであろう。そうならば、日本のモダニズム作家たちがラテンアメリカの作家たちとよく似た分裂と孤立の世界観を表現したことも驚きではない。無論、日本の作品の中には、田舎と都市の生活における未解決の摩擦や、重なり合う江戸と東京の記憶や、伝統と近代化の間の緊張感といったテーマを表現するものも多くある。さらには、ニカラグアと日本の作家たちの間で流行した反現実主義的な美化された様式は、宗主国の支配という圧迫的な現実から逃避するための共通の衝動としても理解でき、またそれを地域的な状況と密接に関係する別の視点と入れ替えようとする試みであるとも解釈できる。最後に、大きな物語としてではなく連続した小さな文化的干渉として政治を考慮する場合は、モダニズムを統一された観点としても、個々の地域的な状況と密接に繋がるものとしても思い描く方法があるかもしれない。文学は周りの世界に反応する小さな声と比較することができる。そして、その声は、反応する過程で世界を変える手助けもする。これらの声は集合することも、対話することも、そして大陸を越えて他の類似の声を探すこともある。しかし、ニカラグアで起ころうと日本で起ころうと、この声は、権力構造と対峙し、新しい在り方を発想するという二つの点では同じだ。そういった意味では、モダニズム運動は二十世紀が始まると同時に政治という大きな流れによって世界の様々な場所に運ばれていったといえる。

二　日本の政治運動としてのモダニズム――梶井基次郎の場合

前節では、世界規模にわたるモダニズム運動について一般的な概略を述べた。ニカラグアでの政治的現実が、いわばスペイン帝国の権力に対する一種の反抗の表象としてその国内から台頭したモダニズムの形態に大きな影響を与えたと論じた。本節では日本での状況に注目し、特に一九二〇年代にどこまで政治の潮流が、日本版モダニズムの形態化に影響を与えたのかという角度から探りたい。

日本と西洋間の非平等の力関係は植民関係に非常に近いものと見据えることはできよう。明治初期から、日本は西洋の軍事、経済、文化支配の屈強な影の下に存在した。そのような関係が存在していたのなら、日本のモダニズムはその政治的現実をどう表現していたのか。その問題を探るに当たり、一九二五年執筆の「檸檬」という短編小説で知られる日本作家、梶井基次郎（一九〇一―一九三二）の作品群を取り上げる。

梶井は、幼年の大半を大阪で過ごし、京都にあった第三高等学校卒業後、一九二四年から東京大学へ就学したが、悪化する健康のため、伊豆半島の湯ヶ島温泉にて、一九二六年の初頭から十六ヶ月間の養生を強いられる。一九二八年には、数ヶ月間何とか東京へ戻るが、健康は回復することなく、大阪にあった実家に戻り、そこで一九三二年三月に肺結核のため死亡するまで母親の看病を受けた。

作品の質は非常に高いとはいうものの、梶井の早すぎた死は、短編二十作品のみを残したということを意味する。しかし、これら少数の作品ですら、彼が生きた時代の知的、文学的潮流への真の感性を示威する。梶井は確かに横光利一や新感覚派の実験的作品を好まず、モダニスト作家として認められるべきであるという提案を激しく拒否したが、文学史の中での自分の位置を見据えるにあたり、作家本人が最後の一言の権限を持つわけではなく、事実、梶井の作品は、分裂感や孤立感、そして、伝統と近代の間に介在する緊張感といった要素によって、明白にモダニストとして考慮される特徴を示す。しかしながら、梶井がどのように政治的なテーマを作品中に表現しているのかを理解するために、まずは梶井の大正モダニティとモダニズムとの関係を考察してみよう。

日本のモダニティのスピード感と動きは、大抵東京と大阪の大規模な集中都市と関連づけて考えられるが、梶井が一九二四年に東京へ上京するまでの六年間を勉学のために過ごした京都の様な小都市でも、近代化の影響は同様に大きなものだった。むしろそれどころか都市空間としての京都は、日本のアイデンティティという概念そのものが、大正時代までにはどれほど複雑なものになっていたかを例示しよう。和辻哲郎（一八八九—一九六〇）は、著書『古寺巡礼』（一九一九）の中で、京都が近代読者にとって歴史的な意味で重要な空間であると、非常に有効的に立証した。日本人読者に伝統的な銅像や文化産物を親しませることにより、「古寺巡礼」は、長い歴史を持つ文化遺産に感化された近代日本国家のアイデンティティ構築を促進した。しかしながら、和辻の言わんとするところの京都は梶井にとって興味の持てる京都ではなかった。彼は第三高等学校在学中、寺町通や新京極といった騒めいた近代的な地域を訪れることを好んだ。古寺よりも、むしろこういった、灯が明々とした場所を語る文章が、梶井の真の興味は何処にあるのかを明確に示唆している。

実際、近代の街としての京都には若く進歩的な学生を興奮させる要素が多くあり、明治初期から、京都は様々な分野で近代化への指針の役割を果たした。京都は、一八九一年、水力発電所を取得した市の中の一つであり、新しい形態の教育機関、出版会社、新聞印刷産業にとって重要な中心地としても傑出していた。さらに、一八七一年に開催された京都博覧会によって、国際的にも認知される中心地という立場を確立した後も、京都市は国際博覧会にて熱心な観覧者達向けに国内外の物産の展示を続けた。

しかしながら、政治と美、双方の事象についての見地を梶井がどのように文章に編み込んでいるのかを、一九二〇年代の左翼文学の台頭に関してのさらなる理解無くして語ることはできない。一九二四年という年には、日本の文学的進展の次の波を予測する、関東大震災後の二冊の新しい出版物が刊行された。同年六月からは、プロレタリア作家達が、政治意識、革命的改革の推進を目標に掲げた文芸雑誌『文芸戦線』に寄稿し始め、それに対し、十月発刊の『文芸時代』は、モダニストに喚起された新感覚派の思想媒体としての役割を果たした。

これらの定期刊行物が示唆するように、左翼思考とモダニスト的実験の両方が時代の文化的精神を活気づけ、その中で、梶井を含めた大正後期の学生達が成人となったのだ。そして、同時代の作家や知識人達のように、梶井は政治的イデオロギーとしての社会主義に惹かれた。しかし、その結果ただちに、彼の作品中プロレタリア文学運動に関する多くの直接的な言及がなされたというわけではない。その上、一九二八年には、梶井は過激的左翼出版物『戦旗』ではなく、むしろ、モダニスト文芸雑誌『詩と詩論』に作品を発表していた。

とはいうものの、梶井の短い作家人生の枠内ですら、シャルル・ボードレール系の、純粋なモダニスト散文詩の実験としての素晴らしい例といえる初期作品「檸檬」から、さらに政治的意識に焦点を当てた後期の作品への転移を見ることができる。この政治的嗜好は、一九二八年九月の帰阪後、特に顕著に現れる。学生時代の旧友、中谷孝雄は、一九二九年の梶井宅への訪問時に、彼がマルクスの『資本論』を熱心に読んでいるのを見て驚いた、と懐古する。梶井のプロレタリア運動への傾倒の例は他にもある。一九二九年三月には、梶井は、極右翼団体のメンバーによって暗殺された、労働運動に関わっていた政治家、山本宣治（一八八九—一九二九）の葬儀に参列している。

梶井の作品、「雪後」（一九二六）は、初期作品の中でも政治の風潮に直接触れている珍しい例だと言える。しかしながら、この作品ですら、総体的プロット（筋）は政治的主旨を持った作品というよりも、むしろ、お伽話を彷彿させるものであり、大学を最近卒業し、研究者として勤め始めた行一と、新妻信子との生活を語ったものである。夫婦は「櫟林や麦畠や街道や菜園」のある、東京郊外の心地の良い片田舎にある借家に新居を構える。けれども、冬の到来までに、その場所は若い夫婦にとって魅力をほとんど失ってしまい、雪が降った後、身籠った信子が近くの切通し坂で転倒し、床に寝付いてしまうことで、状況は悪化してゆく。行一は東京の中心部で新しい住居を探すのが良いと決め、旧友の大槻とともに本郷を訪ねる。その夜、帰りの電車の中で、行一は蠟燭に灯された荷車を見かける。彼の姑はその夕方、その当日牛が路上で仔を産み、その仔ウシが荷車に乗せられて戻っていったという話をする。これは行一が電車の中から目撃したに違いない、光に照らされた光景なのだ。

この話は歴史の枠外に存在するような、牧歌的な田舎の環境の中で起こる純粋な幻想として始まる。甘い愛は、若い夫婦の生活が意味合いのある動機となるために必要な要素であり、彼らの単純な喜びは、自然美に溢れる世界の中で膨らむ。例えば、新婚夫婦は借家の大家である農夫と親しく、家に頻繁に遊びに来る農夫の子供は、「日向や土の匂いのするようなそこの子」と叙述される。しかしながら、この素朴で問題のない田舎の生活の描写は悪い方向へと向かう。信子の転倒事故は生まれてくる子供の安全について行一を心配させ、彼の懸念は、近くの畑の赤土から乱雑に生えてくる女の太腿として表現される。この不吉な肉体離脱した肢体と孤立感は、神経衰弱として知られる心理的不安感の徴候であると同時に、大正モダニスト文学によく見られる一種の分裂を模倣するものでもある。

しかしながら、この作品は政治的な事柄に直義的な言及もしている。行一が本郷を散策している時、友達の大槻は熱心に社会主義運動に参加し始めた多くの若者について話し、さらには、社会主義という事柄は帰路の電車内で、まだ行一の心の中で動いている。電車が終点に到着するや、行一は自分と同じ駅で降車する多くの乗客を見る。多くの者は、厳しい一日の仕事を終えて帰宅途中の労働者だ。

　夕刊売りや鯉売りが暗い火を点している省線の陸橋を通り、反射燈の強い光のなかを黙々と坂を下りてゆく。どの肩もどの肩もがっしり何かを背負っているようだ。行一はいつもそう思う。[6]

ここは、まさに文字通り、行一の頭の中に巡っている政治的イデオロギーを物理的に体現したものである。群衆はある程度同情的に描写されるが、行一が実際に、どれほど彼らと繋がりを持てるのかという限界もある。この作品では、行一は労働者たちと直に会話をすることはない。その代わり、彼らは離れたところにいる。「黙々とし」、隔離した計り知れない存在である。一方、行一と家族との関係は、彼の私的な会話や、暖かくも感情的なぶつかりあいから、それが活気に満ち、親密なものであることがうかがえる。

ここで梶井にとって、彼の政治意識を直義的に文学の表現形式に組み入れようとすることが問題となる。一方で、この作品が労働者階級の存在を認識するものとして考慮することは道理にかなったことである。と言うのも、この小説はロシア革命後二、三年内に著されたもので、世の中の空気には、階級、政策といった事柄が漂っていた。にもかかわらず、行一と群衆との真の繋がりといったものは、希薄で理論的なものに止まるに過ぎない。事実、梶井は知識人と群衆との間の埋められない隔たりの存在を感じたという意味で、同時代の多くの大正作家たちとの差はなかった。その最も有名な例として、有島武郎（一八七八―一九二三）の小論文「宣言一つ」（一九二二）は、もう直ぐ日本に上陸すると有島が信じていたプロレタリア革命に、中流階級の作家が果たす役割は存在しないという悲観的な結論に達している。

しかしながら、もし「雪後」が有意義な政治的連帯意識の可能性を否定しているような作品であるとすれば、政治とモダニズムの関係との洞察において、おそらく梶井の最後の作品がもっと有効的であると言える。「のんきな患者」（一九三二）は、モダニスト的文学美と、広義の社会政治事象の興味深い調和を見せている。

この作品は、大阪に戻ってからの梶井の実際の経験を反映したもので、主人公、吉田にとって、容易ならない肺結核の併発症のために床に就くことになったということはどういうことであるかを、痛々しいまでに詳細に語られることから始まる。彼の熱は「胸の臓器を全部押し上げて出してしまおうとしているかのような咳」というほどの酷い咳を伴っている。彼の病室から見える広い外界でさえが、肺結核の悲劇的病威に、どのように深く隣接しているかということが徐々に明確になってゆく。その例として、結核治療という名のいくつかのイカサマ治療法が出てくる。そのうちの一つは、野菜を売りに来る老女が吉田の母親に、薬として人間の脳みその黒焼きを息子に食べさせろ、と勧めるものである。老女の弟は肺結核で最近死亡し、地域の寺の和尚さんが、亡くなった彼の脳みその黒焼きを食することが肺結核の病人達の治療になるかもしれないと勧めたのだ。別の例では、付添婦が吉田に子鼠の焦げ焼きを食べると治ると約束する。この作品は、肺結核で毎年何人の人間が死亡したかという事実と数値で締めくくられている。そこでは結核の死亡者の九割は極貧者階級であるようだ。これは、十九世紀フランスの貧民の厳しい生活状況を暴いたエミール・ゾラの自然派小説と相似している。

この暗い結末は、本編の大半に流れる、驚くほど軽い、滑稽とさえ言える語調と同調しない。例えば、母は自分に人間の脳みその黒焼きを食べさせようとしたのだというショックから一旦立ち直った後、吉田は、自分に食べないと拒絶されたそれを、母はどうやって処分するつもりだろうか、などと残虐な空想を巡らし、ムードは滑稽なものに一転する。一方、緻密な描写は時には痛々しく、ユーモアの入る余地もない。例を挙げると、吉田は呼吸困難になり、まるで綱渡りをしているようかのように、始終、身体を鯱張らせていなければならない。「深い苦痛に陥らざるを得ない」ことを避けるため、呼吸するごとに全力集中する必要がある、というわけだ。

こういった梶井の健康の悪化という境遇は、梶井の文学的、政治的関心の本質も含め、全てを変えることになった。梶井が文学に大志を抱いた学生として初めて東京へ上京した時には、いずれ大阪の実家へ戻らなければならなくなるということは考えも及ばなかった。大阪は全く居たいところではなかったのだ。ということからも、肺結核感染率が国内で最も高い場所の一つであった大阪が、梶井にとっての教師となったのも皮肉なことだろう。「のんきな患者」は、肺結核患者一個人の痛々しい毎日の経験という狭い視野から始まるが、主人公が同じ町に住むどれほど多くの人々が同じ病に苦しんでいるのかをさらに深く受け止め、理解することで作品は終わる。究極的に言えば、この作品は吉田の膨らんでゆく他人に対する同情心によって形造られている。さらに幅広い文学的な見地から考えてみると、この作品は個人的なモダニスト美的表現形式から始まり、広い政治的、社会的現実表現へ向かってゆくという一種の橋の形をとったもののように映る。

梶井の病気は、作品で伝えようとしていたものに最も適した内容と文学的表現形式とは何なのかについての再認識を強いた。一つの例をあげれば、大阪へ戻ることによって、梶井は自分の文学的なルーツは何なのかを再考することになった。徳川時代（一六〇三―一八六八）大阪生まれの著名な歌人であり、地元の町人階級や遊郭の生活を描いた浮世絵草子の散文家である井原西鶴（一六四二―一六九三）を再評価するようになった。西鶴の地元大阪の平民の描写は、プロレタリア文学に匹敵するものであると説いた武田麟太郎（一九〇四―一九四六）の論文を読むまでは、梶井は西鶴を決して高く評価していなかった。武田の論文は独自の人気小説スタイルを作るべしと梶井を刺激し、その結果、さらに短く、散文詩文体の傾向のあった初期の作品と比較し、「のんきな患者」は比較的長い散文体の形をとり、よりリラックスした体の会話体語調を採用している。

病気が梶井にもたらした屈辱感は、彼の文学の中にも体現された。一九三〇年、中谷への手紙の中で、梶井は自然派作家で批評家でもある正宗白鳥（一八七九―一九六二）の論文についてこう語る。この論文が述べるところは、西鶴は単なる猥褻作家だとして誤解されて解釈されることが多すぎる、そうではなく、彼の文学は人間の欲望と愛・色情の真摯な探求として考慮されるべきであると。梶井は、文学とは人間の基本的な願望と愛を完全に意識することでのみ成功するとして、この論文に大賛同した。実際のところ、梶井は、人間経験の中核となるエロティックな部分を進んで作中に導入し損ねたとして、小林多喜二のようなプロレタリア作家に対し批判的であったのだ。梶井にとっては、これらの願望はプロレタリア群衆の真の生命力の一部であった。西鶴への敬意として、梶井は無産階級の生活をしっかり表象した、さらに実直な型のプロレタリア文学を創作するという希望をこの手紙に綴った(7)。この好色な部分は、作品「交尾」（一九三一）内に全面的に出ており、「のんきな患者」においては、主人公は生命掛けで闘病中、性的欲望は二の次になっているものの、人間の生命そのものへの深遠な願望が溢れている。

梶井は、吉田が今や自分が生活している結束の固い共同体に細かく目を向けた描写によって、彼の生命願望を文学表現としての形に仕上げた。そして、お互いに手を差し伸べ合う人間の繋がりは一種の政治意識の誕生と同じだとも言えるかもしれない。ここでは、生命への願望は会話や噂話を通して現れる。例えば、吉田の母親は大阪の別の町に住む息子を訪ねる毎に、結核で死にかけている人たちの知らせを持ち帰る。教師の娘の死から、残された家族が店を畳むことになってしまった毛糸雑貨屋の主人の突然の死まで、母親の言葉は、結核の悲惨な手からは、どういった家族であれ、誰も逃れられないことを語る。と同時に、これらの会話は一時的でありながら、ある種の希望を与える。吉田は、訪問客が母親に、ある荒物屋の上に住む娘が「治療」だとしてメダカを飲まされている、と伝えているのを寝室から聞く。その訪問客は娘が今や回復に向かっていると言い張るが、その直後の彼女の死はそういった希望の虚しさを証明する。これらの噂話は人々が藁にもしがみつこうとする対策法の惨めさを強調する。

しかし、噂話は広い世間が結核のことを恐れていることを提示すると同時に、共同体の、より肯定的な態度も暗示する。例えば、老女は金銭的な利を得る目的ではなく、同じ病気で苦しむ人間の誰をも救いたいという真摯な願望のために死んだ弟の脳みその黒焼きを勧めたのだと、吉田は同情心をもって思索する。吉田の同情心は黒焼きにしたネズミを食べるという奇抜な治療法を勧めた付添婦にも及ぶ。この付添婦は地元病院で同じ付添婦として働く中年女性のグループの一人であることが露見するが、彼女たちは夫を失ったか、もしくは歳をとり、面倒を見てもらう身寄りがなかったのであり、これらの付添婦は必要に迫られてではなく、寂しさを紛らわすために働いているのだと吉田の目には同情的に見える。

付添婦は彼に迷信的な治療法しか勧めなかったかもしれないが、彼女やその同僚たちが陥ってしまった悲しい状況こそが、地元の街に淀む雑多な苦しみ、悲痛といったものを除去する方法を何とか見つけたいという彼女たちの感情を動かすのだ。こういった意味で、これらの女性達は、肺結核という衝撃的な経験によって結束された、一つの共同体の確実な一員であるわけである。そして、そのために、吉田は付添婦を非難するのではなく、彼女に対し理解を示すのだ。

梶井が知っていた西鶴の一作品は、大晦日前に借金を決済しようとする一般人の悲喜劇を描いた物語、「世間胸算用」（一六九二）だった。(8)特にこの作品は、日常共同体の中に見られる一般人どうしの関係について、梶井の興味を刺激したが、表題にある「世間」という言葉は、地元共同体内の社会政治的関係について、「のんきな患者」という作品において、梶井がどのように、より深い認識を築いたかという具体的な手がかりにもなる。

「世間」という言葉は広義な意味を持ち、英語では、世界、人生、社会、そして公共（公衆）と、多義に翻訳されている。しかし、そこには世の中で人々を繋げる、といったことに関連する政治的意味合いも含まれている。例えば、吉田は個人的な理由で――つまり、彼の病に侵されていること――大阪に帰らざるをえなかったというのは事実であるが、もはや彼は「世間がこの病気と戦っている戦の暗黒さ」に対局する状況にも陥る。いわば、この作品の筋書きにおいては、吉田は同じ戦いに立ち向かっている多くの中の一人として自分を見るようになる。一方、幅広く社会状況に目を向けることにより、吉田自身の生命も他の受難者の生命から影響を受け始める。

ここまで、梶井帰阪後の社会政治事象への懸念、そして、しかしながら、こういった関心をどのように彼の他のモダニスト作品と関連づけることが可能であるかについて詳細に論じた。アラン・タンスマンは、彼の言うところの、一九二〇年代に根差しながら一九三〇年代にもますます台頭した「国粋主義・ファシストの瞬間」について述べている。そのなかで、文学的言語とは、

具体的で律動的、そして、音楽的であり、論理的な考えにも勝り、唯存在するだけで、抽象というものを打ち負かす美――世界での行動のモデルとなるような美――を模倣するものである。ファシストの瞬間とは、絶対的命令、又は未分化でありながら、且つ、解放的経験としての暴力に対する完全なる降伏を喚起することによって、モダニティの矛盾を解決しようと試みる国粋主義的美学の開花を指すのである。こういった美学は無考慮で美化された死を褒めそやした。(9)

このようにタンスマンは解いた。ある意味タンスマンは梶井の文章にも確認される特徴を正確に定義している。特に「檸檬」のような初期作品において、梶井は美しい文学的な仰々しさで特徴づけられた文体を見せようとする意図があるようだ。「檸檬」では、日常生活の厳しい現実は不条理で叙情的な美に抑え込まれる。そして、そういった力強く美しい瞬間は、ある種の自由な解放として暴力をも祝福しているようにも見受けられる。その例として、「檸檬」の最後に檸檬が爆弾になり、丸善を破壊するといった空想を若者がする場面を考えてみよう。

一方、梶井の作品をファシズム・国粋主義と関係があると理解することは全く間違ったことであることを示す他の要因もある。タンスマンは、一九三〇年代に台頭した国粋主義的美学は、ある種、死を美化した(10)（それは究極的には神

風特攻隊員にも繋がっていく）、と述べるが、梶井にとって、死は軟質で、もっと人間味を持った作法で常に描写されている。さらに国粋主義とは、歴史よりも自然、政治よりも美、といった力関係を特権化したいという願望であると述べられているが、この説明を梶井を語るにあたって同様に当てはめることはできない。「のんきな患者」は、固執して死を時間の中の特定の瞬間の中に設置している。梶井は、大阪という特定の場所に生きる吉田や彼の近隣者達といった個々の人物が結核の感染最盛期にその病気に対峙させられた一九三〇年代初期の、歴史上の一点を描いている。そしておそらく、最も重要なこととして、梶井の物語では、美とは豪奢、または、忘却という慰め（balm of forgetfulness）としては機能しない。むしろ、美は人々が恐ろしい病魔と取り組み、助けの手を差し伸べ合う際に、個人の暗い葛藤の間から頭をもたげてくるのである。

結　論

本章では、ニカラグアと日本、双国でのモダニズムというテーマを考察した。モダニズムという言葉が、一体、この二国で起こった社会的、歴史的、政治的、そして文学的な進展を説明するものとして適切であるのか。さらに、どういった点でこの二つの文化がモダニズムの形態を共有しているのかを検討した。現在の時点では、大きなプロジェクトの始点に立ったばかりだが、ニカラグアと日本におけるモダニズムと政治の繋がりについての、暫定的なコメントをもってこの論文の結論としたい。

日本のモダニズムとプロレタリア文学の関係に関しては、どちらの運動も中産階級的現実の臆説に挑戦する言語を展開しようとしたものだと言える。どちらの運動も新しい世界の見方の案出を試みたという意味では、モダニズムとプロレタリア文学運動は、双方共、世界を粉々に砕き、より良い世界を再構築したいという革命的衝動によって動かされていた。それはおそらくアナキスト詩誌『赤と黒』に現れた、「詩は爆弾である」という有名な声明に賛同するのではないだろうか。

最後に、ニカラグアと日本両国の件を考慮した場合、政治を「大きな物語」というよりも、小規模な文化的介入として考慮すれば、モダニズムとは一元的な観点であると同時に、局所的状況に深く根ざした全く異種のアイデアであるという見解もあり得る。というのも、文学は世界で起こる様々な事件に呼応する小さな声にたとえる可能性を持つのかもしれないからである。しかしながら、文学はそれ以上のものであり、その呼応するというプロセスそのものの中で、それら小さな声は世界を永遠に変えてしまうのだ。これらの声は統合し、お互いを尋問し合い、大陸を超えて似通った声を探し求めさえする。ニカラグアで誕生するのか日本で台頭するのかにかかわらず、これらの声は既存の権力構造と対峙し、新しい存在のあり方に思いを巡らせる。こういった意味では、モダニズム運動は政治の潮流によって、二十世紀の始まりと同時に世界に普及していったと言えるだろう。

（1）Frederic Jameson, "Modernism and Imperialism," In: *Nationalism, Colonialism and literature* Minneapolis, Minneapolis: University of Minnesota Press, 1990, pp. 50-51.（フレドリック・ジェイムソン「モダニズムと帝国主義」『民族主義・植民地主義と文学』）

（2）Pat O'Brien, "'Sonatina': Manifesto of Modern," In: *The South Central Bulletin*, Vol. 42, No. 4, Studies by Members of SCMLA, Winter, 1982, p. 134.（パット・オブライエン「ソナチナ——現代宣言」）

（3）Cathy Jrade, "Modernism on Both Sides of the Atlantic," In: *Anales de la literatura española contemporánea*, Vol. 23, No. 1/2, 1998, p. 190.（キャシー・ジュレード「大西洋両側のモダニズム」）

（4）David Harvey, *The Condition of Postmodernity*, Oxford: Blackwell, 1991, p. 25.（デヴィッド・ハーヴェイ『ポストモダンの状態』）

（5）前田愛「東京一九二五年」『現代思想』一九七九年八月号、七七頁。

（6）『梶井基次郎全集』第一巻、筑摩書房、二〇〇〇年、八九頁。

（7）手紙は一九三〇年六月一四日付。正宗の論文は、「西鶴について」（一九二七年五月）。『梶井基次郎全集』第三巻、筑摩書房、二〇〇〇年、三六〇―三六五頁。
（8）井原西鶴『世間胸算用（英文版）』、東京、タトル出版、一九六五年。
（9）Transman, *The Aesthetics of Japanese Fascism*, Berkeley: University of California Press, 2009, pp. 1-2.（トランスマン『日本ファシズムの美学』）
（10）Ibid., p. 4.

第四章 『坊っちゃん』の世界史
――ラファエロからゴーリキーまで

小森陽一

はじめに

夏目漱石の小説『坊っちゃん』（『ホトトギス』一九〇六年四月）の冒頭の一文は、千年単位の世界史を瞬時に読者に想起させる。

親譲りの無鉄砲で小供の時から損ばかりしてゐる。

「無鉄砲」は「無手っ法」の宛て字である。「無手っ法」は「無手法」の促音便であり、「無手法」は「無点法」から転じた言葉である。「無点法」とは漢文に返り点等を付けずに読むことで、無点の漢文は読みにくいという意味から、前後を顧みずにむやみに物事をすることの意味に転じて使われてきた日本製の漢字熟語である。

日本では古代から中国の制度や文物を韓半島経由で輸入し、正式の文章は漢字を用いた漢文で記されて来た。資料として残っている最も古い漢文は推古天皇（在位五九二―六二八）の時代のものである。返り点の最も古い実例は『華《け》厳経刊定記《ごんきょうかんじょうき》』（七八八年）にある。「レ点（雁点《かりがねてん》）」が用いられるのは十二世紀末からだと言われている。「無点法」という言葉が、本来の意味から転じて比喩的に用いられるようになるのは、それからかなり時間が経ってからということになるだろう。

遣隋使以来頻繁に大陸文化と往来していた七世紀から九世紀にかけての時期から、菅原道真の建議によって遣唐使が停止されて数百年が経過する中で、日本列島においては、「無点法」から「無手法」へと文字と意味が転じていったのであろう。この三文字熟語の中には、東アジア漢字文化圏の数百年来の歴史が刻まれていることがわかる。しかし促音便化した「無手っ法」に「無鉄砲」という文字があてられるには、ヨーロッパとのかかわりの歴史を考えねばならなくなる。『坊っちゃん』という小説は、世界史的認識の枠組抜きに読むことが出来ないのである。

日本への「鉄砲伝来」は、通説によれば一五四三（天文一二）年八月、種子島に標着したポルトガル人によって、マッチロック銃（火縄銃）が伝えられたということになっている。他方で、千五百年代中頃、アジアで活動していた、倭寇の王直《おうちょく》によってもたらされたとする説もある。ここから読者は銃をめぐる日本史を想起していく。「鉄砲伝来」の時期、日本は戦国時代であり、新兵器はただちに種子島で模倣製造され、「種子島銃」と呼ばれていく。戦国大名たちの間での需要は一気に広がり、堺や近江国友、日野などでも火縄銃の生産が行われるようになる。そしてやはり通説では、一五七五（天正三）年の長篠の戦いで、甲州武田騎馬隊に対して、織田信長が三千丁以上の火縄銃を集中的に使って圧倒的な勝利をおさめたと言われている。戦争をするために銃が不可欠の時代となった。だから「無鉄砲」という宛字が、むやみに事にのぞみ、むこうみずな行動を取ることの転義となっていったのであろう。

もちろん「宿直」の夜、生徒たちに「からかわれ」た際に、「是でも元は旗本だ、旗本の元は清和源氏で、多田の満仲の後裔だ。こんな土百姓とは生れからして違ふんだ」と内心で啖呵を切るところと重ねてみると、平安中期の武将である源《みなもと》満仲《みつなか》（九一二―九九七）まで遡りながら、明治維新による幕府の瓦解にいたるまでの、千年近い「おれ」の一族の歴史が浮かびあがってくるのである。

そして「おれ」（「坊っちゃん」と綽名された青年）と山嵐が中学校教師を失職する契機となるのが日露戦争の祝勝会。そこにおける、中学校と師範学校の生徒との喧嘩が原因であった。したがって十六世紀から一九〇五年秋、そして翌年春にいたる争乱の「世界史」が、小説『坊っちゃん』の作中人物たちの意識と行動を規定していることに、著者夏目漱石はきわめて意識的であったのである。

一　「ターナー島と名づけ」ることの意味

「無鉄砲」という漢字三文字熟語と、それによる「おれ」の自己評価が成立するためには、日本列島への「鉄砲伝来」が不可欠である。「鉄砲伝来」が実現するには、ポルトガル人が鉄砲を持って種子島に漂着しなければならない。ではヨーロッパ大陸の西端の、イベリア半島の西部五分の一を占めているポルトガルに生まれた人が、極東の日本列島南端鹿児島の南東端の大隅半島の、さらに南にある種子島に漂着するには、どのような世界史的条件が必要だったのか。言うまでもなく「大航海時代」の到来である。

八世紀初め以来の、イベリア半島における、キリスト教徒によるイスラム教徒に対するレコンキスタ（再征服＝国土回復戦争）が、一四九二年のスペインによるグラナダ占領で終わると、イザベル一世（一四五一―一五〇四）はクリストバル・コロン（一四五一―一五〇六）の西回りの航路でインドに至る航海を後援し、結果としての「新大陸発見」となる。

ポルトガルは十五世紀にアフリカ西海岸を中心に、国家政策としての探険航海を、南へ南へと進めていた。一四八二年には後の奴隷貿易の拠点となるエルミナ（現ガーナ）に城砦をつくっている（コロンもこれに参加）。一四八七年にはリスボンを出港したバルトロメウ・ディアスが西海岸沿岸を南下しつづけ、ついにアフリカ大陸最南端喜望峰を東へ回航した。ヴァスコ・ダ・ガマは一四九七年七月八日リスボンを出て喜望峰回りでアフリカ東岸を北上し、インド洋に入り、一四九八年五月二〇日インド西部の胡椒海岸《マラバル》のコジコーデ（カリカット）に到着し、インド航路が発見された。以後この海域にポルトガルは大船団を送り込み、奴隷貿易と連動した大香辛料貿易時代が到来する。

イベリア半島東部五分の四のスペインは、コンキスタドール（征服者）による、南アメリカ大陸の軍事侵略と略奪に突き進んでいく。一五一九年メキシコ遠征に向かったヘルナン・コルテス（一四八五—一五四七）は、一五二一年アステカ王国を滅亡させ、一五二三年にヌエバ・エスパーニャ総督となる。フランシスコ・ピサロ（一四七六—一五四一）は一五二九年カルロス五世からペルー征服の権利を与えられた後、一五三三年にインカ帝国を滅亡させた。

ヨーロッパキリスト教文化圏の国家による、「新大陸発見」をはじめとする、非ヨーロッパ地域における大量殺戮と大略奪による植民地化の時代の始まりである。少数のスペイン人コンキスタドールによって、アステカ文明やインカ文明が滅亡させられた最大の要因は、このときのアメリカ大陸の文明には無かった、馬と銃の威力であった。「無鉄砲で」「損ばかりしている」最悪の事例は、新大陸の先住民たちの十六世紀以後の受難の歴史である。そしてその全過程こそが、旧大陸と新大陸を結びつけての「世界史」に他ならない。球形の地球の発見なしに「世界史」は始まらない。

北大西洋を横断したコロンが初めて上陸した、先住民がグアナハニ島と呼んでいた島を、彼は救世主の島を意味するところの「サン・サルバドル島」と名づけた。元々名前のある島に勝手に名前を付けることこそ、植民地侵略者の最も典型的なふるまいの一つなのだ。

「あの松を見給へ、幹が真直《まっすぐ》で、上が傘の様に開いてターナーの画にありさうだね」と赤シヤツが野だに云ふと、野だは「全くターナーですね。どうもあの曲り具合つたらありませんね。ターナーそつくりですよ」と心得顔である。ターナーとは何の事だか知らないが、聞かないでも困らない事だから黙つて居た。舟は島を右に見てぐるりと廻つた。波は全くない。是で海だとは受け取りにくい程平だ。赤シヤツの御蔭で甚だ愉快だ。出来る事なら、あの島の上へ上がつて見たいと思つたから、あの岩のある所へは舟はつけられないんですかと聞いて見た。つけられん事もないですが、釣をするには、あまり岸ぢやいけないですと赤シヤツが異議を申し立てた。おれは黙つてた。すると野だがどうです教頭、是からあの島をターナー島と名づけ様ぢやありませんかと余計な発議をした。赤シヤツはそいつは面白い、吾々は是からさう云はうと賛成した。此吾々のうちにおれも這入つてるなら迷惑だ。おれには青島で沢山だ。

二〇一三年の三月から八月にかけて、全国三会場で開催された「夏目漱石の美術世界」展でキュレーターを務めた古田亮氏は、この引用部を「手始めに、漱石の美術世界を垣間見ていく」として、『特講　漱石の美術世界』（岩波書店、二〇一四、以下引用は本書から）を語り始めている。「この一シーンのためにターナーの大作《金枝》をイギリスのテートから借用してきて展示した。漱石の美術世界を、実際の作品の展示という方法によって明らかにしていこうという贅沢な考えからである。坊っちゃんに言わせれば、無鉄砲な展覧会ということになるかもしれない」という古田氏の「無鉄砲」という言葉の使い方も、きわめて「世界史」的な含意を内在させている。

古田氏がジョセフ・マロード・ウィリアム・ターナー（一七七五―一八五一）の「大作《金枝》」（一八三四）を選んだ理由は、赤シャツの言う「幹が真直で、上が傘の様に開いて」いるイタリア松が右近景に一本、そして左遠景に三本、天と地をつなぐ画面の垂直軸のように描き込まれているからであろう。そして空と水（水蒸気）と光の描写を中心としたターナー独自の風景画の世界、とりわけ「松」を印象づけているからにちがいない。こうしたターナーの画風は一八二八年の二度目のイタリア旅行に基づいて確立されていった。

二度目のイタリア旅行がターナーの画風にもたらした最も大きな変化は、文学的物語をふまえながら、幻想的とも言える風景を、光と大気の交錯を色彩化することで描き出していく手法に転換したところにある。その代表作が「大作《金枝》」の二年前に描かれた《チャイルド・ハロルドの巡礼》（一八三二）であろう。この絵でも「幹が真直で、上が傘の様に開いて」いるイタリア松が絵画の垂線、すなわち空と大地を結ぶ視線の動きを観る者に与え、その根元に人々が、楽しそうなピクニックをするかのように集っている構図である。

『チャイルド・ハロルドの巡礼』（一―二巻が一八一二年、三巻が一八一六年、四巻は一八一八年）はイギリスの詩人ジョージ・ゴードン・バイロン（一七八八―一八二四）が一、二巻の発表をして一挙に名声を獲得し、社交界のアイドルとなった長編物語詩である。バイロンが「一朝目覚めれば天下の詩人」と、自らの日記に書いた程の劇的デビューであった。その後『邪宗徒』（一八一三）、『海賊』（一八一四）、『コリントの包囲』（一八一六）など続々と物語詩を発表していく。しかし、物語詩の内容にもかかわる異母姉オーガスタとのスキャンダルなどで徹底的に糾弾され、バイロンは一八一六年にイギリスを離れ、遍歴の後半生を選びとる。イタリア各地を転々としていたときに発表したのがイタリアを舞台にした第四巻であり、それまでの仮面を脱ぎ、主人公のチャイルド・ハロルドがバイロン自身であるかのように、一人称で語られていくのである。ターナーの《チャイルド・ハロルドの巡礼》の絵の構図における「幹が真直で上が傘の様に開いて」いるイタリア松は、この絵が第四巻の特定の場面を描いていることを明示している。

赤シャツの言う「ターナーの画にありさうだね」という一言は、テート・ギャラリーに入ってターナーコレクションを鑑賞した者には、複数のイタリア松をあしらった、ターナーの第二回目のイタリア旅行の風景画を想起させるのである（『坊っちゃん』発表時にそのような日本語小説読者が何人存在したのかは定かではないが……）。その意味で「ターナーとは何の事だか知らない」「おれ」は、大方の『ホトトギス』の読者と同じ文化的な感受性の位置にいたのである。

しかし東京から松山とおぼしき四国の地方都市の港に到着したときの「おれ」は、典型的な植民地主義的侮蔑意識を抱いていた。「ぶうと云つて汽船がとまると、艀が岸を離れて、漕ぎ寄せて来た。船頭は真つ裸に赤ふんどしをしめてゐる。野蛮な所だ」と、明らかに「おれ」は文明の側に立ち、到着した土地を「野蛮な所だ」と差別化していたのだ。大日本帝国の帝都東京から赴任して来た、中学校教師と地方都市の船頭との関係は、宗主国の文明人と、植民地の野蛮人との、差別化としての「野蛮な所」と位置づけられている。最初に「発見」した島を「サン・サルバドル島」と名付けた、コロンと同じ位置に「おれ」は立っていたのだ。

赤シャツは「文学士」なのだから、帝国大学の卒業生である。雑誌「帝国文学」を見せびらかしているのだから、東京にあった帝国大学から田舎に来た文明の側の代表者でもあるのだ。「画学の教師」の「野だいこ」は自ら「御国はどちらでげす」と「おれ」にたずね、「え？　東京？　夫りや嬉しい、御仲間が出来て…私もこれで江戸つ子です」と自己紹介をしたのだから、やはり帝都から田舎にやって来た文明人ということになる。

その野だいこが赤シャツに「どうです教頭、是からあの島をターナー島と名づけ様ぢやありませんか」と提案し、赤シャツが「そいつは面白い、吾々は是からさう云はう」と「賛成」する。それに対して「此吾々のうちにおれも這入つてるなら迷惑だ」と「おれ」ははっきりと拒絶する。対象を固有名で名付け、名付けることによって自己の所有とする関係に入ることを「おれ」は拒絶しているのだ。「おれには青島で沢山だ」というのは、ある土地を勝手に固有名で名付ける植民地的主体になること、主人と奴隷の関係を結ぶことを拒絶する（『吾輩は猫である』の珍野苦沙弥が「吾輩」に名前を付けないのと同じ論理）姿勢を「おれ」は選んだのである。

二　「ラフハエルのマドンナ」の図像学

「おれ」が「青島で沢山だ」と思った直後、野だいこは赤シャツと謎の言葉を交わし合う。

あの岩の上に、どうです、ラフハエルのマドンナを置いちや。いい画が出来ますぜと野だが云ふと、マドンナの話はよさうぢやないかホ、、、と赤シヤツが気味の悪るい笑ひ方をした。なに誰も居ないから大丈夫ですと、一寸おれの方を見たが、わざと顔をそむけてにや〳〵と笑つた。おれは何だかやな心持ちがした。マドンナだらうが、小旦那だらうが、おれの関係した事でないから、勝手に立たせるがよからうが、人に分らない事を言つて分らないから聞いたつて構やしませんてえ様な風をする。下品な仕草だ。

いきなり「ラフハエルのマドンナ」という画学の教師ならではの言葉が出てくる。もちろん「おれ」には「分らない」。しかし赤シャツが「マドンナの話はよさうぢやないか」と、「気味の悪るい笑ひ」を浮かべ、「マドンナ」という言葉に、「おれ」の理解のおよばない、野だいこと赤シャツとの間だけで共有されている特別な文脈《コンテクスト》があることを誇示する。それに応じて野だいこはことさらに「おれの方を見た」うえで、「わざと顔をそむけてにや〳〵と笑」うのである。「マドンナ」という一言をめぐっての、「おれ」による謎解き探偵小説としての『坊っちゃん』は、ここから始まることになる。

問題は、なぜ「ラフハエルのマドンナ」でなければならないのか、というところにある。

「漱石の美術世界」を企画した、先に紹介した古田氏の鑑定は実に興味深い。先の「ターナー」の「松」をめぐるやりとりで、作中人物たちがターナーの画中にあるような「錯覚」をつくり出したところに、今度は島の「岩の上」にラファエロ・サンツィオ（一四八三―一五二〇）の「マドンナ」を置いてみたら「いい画が出来」るという野だいこの言葉から古田氏は次のような推論を展開する。

この連想は絵画的には破綻したイメージではあるものの、ターナー、ラファエロ、マドンナという一続きの美の連鎖によって、のちのち登場する本編の主要人物であるマドンナを絵の中の女性像として印象づけることに成功している。

実際漱石が見たという確証はないが、ターナーには《ヴァチカンからのローマの眺め：ラ・フォルリーナを連れて回廊装飾のために自身の絵を準備するラファエロ》と題する大作がある。ラファエロが自作の《小椅子の聖母》というマドンナを描いた作品をローマの風景の中に置くというこの作品では、ターナー、ラファエロ、マドンナという関係が成立していた。

「漱石の美術世界」と同じ二〇一五年に、朝日新聞社やＴＢＳと共に東京都美術館主催で行われた「ターナー展」（一〇月八日―一二月一八日）で、この作品は公開された。展覧会での題名は「ヴァティカンから望むローマ、ラ・フォルリーナを伴って回廊装飾のための絵を準備するラファエロ」となっていた。朝日新聞社から刊行された展覧会図録『ターナー展』の解説には、こう紹介されていた。

ターナーが本作を発表したのは、折しもラファエロ没後三〇〇年にあたり、前景には自作品の出来ばえを確かめようとするラファエロその人の姿も描かれている。一九世紀には、回廊南端の台座にラファエロの胸像が設置されていた。ターナーの絵では台座はもぬけの空、その代わりラファエロ本人がまるで大理石の彫像から生まれ変わったかのように、生身の姿で登場する。画家の右側には「ラ・フォルリーナ」（パン焼き娘）の名で知られる、恋人でありミューズであったマルゲリータ・ルティの後ろ姿が見える。ラファエロの周りに様々な美術品が並んでいるのは、絵画、素描、彫刻、建築設計など広い分野に才能を発揮した多才ぶりを讃えるもので、ラファエロの生涯と功績を要約し、天才芸術家の究極の手本としての地位を象徴する。風景、建築、肖像に歴史画の要素まで採り入れ、名人芸とも呼べるような本作を描くことによって、ターナーは自分自身も技を究めた名匠であり、ラファエロの衣鉢を継ぐ者であることを世間に示そうとした。

読み方によっては、かなり辛辣な批評にもなっている。この絵を画くことによって、ターナーは「ラファエロの衣鉢を継ぐ者として」自らの画家としての地位を「世間に示そうとした」という文面だからだ。しかしこの紹介文を古田氏の解説と重ねてみると、私たちはきわめて重要な認識を得ることができる。すなわち夏目漱石は、まごうことなくこの「ヴァティカンから望むローマ、ラ・フォルリーナを伴って回廊装飾のための絵を準備するラファエロ」という絵の意図を読み解くことで、「あの岩の上に、どうです、ラフハエルのマドンナを置いちや。いい画が出来ますぜ」という野だいこの科白を書きつけたのである。

この大作が発表されたのは一八二〇年。ターナーが初めてイタリア旅行をしたのが一八一九年だから、その帰国直後の制作であり、一五二〇年に亡くなったラファエロの没後三百年にあたる年でもあった。イタリアルネサンスの最盛期を代表する、画家であり建築家であったラファエロ・サンツィオの業績が、イギリスにおいても多くの人々の知るところになる状況でもあった。その意味でこの絵画は、様々な解読の枠組を観賞者に提供する、観るだけではない、読む絵画でもあったのだ。

まず風景画としては、主題の通り「ヴァティカンから望むローマ」という構図である。先に引用した「ターナー展」の図録解説文にある通り、近景はサン・ピエトロ大聖堂に隣接するヴァチカン美術館の回廊の間である。「回廊南端の台座にラファエロの胸像が設置されていた」はずなのに、それが「もぬけの空」で、中央からやや右側に「ラファエロ本人がまるで大理石の彫像から生まれ変わったかのように、生身の姿で登場する」ので、この絵が「肖像画となっているのでもある。

ルネサンス期に確立された遠近法の無限遠点と対応する近景の中央に、古田氏が指摘するところの「《小椅子の聖母》」という、ラファエロの数多くの聖母子像の中の一作が置かれている。その下方に「素描、彫刻、建築設計」などが配置され、ラファエロの「多才ぶりを讃える」構図になっている。その後「ラファエロの間」に収められることになる（ターナーはそこで一連の作品を見ている）諸作品が置かれているのである。しかし、近景の諸作品だけがラファエロの「功績」なのではない。

自分で軍を率いてチェーザレ・ボルジアをイタリアから追放するなど、教皇の世俗権を拡大したユリウス二世（一四四三―一五一三）の即位後、その主任建築家となったのが、ウルビーノ近郊出身のドナト・ブラマンテ（一四四四―一五一四）で、彼がサン・ピエトロ大聖堂の新聖堂再建に着手し、同郷のラファエロを協力者としてローマに呼び寄せたのである。しかしユリウス二世が他界し、工事は中断され、教皇の後を追うようにブラマンテもこの世を去る。その後を受け継いだのがラファエロであった。

ユリウス二世の後教皇となったのがレオ十世（一四七五―一五二一）で、彼からラファエロは一五一四年にサン・ピエトロ大聖堂の建築主任に任命されたのであった。そして翌一五一五年には古代遺物監督官にも任ぜられ、発掘された古代遺跡の地図をラファエロは作成していくことになったのである。その意味で、回廊の背後に広がるローマの遠景の中に見える、発掘されたいくつもの遺跡も、ラファエロの仕事と言えるのである。その意味でこのターナーの絵は、ラファエロがどのような生涯を送ったか、そしてその年月がどのように、教皇の権力と芸術家が結びついた時代であったのかを、正確に表現している「歴史画」でもあるのだ。

「ターナー島と名づけ」た無人島の「岩の上に」、「ラフハエルのマドンナを置い」てみると「いい画が出来ますぜ」という野だいこに、「ホ、、、」と気味の悪るい笑い方で応じる赤シャツに対し、「おれ」は不快感を抱き「マドンナだらうが、小旦那だらうが、おれの関係した事でない」と心の中で怒りをぶちまける。「小旦那」の反対語は「大旦那」。ターナーの画に描かれているラファエロが「小旦那」だとすると、大旦那は教皇レオ十世ということになる。「ヴァティカンから望むローマ」という絵画の全体を支配しているのは、ロレンツォ・デ・メディチの息子ジョバンニ・デ・メディチであったところのレオ十世なのだ。

文学や芸術の保護者であったレオ十世は、ユリウス二世が残したローマ教皇庁の財産を一気に使いはたしてしまった。サン・ピエトロ大聖堂を再建する資金をつくり出すために、レオ十世は贖宥状《しょくゆう》（いわゆる免罪符）販売を認めていく。これに対してマルティン・ルター（一四八三―一五四六）が一五一七年一〇月三一日に「九十五ヶ条の論題」を発表し、宗教改革の発端となる。

贖宥状が売り出された時期は、教皇を輩出して来た南ヨーロッパキリスト教国の軍人（騎士）たちが、アフリカ沿岸部と新大陸において、コンキスタドールと称して考えうる罪の限りを犯しつづけていた時期である。イスラム教徒に対しては、レコンキスタ（再征服）と称して、神に選ばれ救われた共同体に属する者らが守らねばならない「十戒」の、殺人（六戒）、姦淫（七戒）、盗み（八戒）、偽証（九戒）、貪欲（十戒）の限りを尽くしていた男たちが、一斉にアフリカ沿岸部を経て、新大陸に押し寄せたのであった。異教徒に対する闘い、というローマ教皇の命による聖戦という宗教的権威に支えられた戦いとは違って、コンキスタドールたちの、アステカやインカといった大帝国を滅亡に追い込んだ、侵略を自己正当化する理屈は、相手が「野蛮」な人喰い人種だ、という「文明」の名による殺戮の自己正当化であった。

コロンが勝手にインド人だと思い込み、その海域の群島を「西インド諸島」と囲い込みながら、勝手に島々に名前をつけていった地域（カリブ海域の島々）に居住する人々を、総称するカリブ人（Carib）のスペイン語なまりがカニバル（cannibal）で、その人々に食人習俗があったことを口実に、コンキスタドールたちの殺人、強姦、略奪等が「カニバリズム」との闘いとして正当化されていったのである。「おれ」が舟から降りたところが「野蛮」であることと、無人島に赤シャツと野だいこが勝手に「ターナー島」と名前をつけることと、「ラファエルのマドンナ」とは世界史的には一体の事象だったのである。

三　「いっしょにロシア文学を釣りに行」く記号学

「ターナー島」への上陸をあきらめて海釣りをはじめた「おれ」は、「しばらくすると、何だかぴく〳〵と糸にあたるものがある」と感じる。「おれ」は釣り糸をたぐり寄せる。

船縁から覗いて見たら、金魚の様な縞のある魚が糸にくつついて、右左へ漾いながら、手に応じて浮き上がつてくる。面白い。水際から上げるとき、ぽちやりと跳ねたから、おれの顔は潮水だらけになつた。漸《ようや》くつらまへて、針をとらうとするが中々取れない。捕まへた手はぬる〳〵する。大《おおい》に気味がわるい。面倒だから糸を振つて胴の間へ擲きつけたら、すぐ死んで仕舞つた。赤シヤツと野だは驚いて見てゐる。おれは海の中で手をざぶ〳〵と洗つて、鼻の先へあてがつて見た。まだ腥臭い。もう懲り〳〵だ。何が釣れたつて魚は握りたくない。

『坊っちやん』という小説の中で、「おれ」が殺生を行う唯一の場面だ。釣り上げた魚から釣り針をとろうとするときに、「面倒」になって船の中央にある「胴の間」にたたきつけて殺してしまう。「手を」「洗つて」も殺戮者の証である「腥臭」さは消えない。自分の粗暴な行為に、赤シャツと野だいこが驚きを示していることも、しっかりと「おれ」は意識している。

この「おれ」の殺した魚について、野だいこは「一番槍は御手柄だがゴルキぢや」と茶化し、赤シャツは「ゴルキと云ふと露西亜の文学者見た様な名だね」と「洒落《しゃれ》」て見せる。それに野だいこが「丸で露西亜の文学者ですね」と賛成したのに対して、「おれ」は怒りを表明する。

ゴルキが露西亜の文学者で、丸木が芝の写真師で、米のなる木が命の親だらう。一体此赤シヤツはわるい癖だ。誰を捕まへても片仮名の唐人の名を並べたがる。

おおかたの文庫本の注釈には、「おれ」が釣り上げた「金魚の様な縞のある魚」が、地元松山では「ギゾー」と言うと注釈がついている。しかし岩波文庫の平岡敏夫氏の注釈は別格の解釈を記している。

「金魚のような縞のある魚」とあるからベラであろう。松山地方ではギゾーと呼ぶようだが、東寄りの瀬戸内地方ではギザメともいう。『イギリス革命史』等の著者であるフランスの歴史家ギゾーからロシア革命期の文学者マクシム・ゴリキーを連想したものか。

平岡氏のこの大胆とも言える「松山地方」の方言による遍羅（ベラ科の硬骨魚の総称）の呼称としての「ギゾー」を想起しながら、その発言に「フランスの歴史家ギゾー」を重ねたうえで、「ゴルキ」と結びつける解釈は、先の「ラフハエル」と「マドンナ」と「ターナー」といった「片仮名の唐人の名」を結びつける世界史の脈絡とつながるのである。前年大学で講義をしていた『文学論』（大倉書店、一九〇七）の中でも、漱石は音の一致を使った「口合」の方法的有効性について強調してもいた。『坊っちゃん』という小説テクストには直接表現されることのなかった「フランスの歴史家ギゾー」を呼び出すことによって、『坊っちゃん』の世界史は、ラファエロからマクシム・ゴーリキー（一八六八—一九三六）、すなわち、この小説が発表された現在時にいたる通史となるのだ。

「ゴルキが露西亜の文学者」であることは、「おれ」でも知っていたほど、ゴーリキーは有名であった。一九〇五年一月二二日（ロシア暦九日）の日曜日に、帝政ロシアの首都ペテルブルグで、皇帝《ツアーリ》に直接労働者の窮状を訴え、改革を求める請願書を提出しようとして、一四万人をこえる労働者が、教会の旗や皇帝の肖像をかかげて平和的な行進をした。これに対し政府は徹底弾圧を行った。停止命令に従わない人々の列に軍隊が発砲し、千人以上の死者を出した。いわゆる「血の日曜日事件」である。この事件を目撃していたゴーリキーは、皇帝《ツアーリ》による専制政治打倒を訴え、逮捕されたうえで投獄された。この逮捕に世界中から抗議が集中し、遂にゴーリキーは釈放されたのである。

日露戦争二年目の年に入り、一月一日に「旅順攻略」の報に沸いていた大日本帝国においては、戦争の主体としてのロシア皇帝の専制を批判するゴーリキーは、いわば味方になることで支援の動きが活発になり、新聞でも、繰り返し報道された。「物理学校」に通っていた理系の「おれ」にとっても、「ゴルキ」という名前が「露西亜の文学者」であることは、鮮明に認識されていたのである。

ロシアの一九〇五年革命は、日露戦争の戦況と不可分に進行した。三月の奉天会戦で九万の死傷者を出したロシア軍は七月に退却したが、三月一〇日に奉天を占領した日本軍も七万の損害を出した。ちなみにこの日三月一〇日がその後の「陸軍記念日」となる。日露両国とも陸軍による戦争継続は不可能な状態となった。しかし一九〇五年五月二七日、東郷平八郎指揮下の日本連合艦隊と、ロシアのバルチック艦隊との日本海海戦で、大日本帝国の勝利が確定した。

アメリカ大統領セオドア・ルーズベルトが、日本からの依頼に基づき六月に講和を日露両国に勧告した。八月にはポーツマスで講和会議が開かれ、九月五日にポーツマス講和条約の調印となる。しかし、何らかの手段を使って徴兵を免れ、戦場に行っていない東京の男たちを中心とする、講和問題同志連合会が、日比谷公園で戦費賠償金なしの講和に反対する国民大会を、政府の禁止を押し切って強行した。参加者の一部が街頭で警官隊と衝突し、数千から万をこえる人々が、政府擁護の国民新聞社や内務大臣官邸を包囲して暴徒化した。結果として市内の交番の半数以上に放火する事態となった。桂太郎首相は府下五郡に戒厳令を布令し、軍隊を出動させた。いわゆる「日比谷焼打ち事件」である。

「ゴルキ」という固有名は、ロシアと日本両国における日露戦争の最終段階の都市騒擾の状況を、同時代の読者に喚起する機能を担っていたことがわかる。そのように言葉を辿ると『坊っちゃん』という小説自体、日露戦争の「祝勝会」での「中学校と師範学校」の生徒同士の「衝突」事件が、重要なクライマックスとして設定されている、都市騒擾小説であることがわかって来るのである。

「祝勝会」の前に、うらなりの「送別会」が行われるが、そこで酒に酔った野だいこが「丸裸の越中褌一つになって、棕梠箒を小脇に抱い込んで、日清談判破裂して……と座敷中練りあるき出」す場面が設定してある。『坊っちゃん』という小説では、この宴会の場面を仲立ちに、日清戦争と日露戦争が、しっかりと隣接させられていることがわかる。

日露戦争の重要な発端は、日清戦争を終らせる下関条約（一八九五年五月一三日）によって日本が獲取するはずであった遼東半島を、ロシア、ドイツ、フランスが清国に還付させた、いわゆる「三国干渉」である。公然たる中国分割をめぐる、列強の帝国主義的な争いのはじまりであった。それ以後大日本帝国では、「臥薪嘗胆」をスローガンにして、ロシアに対する報復感情を中心とした戦争ナショナリズムが国民の中で扇られていったのである。

「三国干渉」を積極的に進め、ロシアに共同干渉を提案したのはドイツであった。そこにはヨーロッパ大陸における列強の力関係の変化がかかわっていた。不凍港を求めてのロシアの南下政策は十八世紀後半にはオスマン・トルコとの戦争に勝ち、黒海とバルカン半島まで及んだが、地中海に出るにはいたっていなかった。十九世紀半ばのクリミア戦争（一八五三—五六）では、イギリスとフランスがトルコ側について、ロシアの南下は阻止された。

しかし、その後ロシアは一八七七年から七八年のロシア・トルコ戦争に勝利し、バルカン半島に進出して地中海に出ることが出来そうになった。イギリスとオーストリア・ハンガリー帝国がそれに対抗し、ビスマルク（一八一五—九八）の仲介外交によって、ベルリン会議が開かれ、ロシアの南下は阻止されたのである。そこで地中海から大西洋に出る南下政策ではなく、ペテルブルグからモスクワに出て、モスクワからヴラジヴォストクまでの九二九七キロメートルに及ぶシベリア鉄道を建設し、そこからハルビンを経て旅順に至り、中国で不凍港を獲得するという東への進出にロシアは転換したのである。一八九一年にロシアはフランスの資本と提携して、シベリア鉄道が着工されたのであった。

このロシアの東方進出を阻むため、イギリスは十九世紀の末、ヴィクトリア女王の治世下で貫いてきた「光栄ある孤立」(Splendid Isolation) 政策を、エドワード七世(一八四一―一九一〇)のときに転換し、一九〇二年に極東の島国と「日英同盟」を結ぶことになる。漱石夏目金之助が、ロンドンに留学していたときに結ばれた「日英同盟」こそが、日露戦争の前提となったのである。

イギリスが「栄光ある孤立」路線を歩むことが出来たのは、一早く産業革命を実現した工業力と海軍力を保持していたからだ。もちろん工業力と海軍力の前提になっているのは、ジェームス・ワット(一七三六―一八一九)が一七六九年に特許を取り七四年に実用化に成功した蒸気機関の発明に基づく。この蒸気機関によって一八〇七年アメリカのロバート・フルトン(一七六五―一八一五)により外輪式蒸気船が建造され、一八二五年のジョージ・スティーブンソン(一七八一―一八四八)により蒸気機関車が完成されたのであった。そして一八三〇年にリヴァプール―マンチェスター間の鉄道が完成されたのである。

「ゴルキ」によって読者の意識に喚起された日露戦争をめぐる都市騒擾の記憶は、鉄道帝国主義戦争とでも言うべきこの戦争から、一九世紀の産業革命以来の歴史全体を読者に想い起させるのである。そして「金魚のような縞のある魚」を「松山地方でギゾーと呼ぶ」という平岡氏の注釈をここに重ね合わせると、フランソワ・ギゾー(一七八七―一八七四)が『イギリス革命史』を発表したのが一八二六年、『ヨーロッパ文明史』が一八二八年、『フランス文明史』が一八三〇年というターナーのイタリア松を描き込んだ絵画との世界史的同時代性が浮かび上がって来ることになる。

ターナーは一八三九年に最後のイタリア旅行をするが、この頃から文学的主題は用いられなくなり、物の描写も留意されなくなり、エネルギーとしての光を描くようになる。蒸気機関が発明された後の世界における光と空気の調和を見事に表現したのが、一八四四年の《雨・蒸気・速度―グレートウェスタン鉄道》にほかならない。産業革命による世界の見え方の転換そのものの視角的表現であった。

同じ時期ギゾーは駐英大使を経てスールト内閣の外務大臣となり、一八四七年に首相となる。しかし一八四八年の二月二二日「改革宴会」の禁止に対して二月革命が起こり、ギゾー内閣は瓦解。一九〇五年のロシアと日本の首都における都市騒擾は、その再現であるかのように、『坊っちゃん』という小説の中で結びついてくるのである。

四　「街鉄の技手」の政治学

『坊っちゃん』が発表されたのは一九〇六（明治三九）年四月号の『ホトトギス』第九巻第七号の附録としてであった。荒正人の『漱石研究年表』（集英社、一九七四）によれば、十数日で一気に書き上げられたことになる。荒の推定によると漱石は、「三月十七日（土）頃」から『坊っちゃん』の執筆を始め、「三月末までに脱稿したもの」となる。この日付と『坊っちゃん』という小説の最後の一節を結びつけ、吉川泰久はこの小説を「〈戦争〉を報ずる新聞小説の機制を見事なまでに自らのものとしている」（「〈戦争＝報道〉小説としての『坊っちゃん』」『漱石研究』第一二号、一九九九年一〇月）と位置づけた。

吉川は「作品の執筆時期」は「「街鉄」が新聞による情報市場で有標化されて行く時期とぴたりと重なっている」と指摘している。しかも「『坊っちゃん』の執筆直前の時期にさらに過激に符丁化されてい」たのである。「街鉄」の正式名称は東京市街鉄道株式会社、開業したのは一九〇三（明治三六）年九月、日露戦争の開戦四ヶ月前である。同じ時期「東京馬車鉄道」が電車に変わっている。日露戦争開戦が確実になる中で、徴兵の徹底と同時に「徴馬」が行われていたことを忘れてはならない。馬車鉄道で訓練された馬たちが、軍に「徴馬」されていったことが、「馬車鉄道」から「電車鉄道」への転換をもたらしていったのである。

松山とおぼしき地方都市における中学校の教師をして、四十円の給料を得ていた「おれ」が、教頭への暴行事件で辞職し、東京に戻って「月給は二十五圓」の「街鉄の技手」になる物語なのだ。

漱石が『坊っちゃん』を書き始めた前日、一九〇六年三月一六日付の『東京朝日新聞』には、三月一五日に「日比谷公園芝山に於て開催」された、街路電車賃値上げに反対する「東京市民大会」の状況が詳細に報道されていたのである。東京市街鉄道、東京電車鉄道、東京電気鉄道の三社が、電車賃を三社共通五銭に値上げすることに対して、堺利彦らの日本社会党、山路愛山の国家社会党などが反対を表明し、三月一一日に続き二度目の市民大会を行い、電車が焼き討ちされた。『ホトトギス』に掲載された『坊っちゃん』の同時代読者たちは、「街鉄」という二文字に対して、きわめて敏感に反応したはずなのである。

その後ある人の周旋で街鉄の技手になつた。月給は二十五圓で、家賃は六圓だ。清は玄関付きの家でなくつても至極満足の様子であつたが気の毒な事に今年の二月肺炎に罹つて死んでしまつた。

『坊っちゃん』が『ホトトギス』に発表されたのが四月だから、「今年の二月」は明らかに一ヶ月前のことを指し示す。「月給二十五圓で、家賃は六圓」だとすると、生活費に使えるのは十九円。「清」との同棲生活は、「街鉄の技手」としての「二十五圓」の給料で賄われていたことになる。

「技手」とは「幹部技術者である技師の補佐役で、技師の指示を受けて実務を掌る」「技術者」である（小野一成「「坊っちゃん」の学歴をめぐって——明治後期における中・下級エリートについての一考察」『戸板女子短期大学研究年報』、一九八五年一〇月）。「月給二十五圓」は「学歴、学習年限などから見て甚だしく安いとはいえ」ず、「物理学校という各種学校卒業者が就けるポスト」としても「きわめて妥当」（同前）なものであったという。

見逃すことが出来ないのは、「電車値上反対」の第二回「東京市民大会」について報道した「東京朝日新聞」の記事における、新聞読者の過去の想起のさせ方である。吉川はこの問題について次のように指摘していた。

……新聞の提供する情報市場の共同体においては、この日比谷公園での「電車値上反対」の「東京市民大会」の騒擾が想起させるのは、三月十六日の「東京朝日新聞」に「公園内は恰も国民大会の騒擾当時の如き光景を呈したる」と記される、明治三十八年九月五日に同じ日比谷公園で催された「国民大会」の惹き起こした「大騒擾」にほかならない。

「ゴルキ」と結びついた都市騒擾をめぐる同時代状況の記憶が、『坊っちゃん』の読者に想起されることが繰り返し要請されているのである。「おれ」が「物理学校」を卒業したのが一九〇五年七月だとすると、この地方都市における物語の内的時間は、一九〇五年九月から始まり、東京で清の最期を看取る一九〇六年二月までという、二つの大きな都市騒擾に枠づけられた期間だということになる。

「起訴されたものの内訳からこの騒擾の参加者を探ってみ」た成田龍一は、この都市騒擾を担ったのが「「人足」「車夫」や「職人」など、都市で雑業に携わるものや、「職工」「商人」などが多い」としたうえで、「日比谷公園に集結し、新富座の演説を聞こうとする人々とは、多くは「他方より来れる人」であり、年齢も「四十以上の分別盛り」で身なりも整い、髯をたくわえたものや、「軍人遺族」が多い」とした「萬朝報」の九月六日付の記事を紹介している。つまり都市の「雑業層」と、彼らを雇っていたり店子にしていた「旦那衆」の「二層」が日露戦争講和条約に反対する都市騒擾を担ったと成田はいうのである（『シリーズ日本近現代史4　大正デモクラシー』岩波新書、二〇〇七年）。

『坊っちゃん』という同じ言葉で、清と赤シャツ、野だいこから、全く異なる意味で渾名されていた男は、「旦那衆」と「雑業層」の二つの階層の間を、この二つの都市騒擾の間で移行していたのだ。先に確認したように、「おれ」は「是でも元は旗本だ、旗本の元は清和源氏で、多田の満仲の後裔だ」と述べているように、かつての江戸である東京に「家屋敷」を持っていた家の二男であった。

しかし「おやじ」が「卒中で亡くなつた」ため没落していく。「その年の四月におれはある私立の中学を卒業」したのだが、「六月に」「商業学校を卒業した」兄が「何とか会社の九州の支店に口があつて行かなければならん」ので、「財産を片付けて任地へ出立《しゅったつ》すると言ひ出し」、「先祖代々の」「家屋敷」を「ある人の周旋である金満家に譲つた」

のである。

首都東京に「家屋敷」を保持したままでいたなら、日露戦争下の東京において「旦那衆」の仲間入りが出来ていたかもしれない。その階級的特権において兄から「六百圓」分与されたことで、おれは「私立の中学校を卒業」した後、「物理学校」に進学出来たのだった。日露戦争の最終段階での「卒業してから八日目に校長が呼びに来」て、「四国辺のある中学校」の「数学の教師」に「月給は四十圓」で就職出来たのだから、帝国大学を卒業した銀行員の給料が三十五円程度だった時代において、それなりの階級的踏みとどまりに「おれ」は成功していたことになる。この「おれ」の選択について、かつて私は次のように論じたことがある。

物理学校の学生時代、学費を含めて月々十五円で生活していた「おれ」は、中学校の教師になることによって、一気に「月給は四十圓」という生活が約束されたのである。物理学校卒業という学歴こそが「四十圓」という月給を「おれ」に与えたのである。二十五円分の社会的ステイタスの上昇。「おれ」はきっと、それまでの節倹生活からの解放感に酔いしれていたにちがいない。（「矛盾としての『坊っちゃん』」『漱石研究』第一二号、一九九九年一〇月）

この論文を書いた時に明確にしたことだったのだが、兄からもらった父の遺産に基づく月十五円の生活と、その節約につとめた学生生活の結果獲得した「月給四十圓」の中学教師としての給与の差額「二十五円」こそが、東京に戻ったときの「街鉄の技手」の給与額だったのだ。「おれ」の収支決算は、自分の階級転落そのものだ。

しかし『坊っちゃん』の物語において最も重要なのは、収支決算ではなく「これでも元は旗本だ」という、江戸時代における身分階級的特権を捨てざるをえなくなり、身分や家柄ではなく、本人の能力や業績によって人間が評価される時代を、「おれ」は生き抜こうとしたのだ。その意味では明治という時代のメリトクラシーが、この小説に鮮明にあらわれているのである（竹内洋『立志、苦学、出世』講談社現代新書、一九九一年）。問題は十五円から四十円への値上がりが、何故二十五円に下落したかということである。ここに「ゴルキ」の背後の「ギゾー」が作動して来るのである。

士農工商の身分制社会としての、江戸幕藩制社会に生きた「父」の時代において、「元は旗本だ」った「おれ」は特権階級であったと言っても過言ではない。しかしその特権階級的生活の記憶は、明治生まれの「おれ」にはない。「私立の中学校を卒業」したということは、公立中学への進学は学力的に無理であったが、父のお金の力で「私立の中学校」に進学し高等学校の受験だけはするという教育方針であったことがわかる。

学歴社会を上へ上へと昇っていく「立身出世」制度は、明治新政府が推進した「文明開化」の教育政策それ自体と結びついていた。明治日本の「文明開化」政策の基軸になったのが福沢諭吉（一八三四―一九〇一）の『文明論之概略』（一八七五）や田口卯吉（一八五五―一九〇五）の『日本開化小史』（一八七七―八二）であった。いずれもギゾーの『イギリス革命史』（一八二六）、『ヨーロッパ文明史』（一八二八）や『フランス文明史』（一八三〇）などをふまえて、「大航海時代」以後のヨーロッパ列強の世界支配の過程が、「文明開化」に重ねられ、そうした列強に追いつくことを明治の大日本帝国臣民の使命と位置付けていったのが、福沢や田口の「文明開化」路線であった。「おれ」は、ギゾー、福沢、田口的「文明開化」イデオロギーの申し子であったと言っても過言ではない。

『フランス文明史』を発表した一八三〇年に起きた「七月革命」で、ギゾーはルイ・フィリップを勝利させ、その後内務大臣、公教育大臣を歴任する。初等教育を普及させる一八三三年の法律は、「ギゾー法」とも言われているが、無償の義務教育ではなかったため、実効性はなかった。教育を受けるためにはお金がかかる。したがって誰でも平等なスタートラインに立つことを前提にしたメリトクラシーは、実は生まれた家に教育費があるかどうかで明暗が決定されるのである。『坊っちゃん』の物語は、教育費と連動した形での、大日本帝国のメリトクラシーに内在する経済格差それ自体を問題化しているのである。

松山で「ギゾー」と呼ばれている魚について、野だいこが「ゴルキぢや」と言ったことに対して、赤シャツが「ゴルキと云ふと露西亜の文学者見た様な名」と結びつけたことをあらためて想起しておこう。「ギゾー」をロシア文学者の「ゴルキ」に転換したのは赤シャツである。「おれ」と山嵐を師範学校の生徒との「喧嘩」に誘い込むのが、その「赤シャツの弟」だったということを、ここで確認しておこう。

喧嘩だ〳〵と云ふ声がすると思ふと、人の袖を潜り抜けて来た赤シャツの弟が、先生又喧嘩です、中学の方で今朝の意趣返しをするんで、又師範の奴と決戦を始めた所です、早く来て下さいと云ひながら又人の波のなかへ潜り込んでどつかへ云つて仕舞つた。

「赤シャツの弟」が「おれ」と山嵐を、「中学の方」の「師範の奴」への「意趣返し」としての「喧嘩」に巻き込んだのである。それは「今朝の意趣返し」と表現されている。「赤シャツ」の「芸者買」を暴くための相談を、「おれ」と山嵐がしているところに、わざわざ呼び出しに来たのも「赤シャツの弟」だ。「今朝の意趣返し」とは、次のような出来事であった。

……前の方にゐる連中は、しきりに何だ地方税の癖に、引き込めと、怒鳴つてる。後ろからは押せ押せと大きな声を出す。これは邪魔になる生徒の間をくゞり抜けて、曲がり角へも少しで出様とした時に、前へ！と云ふ高く鋭い号令が聞えたと思つた。師範学校の方は粛々として進行を始めた。先を争つた衝突は、折合がついたには相違ないが、つまり中学校が一歩を譲つたのである。資格から云ふと師範学校の方が上ださうだ。

一八八六（明治一九）年初代文部大臣森有礼によって、「帝国大学令」をはじめとする一連の学校令の中で、「師範学校令」として、各府県に一校、学費支給、皆寄宿舎制で師範学校は設置された。学費が公費支給であるということが、先の引用部の「地方税の癖に」という中学校側からの罵倒の理由である。

裏を返せば、中学校は同じ年の「中学校令」により高等中学校（修学三年）と尋常中学校（同五年）の二段階となった。高等中学は文部大臣所轄の官立、尋常中学は府県立であった。一八九四(明治二七)年「高等学校令」により、高等中学は高等学校となり帝国大学の予備門化し、そこに入るための劇烈な受験競争の場となったのが、一八九九(明治三二)年の中学校令の改正であった。ここにおいて中学校は、大学予科としての高等学校に進学するための男子受験競争教育機関となったのだ。

「赤シャツ」はその中学校の教頭で、同じ学校に自分の「弟」を通わせているのである。「赤シャツ」の出自はさだかではない。しかし親から教育費を出してもらい、帝国大学に進学し、卒業し、「文学士」として地方中学校の教頭になっていることだけは明確だ。しかも、自分の「弟」を連れて地方赴任し、自らの給与から「弟」の学費を支払い、高等学校へ進学させようとしているのである。地方の士族の娘である「マドンナ」との結婚も、この「弟」を明治メリトクラシーの頂点に昇らせるためには不可欠な手だてだったのかもしれない。

「おれ」は兄に「六百圓」を父の遺産分与としてもらい、それを「物理学校」の学費にして、自らの判断として月給「四十圓」の中学校数学教師になったのだ。同じ兄である「赤シャツ」は自分の給与の一部を弟の教育費として支出しながら、弟が確実に上位に入れるよう「教頭」の地位を獲得し、その弟を使って自分の邪魔になる山嵐と「おれ」を、師範学校との騒動を新聞で報道させることで中学校から排除しえたのである。新聞という活字メディアを支配操作する力こそが政治的権力であることを『坊っちゃん』という小説はみごとに描き切っている。

『坊っちゃん』という小説の枠組になっているのは、明治のメリトクラシーの在り方そのものなのである。「おれ」は兄に現金「六百圓」を渡されて、戸長としての扶養義務を責任放棄された。「赤シャツ」は地方中学の教頭にまでなって、「弟」の中学校から高等学校へ、そして帝国大学への進学を確実にするために、「弟」を利用して、「おれ」と山嵐を師範学校と中学校の生徒の暴力事件に巻き込んで排除したのである。

思えば、「おれ」の中学校における危機は、「宿直」の任務からはじまる。当時の「宿直」とは「教育勅語」の「謄本」と、明治天皇の「御真影」を命をかけてまもる任務であった。「おれ」は、「宿直」室に入らずに、温泉に行っている。出かけたところを校長に見つかっている。これだけで処分ものであったはずだ。山嵐はそのことを職員会議で指摘している。「おれ」はほとんど明治天皇の「御真影」と「教育勅語」の「謄本」がおいてある宿直室には身をおかずに、その宿直室のある中学校の寮の廊下で、生徒たちと一晩中対峙しつづけていたのだった。

「宿直」という任務の放棄を職員会議で追及されれば、「おれ」は辞職するしかなかったはずだ。「おれ」の兄は家長としての立身出世的教育を放棄して金で全てを処理した。兄としての「赤シャツ」は自分の敵対者を日露戦争の祝勝会騒動を利用して地方都市から追い出し、地方士族の娘「マドンナ」と結婚することで、「弟」を国家エリートとして教育する、磐石な体制を構築したのではないか。

「親譲りの無鉄砲」の射程は、近代日本のメリトクラシーの暗部を、見事に言葉の世界史的な比喩の連鎖として、射抜いているのである。

第二部　世界文学の聞こえる場所

第一章　古謡と語り

——漱石の翻訳詩から小説へ

野網摩利子

一　ゲール語口承詩英訳の翻訳

漱石の留学[1]中の一九〇一（明治三四）年二月一二日の日記に、クレイグ先生宅の帰途、古本街のチャリングクロスで「Macpherson ノ Ossian ヲ得テ帰ル」[2]と記されている。漱石は一九〇〇年一一月から一九〇一年一〇月までシェイクスピア学者のウィリアム・クレイグ（William Craig）に個人指導を受けていた。

マクファーソンの『オシァン』とは、スコットランドのマクファーソンという青年が古代ケルト人によるゲール語の文学を英語に翻訳したとする書物である。スコットランド高地地方は一七四五年、イングランド政府軍側に付いていた低地地方との戦争に決定的な敗北を喫した。その後、ゲール語文学を見直す動きが起きた。口火を切ったのが『オシァン』である。

マクファーソンは、一七六〇年に *Fragments of Ancient Poetry, Collected in the Highlands of Scotland, and Translated from the Gaelic or Erse Language*, 一七六二年に *Fingal, an Ancient Epic Poem in Six Books, together with Several Other Poems composed by Ossian, the Son of Fingal, translated from the Gaelic Language*, 一七六三年に *Temora, an Epic Poem in Eight Books* を出す。一七六五年にそれらをまとめて、*The Works of Ossian, a Son of Fingal* を出版するや、ヨーロッパ大陸からも大きな反響があったことはつとに知られる。フランス・ドイツをはじめとしてヨーロッパ中のロマン主義運動に大きな影響を与えることになった。

中身はじつに三世紀の事柄だ。オシァンというのは、海外遠征をしつづけるフィンガル王の王子で、一族が倒れるなか、わずかに生き残ったものの、盲目となっていて、歌人として語った叙事詩が十八世紀まで伝承されてきたのを、マクファーソンがゲール語を自由に話せる者たちの助けを得て、集めた作品集である。

真に三世紀の文学かという点、マクファーソンの創作が入っている点、また真にハイランド地方のものかという点について、議論百出であったこともよく知られ、それゆえにか漱石研究において触れられることは稀であった(3)。

ところが、文学の翻訳を周到に避けるかのごとく手掛けない漱石が、英国留学から帰国した翌年の一九〇四年二月に、このマクファーソン英訳の *The Works of Ossian, a Son of Fingal*(4) から、"The Songs of Selma" と "Carric-Thura: A Poem" の部分訳を行っている。『英文学叢誌』第一輯（文会堂、英文学会（東京文科大学英文学科内）編集）の巻頭に載る。漱石はマクファーソンの創作ではないかという非難を知っていたにもかかわらずである(5)。その思い入れのほどがうかがえる。『オシァン』のどこが漱石に翻訳して体得したいと思わせたのか。その問いから入ってゆこう。

二　どこを翻訳しているか

本章で扱うのは "Carric-Thura: A Poem" のほうである。オシァンはこの話には直接に出てこない。しかしこの話が伝えられている前提として、同席して見聞きしていたオシァンが盲目になった後に語ったという外枠がある。その "Carric-

Thura”という物語のなかでは、さらに、吟遊詩人たちによって物語詩が演じられる。それに登場人物たちが共感している。

　内容はつぎのとおりである。イニス・トルク島へ向かう前夜、フィンガル王は、セルマの高殿の饗宴で、勇士シルリックとビンヴェールの物語を、それぞれクローナンという歌人とミーノンという歌人に、演じさせ、歌わせる。シルリックが出陣して帰ってくると、愛するビンヴェールは死んでいて、幻影を見せるばかりだった。翌朝、フィンガル王とその軍は、イニス・トルク島の都、カリク・フーラを目指すが、そこにあるサルノ王の城は、ソロハの王フローハルに包囲されている。フローハル王はかつて王子のとき、サルノ王の娘に想いを寄せたが、首領カー・フルに遮られ、拘束され、屋外に晒され、本国へ送り返された。それを恨んで、カリク・フーラに大軍を率いて攻め寄っていたのである。フィンガル王は、フローハル王を守る神オーディンと対峙するが、斬りかかるとオーディンは消え去る。フィンガル王が山から帰ってきたので、吟唱詩人ウリンが歓びの歌を歌い、勇士の子たちの物語が語られる。

　フローハル王の戦士たちはフィンガル王の大軍を見る。首領のトゥバルがフィンガル王との和議を提案するものの、フローハル王は拒む。しかし、いざ開戦すると、フィンガル王軍との戦いにフローハル王軍は散り散りになる。フローハル王は味方の敗走を眺め、トゥバルを呼び寄せて言う。フィンガル王と一騎打ちがしたいから、詩人を遣わしてほしいと。またトゥバルに言う。ウハという娘に、彼女のことを想い詰めていたと告げてほしいと。

　フィンガル王からの一撃に、フローハル王は盾を失い、脇腹が刃にさらされた。フローハル王を愛するウハは男装をしてひそかに戦場に付いてきていた。ウハがフローハル王に駆け寄ろうとして、兜が飛び、髪が地に流れる。フィンガル王は剣を振り下ろす手をとどめる。

　フィンガル王はフローハル王の命を助け、フローハル王とウハをともなってカリク・フーラの祝宴に赴く。ウハは詩人ウリンのそばで、勇士リンヴァルの娘のクライモラとコンナルとの悲歌を求める。その歌は、ダァゴォとの戦いに出陣する、フィンガル王軍のコンナルとクライモラとが交わす言葉からなる。コンナルはクライモラに自分のために石積みをつくり、自分の誉れを語り継いでほしいと頼んでいる。クライモラは男装して戦に付いていった。(6) そしてクライモラは強敵ダァゴォ目がけて弓を引いたのに、狙いが外れ、矢は恋人のコンナルを貫く。コンナルは息絶える。クライモラは悲嘆して絶命する。

詩人ウリンによる悲歌を聴き終えたウハは、お二人をしのび、歌を口ずさみましょう、そのとき、お二人は私の心に現れるでしょうと述べる。

漱石が訳しているのは傍線を付けた部分である。すなわち、戦へ男装してフローハル王に付いていったウハが所望した悲話の詩中である。自分と同じように、出陣する愛する男を案じ、戦場に付いていきながら、あろうことか、その恋人を自分の手で殺してしまったクライモラの話に、ウハは心を揺さぶられる。心を動かされたのはウハだけではない。フィンガル王がなぜフローハル王に対して剣を振り下ろして止めを刺さなかったかと考えれば、ウハが走り出ることで、かつて自分の目の前で起きた悲惨なシーンが脳裏に甦ったからに違いない。謡われる物語詩となっているため、すぐさま呼び起こすことが可能になっている。

戦いの場に動員されていた吟遊詩人や、オシァンのように、出陣してそのために盲目になった者が、後から語っているという構造は、伝承文学にしばしば見られる。

注意したいのは、漱石が、他でもない、この物語のなかの物語の部分のみ訳出しているという点である。登場人物に食い入ってくる、彼らの人生の相似形といえる物語が演じられた部分のみ訳されているのだ。

ここから問題を二点取り出しておこう。一つは登場人物に大きな影響を与える物語内物語にこそ漱石は着目しているという点。もう一つは戦争の現場を間近で見てきた吟遊詩人がそれを物語るという行為に漱石の関心があるようだという点である。

三　古英詩の物語中の歌

マクファーソンとほぼ同時期の一七六五年、トーマス・パーシー（Thomas Percy）が民間の古謡を苦心して百七十六篇も集めた *Reliques of Ancient English Poetry: Consisting of Old Heroic Ballads, Songs, and Other Pieces of Our Earlier Poets, Together with Some Few of Later Date* を出版する。(7) 漱石は『文学論』や『英文学形式論』でこの書に何度も言及している。たとえば『文学論』では、時代の変化はゆるやかにしか進まないことを論じるなかで、パーシーの偉業は今日であれば十分、声価を高めるに足るが、発表された当時はイギリス古典主義文学がようやく翳りを見せたばかりで時代の趣味が異なっているため、パーシーの自序が控えめなのだという文脈において、漱石はこのパーシーの言葉をつぎのように自身で翻訳して引いている。

都雅優麗を以てあらはるゝ今代に在つて、是等の古謡が籍を文界に列するの資格に多少の疑あるは余と雖ども知らざるにあらず。然れども此古謡の大半は真率にして味あり、巧を弄せずして自から格に入るが故に、仮令《たとい》高遠の詩趣を欠くと雖ども、亦以て存するに足らん。仮令想像の富膽《ふうせん》なく、為めに人目を眩耀《げんよう》すること難しと雖ども亦以て吾人の心を動かすを得べし。(8)

それらの古謡が楽しませる明快さと質朴さとで、ありのままの美質を備えており、華麗な想像力の産物ではなくても、読者の心を動かすと、パーシーがその序で述べるのを、漱石はこのように訳して示した。漱石の考察は、時代思潮に合う、合わないという文脈のため、現代なら、抜きんでた貢献とみなされて著者も得意になれるところだったのにと述べている。彼の高い評価が読み取れよう。

漱石自身の小説と突き合わせつつ、漱石の理解したところに達してみたい。まず、パーシーが集めた物語詩のなかから、ある盲目の歌人が出てくる話を分析する。

The Beggar's Daughter of Bednall-Creen という物語である。二部構成になっていて、第一部はこうである。全盲の乞食に、ベッシィ（Bessee）と呼ばれる美しい娘がいる。彼女は旅先で四名から求婚されるが、「両親の承諾を得てください」という返事をする。彼女の親が盲人の乞食と知ると、一人の騎士以外みな去ってしまう。騎士の親族らが彼女の家先に押しかける。盲人の父が豊富な財産を見せる。第二部の場面はベッシィとその騎士との結婚式である。盲目の父がリュートを奏でながら a song of pretty Bessee を歌う。そのなかで、彼は自分がイーヴシャムの戦い（the battle on Eveshame）で敗戦したシモン・ド・モンフォール（Simon de Monfort）(9) で、両目を失明した彼を恋人が戦場から救い出し、その後つつましい生活をしてベッシィが生まれたという秘密を歌って明かす。

この物語中にも、歌によるこのような物語が入り込んでいる。それを歌うのは、今は盲目の乞食となっているが、かつては伯爵として軍を率いた、勇敢な貴族として名高い当の本人である。その元貴族の歌によって、戦場で失明した彼を、後に妻となる女が救い出した経緯が明らかになる。*Ossian* の "Carric-Thura: A Poem" 中の、とりわけ漱石翻訳部分と同様に、物語詩のなかの物語歌である。彼らの娘のベッシィは貴婦人だったのだと真実が明かされる展開になっている。

この、後から盲目になった登場人物によって回顧されて行われる語りというのに着目したい。吟遊詩人は前述のように、戦に同行し、間近で観戦し、ときに重要な使者の役割を果たす。その後、それらの出来事を思い出して語るというのが、その役目である。(10) The Beggar's Daughter of Bednall-Creen の盲目歌人も同じ役目にあると言えるが、彼は戦場において観戦者ではなく、戦の担い手、主人公だった。むしろ騎士であったために盲目となった。その後、歌人や乞食をして生計を立ててきたのである。当事者であった者が語ることから、生々しさが際立っている。

四　盲目の武将と聞き手

楽器演奏をしながら物語り、生計を立てていた芸人として、日本では盲目の僧の琵琶法師がいる。鎌倉以前には、経文を吟ずる宗教者であったが、鎌倉時代には『平家物語』を語る平曲が完成し、平家座頭と呼ばれる琵琶法師が現れた。また室町時代には瞽女《ごぜ》という盲目の女性旅芸人がいて、三味線、筝を弾きながら、あるいは鼓を打ち鳴らしながら瞽女唄という物語唄を唄っていた。両者とも、明治大正期にはまだひろく民衆に親しまれていた。

猿楽の起源も古い。鎌倉時代に成立した翁猿楽以降、猿楽は寺社との結びつきを深め、室町時代以降、上流階級の文化に取り込まれてゆく。その一方、特殊な台詞回しや節のある謡のみで、芸能として十分独立可能なため、謡は身分の上下に関わらず、娯楽として素人にひろく行われた。曲の題材のほとんどが伝承されてきた物語から採られている。史実と近接した物語も少なくない。そのあたりも民衆が参入しやすい要素なのに違いない。[11]

漱石の『行人』にはこのような文化面から注目したい場面がある。素人たちが謡を披露していて他の人物たちがそれを拝聴している。しかも題目は、もと平家の武将が盲人の琵琶法師となって演じる話の「景清」だ。[12]

『行人』の枠組み自体、『オシァン』に相似する。二郎という登場人物が後から振り返って語っている。しかし、『オシァン』においてオシァンの語りが前面に出てこない話も多いのと同様に、『行人』もまた、二郎が後から語っているとは一見受け取れない構成になっている。[13]

『行人』は四章から成り立つ。[14] そのうちの「友達」「兄」「帰つてから」章では、二郎が、兄の一郎から、一郎の妻のお直が愛しているのは二郎ではないかという疑いを突き付けられ、家を出るところまでを扱っている。「塵労」章では、二郎が下宿したところから始まり、Hさんと一郎とが旅に出る。二郎が頼んでおいた、旅先での一郎に関する報告をHさんが手紙で行う。Hさんの手紙の文面がその章のほとんどを占める。

素人による小さな謡の会が開かれているのは、「帰つてから」章である。一郎二郎の父親が客とともに、謡を披露している。聴き手は一郎・直夫婦と二郎である。配役は、シテの景清として赭顔《あからがお》の客、ワキの里人として貴族院議員の客、父親は、ツレの景清の娘人丸と人丸の従者の役とを兼ねた。

能の「景清」のあらすじはつぎのとおりである。日向の宮崎に流された父を訪ねて娘の人丸が、鎌倉からやってくる。景清はじつは、源氏との屋島の合戦で名をあげた平家の侍だった。しかし今は盲目となり、平家語りを行い、露命をつなぐ乞食同然の境涯にある。娘が父と知らずに景清の所在を尋ねるが、知らないと答える。そのとき景清の心情が地謡で「声をば聞けど面影を。見ぬ盲目ぞ悲しき。名のらで過ぎし心こそ。なか〳〵親のきづなゝれ。〳〵」[15]と謡う。里人が先ほどの乞食こそが景清と娘に教え、親子が対面する。里人は景清に屋島の合戦で手柄を挙げた話を所望し、景清は源氏の兵《つわもの》を生け捕りにしようとした武勇談を語る。

聴き手となっていた一郎が「さすがに我も平家なり物語り申してとか、始めてとかいふ句がありましたが、あのさすがに我も平家なりといふ言葉が大変面白う御座いました」（「帰つてから」十二）[16]という感想を述べている。謡曲「景清」で、里人によって「景清」とその名を呼ばれたことにいったん腹を立てたシテが気持ちを収め、つぎのように言う部分を指す。「さすがに我も平家なり、物語り始めて、御慰みを申さむ」（そうは言っても私も平家語りの身。物語り始めてお慰みにしましょう）。

盲目の平家語りというアイデンティティゆえに、謡曲「景清」中の物語が語られ始める。そのことに、謡曲「景清」を含み込んだ『行人』の重要な登場人物が感銘を受けたとわざわざ言っている。

謡曲「景清」において里人は見計らったかのように景清と娘とを対面させる。したがって、景清の語りは、自分の真実の身の上を娘に告げる物語となる。過去の現実をこの場に引き寄せるかのような、戦の主役を務めていた当事者による戦物語である。

『オシァン』ならびにパーシー『古英詩拾遺』の The Beggar's Daughter of Bednall-Creen と同型であることに注意したい。漱石『文学論』で「Beers の所謂憂鬱派の系統は(17)」と紹介され、「世紀末に至つて Ossian の跌宕孤峭《てっとうこしょう》となり(18)」と述べられているように、漱石は Ossian を憂鬱派のなかでもけわしく聳え立つ頂点と考えていたことが分かる。かつて戦場で武将として身体を張り、のちに盲目になってからも戦時に身に刻まれたことを忘れず、時を経てから、生死の戦いとその因縁について語り始める。

当時は感じられていた光が、語る現在に感じられなくなっている。過去の印象を現在に甦らせ、増幅させながら言語に載せる必要がある。現在の感覚が限られている分、語るべき世界が鮮明に浮かび上がる(19)。

謡曲「景清」には、娘に会わずに済ませたいとする景清の心情が詞章として挙がっているが、我々は、これが演じられることを前提にした詞章であることを忘れてはならない。詞章になっていなくても、景清には言葉にならない苦悩がある。ここが演者の腕の見せどころである。演者は景清に成り代わって表現しようとするだろう。景清は成長したわが娘をおそらく切実にその目で見たい。しかし、娘をもはや目で見ることができないから、その分、娘を前に、自らの存在証明を声で行うことに同意する。いまだかつて行われたことのないような迫真の平家語りがそれだ。

なお、『平家物語』には景清親子対面の場面、および、その後の琵琶語りの場面はない。正典にはない口承の話が能に伝わった。漱石が拾い上げたのは後者なのである。

五　演者が解く謎

『行人』はさらに展開を遂げる。そこから漱石が古謡より引き継いだ物語構成がうかがえる。父は客の謡いぶりを一応ほめた後で、つぎのようなことを言い出す。「丁度《ちょうど》あの文句を世話に崩して、景清を女にしたやうなものだから、謡《うたい》よりは余程艶《えん》である。しかも事実でね」（「帰つてから」十二）と。

父の友達である男のいわゆる艶聞が語りだされる。父はその男の名前を伏し、「〇〇」として話している。今から二十五、六年前、その男の二十歳前後、彼は家の召使とある関係に陥った。男は契りを結んだ時、女を未来の細君にすると言明した。そのとき女がきいたという。貴方が学校を卒業なさると、二十五、六に御なんなさる。すると私も同じ位に老けてしまう。それでも御承知ですか。男は一週間経つか経たないうちに後悔し始めて、とうとう女に対してまともに結婚破約を申し込んだ。

父による「物語り」（「帰つてから」十五）が続く。二十何年の後、二人は偶然運命の手引きで不意に会った。有楽座での音楽会においてだ。男は細君と女の子を連れて席に座っていた。そのかつての女が若い女に手を引かれながら入ってきて、男の隣の予約席に座った。「猶更《なおさら》奇妙に思はれたのは、女の方が昔と違つた表情のない盲目《めくら》になつてしまつて、外《ほか》に何《ど》んな人が居るか全く知らずに、たゞ舞台から出る音楽の響にばかり耳を傾《かたぶ》けてゐるといふ、男に取つては丸で想像すらし得なかつた事実であつた」（「帰つてから」十五）とある。

男は女の居場所を突き止めて、父にその盲目の女を訪問してくれと頼んだという。自分で出掛けたくないのは、女房子の手前もあるが、昔その女と別れる時余計な事をしゃべったせいでもある。「僕は少し学問する積《つもり》だから三十五六にならなければ妻帯しない。で已《やむ》を得ず此間《このあいだ》の約束は取消《とりけし》にして貰ふんだつてね。所《ところ》が奴《やつ》学校を出るとすぐ結婚してゐるんだから良心の方から云つちやあまり心持《こころもち》は能《よ》くないのだらう」（「帰つてから」十五）と父は説明する。

父は出かけて行った女の家の小座敷で初めて盲人の女に会い、言句に窮する。男の名を打ち明けて土産の菓子折と金子《きんす》の入った紙包を渡したとき、女は「たとひ何《ど》んな関係があつたにせよ、他人《たにん》さまから金子を頂いては、楽《らく》に今日《こんにち》を過すやうにして置いて呉れた夫の位牌に対して済《すみ》ませんから御返し致します」（「帰つてから」十六）とはっきり述べて涙を落した。父は皆にこう言う。

「其時わしは閉口しながらも、あ、景清を女にしたら矢つ張り斯《こ》んなものぢやなからうかと思つてね。本当は感心しましたよ。何ういふ訳で景清を思ひ出したかと云ふとね。たゞ双方とも盲目《めくら》だからと云ふ許《ばかり》ぢやない。何うも其《その》女の態度がね……」

父は考へてゐた。父の筋向ふに坐つてゐた赭顔《あからがお》の客が、「全く気込《きごみ》が似てゐるからですね」と左も六《む》づかしい謎でも解《とく》やうに云つた。(「帰つてから」十六)

赭顔の客とは謡で景清役を務めた者である。前述のように、謡い、演じるとは、その者になりきることだ。その者の心に入り込んで考えられるようになっている。芸能の本質に深く立ち入ったくだりと言ってよいだろう。

六　過去をつかみなおす

父が女の見識に、話の腰を折られて席を立とうとしたとき、女は縋りつくように父を留めた。そしてきいたのは「何時何日何処《いついつかどこ》で〇〇が自分を見たのか」である。父は有楽座で起きていたことを「盲人《もうじん》」に話して聞かせる。「丁度貴方の隣に腰を掛けてゐたんださうです。貴方の方では丸で知らなかつたでせうが、〇〇は最初から気が付いてゐたのです。然《しか》し細君や娘の手前、口を利く事も出来悪《にく》かつたんでせう」。父はその時はじめて「盲目《めくら》の涙管《るいかん》から流れ出る涙を見た」。女は「本当に盲目程《ほど》気の毒なものは御座いませんね」(「帰つてから」十七)と言ったという。

女は男の一番上の子供がいくつになっているかをきく。父は「もう十二三にも成《なり》ませうか」と答えてしまう。事は男と女の二十歳前後のころに起き、それから二十何年経っているため、二人とも四十何歳になっている。男は三十五、六にならなければ妻帯しない考えゆえに結婚の約束を取り消したいと言ったのだから、子どもがもう十二、三ということは、破約理由自体がいい加減なものだったことを明かしている。「女は黙つたなり頻《しき》りに指を折つて何か勘定し始めた。其指を眺めてゐた父は、急に恐ろしくなつた。さうして腹の中で余計な事を云つて、もう取り返しが付かないと思つた」（「帰つてから」十七）という。女は続けて言った。「けれども此眼は潰れても左程《さほど》苦しいとは存じません。たゞ両方の眼が満足に開いて居る癖に、他《ひと》の料簡方《りようけんがた》が解らないのが一番苦しう御座います」（「帰つてから」十八）。彼女はとうとう自分の腹のうちを父に打ち明ける。

　○○が結婚の約束をしながら一週間経つか経たないのに、それを取り消す気になつたのは、周囲の事情から圧迫を受けて已を得ず断つたのか、或は別に何か気に入らない所でも出来て、其気に入らない所を、結婚の約束後急に見付けたため断つたのか、其有体《ありてい》の本当が聞きたいのだと云ふのが、女の何よりも聞きたい所であつた。

　女は二十年以上○○の胸の底に隠れてゐる此秘密を掘り出し度《たく》つて堪《たま》らなかつたのである。（「帰つてから」十八）

二十年以上も煩悶してきた彼女の心情がこうして語られる。破約をした男の胸の底にあった本当の理由を知りたいということだった。周囲の事情から破約に至ったのなら、男との身分差が結婚を阻んだことになる。だが、女に気に入らないところを見つけたのなら、女自身に落ち度があることになる。この差は女にとって大きく、確かなところを知りたくてたまらなかったらしい。

　女は男から結婚の破約を言われてすぐにその家から暇を貰って出たのだけれども、女が近所に来たついでに一度寄ったときも、男は「殆んど一口《ひとくち》も物を云わなかつた。しかも其時は丁度午飯《ひるめし》の時で、その女が昔の通り御給仕をしたのだが、男は丸で初対面の者にでも逢つた様に口数を利かなかつた。（／）女もそれ以来決して男の家の敷居を跨《また》がなかつた」（「帰つてから」十四）とある。女が一度だけその男の家に寄り、給仕までしたのは、結婚破約の真相、周囲の圧迫のせいか、自分に気に入らないところを見つけたせいか、どちらかを聞きたいと思って来たに違いない。しかしながら、口も利かない男の様子が拒絶の姿勢に見えたため、断念したのであろう。

父が〇〇の宿所を告げて、行って御覧なさいと女に言ったとき、彼女はたちまち抑えきれないような「真剣な声」を出し、「御出入《おでいり》は致しません。先様《さきさま》で来いと仰しやつても此方《こちら》で御遠慮しなければなりません。然したゞ一つ一生の御願《おねがい》に伺つて置きたい事が御座います」と言い出した。

この女の「真剣な声」に耳を傾け、分析を施してゆこう。彼女は男に聞けずにきたことを、有楽座で二十何年ぶりに男に会ったとされるそのとき、目が見えていたなら、隣の席にいたその男に、この疑問をぶつけることができたはずだった。だが、彼女に用意されていたのは、謡曲「景清」にある「見ぬ盲目ぞ悲しき」のなかでもとくに悲惨なパターンだった。彼女は彼が隣にいることに気づくことができなかった。いったん断念し、つかみなおしたいと思っていた過去は、視覚がなくなったばかりに、絶好の機会をみすみす逃してしまっていた。女が「本当に盲目程気の毒なものは御座いませんね」と父に述べたゆえんである。

景清は成長してはるばる鎌倉から日向にやってきた娘を見ることができなかった。だが、感じとることはできた。そして平家語りを聞かせることができた。娘に対して、語りで働きかけることができたのである。

他方、『行人』の盲目の女は、隣に座っていた男を、視覚を頼りにできなかったため感じとることができず、二十何年間聞きそびれてきたことを再度聞きそびれた。男に直接会うことはできないと考え、男の代理としてやってきた父に聞くほかないのだ。この盲目の女からすれば、父の話を聴くことだけが真実を知る手立てである。ゆえに必死に父を引き留めた。二度にわたって聞く機会を逃した男の真相を、今を逃しては今生聞くことができないだろうと。

七　不誠実な語り

本人に軽薄なところはちっともないと父は女に受け合ったと話す。一郎が「女はそんな事で満足したんですか」

（「帰ってから」十九）と女の気持ちを代弁するかのように聞く。女にとって、父こそが、彼女に秘密にされてきた男の心を教えてくれる者と信頼して尋ねたのだが、裏切られた体だからだ。

女からすれば、父は信頼するに足らない代理人であり、一郎から見てもそうだ。父に言わせれば、男は「丸で坊ちやんなんで、前後の分別も何もないんだから、真面目な挨拶はとても出来ないのさ」（「帰ってから」十九）と、もともと男に根がないのだから、しょうがないとの見方である。対して、盲目の女のほうは、謡曲「景清」の景清による平家語りを連想させるほど、真剣そのものである。

とくに、父の話を聴いている者たちから著しい反応があったのは、女のつぎの台詞を父が話したときのことである。「けれども此眼は潰れても左程苦しいとは存じません。たゞ両方の眼が満足に開いて居る癖に、他の料簡方が解らないのが一番苦しう御座います」（「帰ってから」十八）。そうでは御座いませんかと女に詰め寄られ、窮したと父は話す。

この盲目の女の言葉は、ホメロス伝にある、詩人であり、歌い手であるホメロスがポカイアの地で寄寓していた者に、作詩を盗み取られたことが判明したときに詠んだ詩句、「人の世は思いもよらぬことは数あるが、人の心ほど判らぬものは他にない」[20]がふまえられていよう。大学教員である一郎なら、はじめから詩を盗む気でホロメスの介助を申し出た者がいたという、このホメロス伝を思い合わせることができる。『行人』中に設けられた、盲目の女をめぐる小さな物語は、はじめから世界の古代文学につながるように、その筋書きを構想されたと思われる。

父が最も窮したと話しているとき、小説全体の語り手である二郎は「偶然兄の顔を見た」と、その場の様子と自分の心境とをこう語る。「さうして彼の神経的に緊張した眼の色と、少し冷笑を洩らしてゐるやうな嫂の唇との対照を比較して、突然彼らの間に此間から蟠《わだか》まつてゐる妙な関係に気が付いた。その蟠まりの中に、自分も引きずり込まれてゐるといふ、一種厭《いと》ふべき空気の匂ひも容赦なく自分の鼻を衝《つ》いた。自分は父が何故座興《ざきょう》とは云ひながら、択《よ》りに択《よ》つて、斯《こ》んな話をするのだらうと、漸《ようや》く不安の念が起つた」（「帰ってから」十八）。

二郎はその年の夏、一郎に、直と和歌山で一夜を過ごし、「直の節操《せつそう》を御前に試して貰ひたいのだ」（「兄」二十四）と言われた。それは断り、ただ行って帰ってくるだけにしたにもかかわらず、嵐のために実際には直と二人で一夜を過ごすことになった。一家でのその関西旅行から帰京するとき、直の「節操」に関する報告を一郎から求められ、二郎は東京に帰ってから報告すると言いながら、秋になっても未だまともな報告をしていない。これが、兄夫婦のわだかまりのなかに引きずり込まれているという、二郎側からの言い分である。

父は、友人の男「〇〇」にとっても、また、盲目の女にとっても、代理行為を果たすべき人物である。父は友人から秘密裡に請け負ったことを果たしに行った。その男は若いころ結婚の約束をしてすぐに破約した相手の女と二十何年ぶりに有楽座で隣り合わせに座り、彼女が「昔と違った表情のない盲目になつてしまつて」いたため、「女の顔を見て過去二十年の記憶を逆《さか》さに振られた如く驚ろいた」（「帰ってから」十五）。つぎに「黒い眸《ひとみ》を凝《じつ》と据ゑて自分を見た昔の面影が、何時の間にか消えてゐた女の面影に気が付いて、又愕然として心細い感に打たれた」（「帰ってから」十五）という。

つまり男は女と別れて以降、彼女を思い出すときには彼女独特の「黒い眸を凝と据えて」自分を見るその面影を描いてきたのだ。ところが、今まで思い描いてきた彼女と違っていて、いつから盲目になったのか、いつから思い描いていた彼女からかけ離れてしまったのかと愕然とした。それが「過去二十年の記憶を逆さに振られた」ということに他ならない。

彼女の「黒い眸」がいつ消えたのか、「何うして盲目になつたか、それが大変当人の神経を悩ましてゐたと見えてね」（「帰ってから」十五）と父は解説する。男は、父にその謎を聞きに行かせに、彼女の家へ遣った。その男からすれば、父は女の秘密を得てきて語ってくれる者である。

男にとって、盲目の女が父に語った半生は、知りたいと思っていたことに十分応えたといえよう。その男に対して、父は代行者の役割を果たし、語り手の役目をよく果たした。盲目の女は、金子を撥ねつける気概に満ちながらも、父が男の意向を受けて行う質問、たとえば「失礼ながら眼を御煩ひになつたのは余程以前の事なんですか」に、「斯ういふ不自由な身体《からだ》になつてから、もう六年程にもなりませうか。夫が亡くなつて一年経つか経たないうちの事で御座います。生《うま》れ付《つき》の盲目と違つて、当座は大変不自由を致しました」(「帰つてから」十七)と、正面から答えている。この答えによって、男は、彼女の印象的な黒い眸が消えて六年と知ることができるのである。

パーシーの『古英詩拾遺』中 The Beggar's Daughter of Bednall-Creen に見える盲目の乞食が、歌によって、目から光を奪った戦とその後の人生について明かしたのと相似している。また、謡曲「景清」で「さすがに我も平家なり」と、もともと平家の侍だからこそ真の平家語りを行えるという、戦で盲目にまでなった自負に支えられた語りがなされたのに匹敵している。ゆえに、「女景清」(「帰つてから」十三)との印象を与えた。

一方、盲目の女にとって、一郎二郎の父は男の代理たりえているだろうか。代理者として現れたからには、二十何年間女の胸に抱えていた疑問である、破約した男の真相についての代弁を聞きたい。だが、父が盲目の女にもたらした、男の真情を語る物語は貧弱だった。一郎がそれでは盲目の女に対して男の代理を果たしたことにならないという意味を込めて詰問する。一郎は父の代理行為の不成立について憤っているのだ。語り棄てられるかのように供せられた小さな一つの語りが、小説全体に位置する登場人物に強い反発を引き起こしている。

八　小さな物語

『行人』の登場人物は、『オシァン』の Carric-Thura で、男装して戦場に付いてゆき、恋人を守ろうとした勇気ある行動で悲惨な目に至った女の出てくる戦物語に涙する登場人物と、同じ構造のもとに置かれている。

過去の事実を語る回顧による物語は、吟遊詩人や琵琶法師への信頼と不即不離な文学行為として営まれてきた。『行人』において一郎二郎の父が盲目の女に与えた保証、「夫《そり》や大丈夫、僕が受け合ふ。本人に軽薄な所は些《ちつ》ともない」（「帰つてから」十八）は、おのずから代理者失格をあらわにする。このような不誠実な語りに拒絶感を表明する人間として、漱石は一郎を描いた。

しかしながら、一郎の倒錯した心理もその分明らかになる。妻の節操を試させるということは、端的に言えば、二郎が直の夫の役割を果たせるか、試みてよいということである。むろん二郎の深層の望みを叶えてやるという意味合いもある。二郎は一家で旅行しているときに、兄にはできない行李に縄を絡げる仕事を「男の役だから」（「兄」四十四）と乗り出して行っていた。

二郎に代理を強要したり、ときに代理願望を叶えてやったりしたうえで、一郎は二郎にその報告を迫る。誠実な語りを要求する。一郎の要求をかわしたい二郎は一郎から父と同類だと指摘される。二郎は一郎に「善良な夫になつて御上げなさい。さうすれば嫂《ねえ》さんだつて善良な夫人でさあ」（「帰つてから」二十二）という言葉を呈し、一郎から「此馬鹿野郎」と怒鳴られた。その後兄弟絶縁状態に至る。

『行人』全体は、二郎の回想がベースになっている。その中に、父が友から秘密に請け負ったことを座興で話したこの物語や、一郎と直について考えなおす二郎の述懐が入っている。近代小説ならではと言ってよいだろうか、不誠実な語りが誠実な語りと同格に並ぶ。代理しきれない、そのような悲鳴もまた、『行人』からは聞こえてくるのだ。

登場人物によって、あるいは、表に出てこない語り手によって、物語が語られる。物語る行為とは、かつての自分、そして他人の言動を代理／表象する行為である。そのなかにさらに、代理者の役割で話をつぶさに聞き出す行為がある。大きな物語のなかにある小さな物語は『オシァン』を翻訳したいと考えたときから、漱石にとって最も見逃せない文学要素であったと、このように後の創作と照らして知ることができる。

（1）一九〇〇年九月に日本を発ち、一九〇二年一二月に帰国の途についた。

（2）『漱石全集』第一九巻、岩波書店、一九九五年、五五頁。

（3）大澤吉博が時流に対する漱石の反発、封建的なものへの共感を『オシァン』翻訳から読み取っている（「夏目金之助訳「セルマの歌・カリックスウラの詩」――「旧派」の文学」（『作家の世界　夏目漱石』番町書房、一九七七年、二一四―二一五頁）。

（4）*Fragments of Ancient Poetry, Collected in the Highlands of Scotland and Translated from the Gaelic or Erse Language*（1760）, *Fingal, an Ancient Epic Poem, in Six Books*（1762）, *Temora, an Epic Poem in Eight Books*（1763）より、まとめたもの。漱石蔵書は *The Poems of Ossian*, translated by J. Macpherson, 2 vols. London: W. Strahan & T. Becket, 1773.

（5）もと「十八世紀英文学」という題で東京帝国大学にて一九〇五（明治三八）年九月から一九〇七（明治四〇）年三月までの講義のノートを起こした『文学評論』で、こう述べている。「十八世紀の末に『オシアン』が出た。之《こ》れはマクファーソンの胡魔化し物だと云ふが兎に角之が出た時は非常な評判でゲーテも愛読し、ナポレオンも愛読した」（『漱石全集』第一五巻、岩波書店、一九九五年、五二頁）。初出は『文学評論』春陽堂、一九〇九（明治四二）年。

（6）最後の Crimora のセリフはつぎのとおり。漱石蔵書と同じ前掲 *The Poems of Ossian*, vol.1から引く。"Then give me those arms that gleam; that sword, and that spear of steel. I shall meet Dargo with Connal, and aid him in the fight. Farewel, ye rocks of Ardven! ye deer! and ye streams of the hill! We shall return no more. Our tombs are distant far!" *Ibid*., p. 70. その漱石訳を記しておこう。「去らば行かん我も。其戟《ほこ》とりて、其の太刀佩《は》きて、輝く武器といふもの持ちて。コンナルと共に行く我、戦ふ野辺にダアゴオと見《まみ》えん。アアドヅンの山に負《そむ》いて、山に住む鹿に負いて、山に鳴る水に負いて、吾等行くなり。吾等行きてまた還らず。吾等が墓は遥か彼方」（『漱石全集』第一三巻、岩波書店、一九九五年、一五八―一五九頁）。

（7）漱石蔵書は *Reliques of Ancient English Poetry, Consisting of Old Heroic Ballads, Songs, and Other Pieces of Our Earlier Poets, Together with Some of Later Date*, edited by J. V. Prichard, 2 vols. London: George Bell & Sons. 1886–92.

（8）『漱石全集』第一四巻、岩波書店、一九九五年、四八一―四八二頁。ルビは現代仮名遣いで振り直す。以下同じ。この部分の原文はつぎのとおりで、漱石の闊達な訳がわかる。In a polished age like the present, I am sensible that many of these reliques of antiquity will require great allowances to be made for them. Yet have they, for the most part, a pleasing simplicity, and many artless graces, which, in the opinion of no mean critics, have been thought to compensate for the want of higher beauties, and if they do not dazzle the imagination, are frequently found to interest the heart. 前掲漱石蔵書と同じ出版社の同書（1905）Vol.1, p. xii.

（9）イーヴシャムの戦いは現実にあった。レスター（Leicester）伯爵のシモン・ド・モンフォール（Simon de Monfort）とのちにエドワード一世になった Prince Edward とのあいだで、一二六五年八月四日に起きた戦い。史実では、シモン・ド・モンフォールはこの戦いで戦死した。彼はこの戦いの前に、ヘンリー三世に反発して挙兵し、勝利し、実権を握っていた。その時の戦いと結末とを物語る詩は、英語発達史上ならびに風刺詩発達史上重要とされる（金子健二「チョーサー時代及び第十五世紀の詩歌」（『英吉利文学篇』下（世界文学講座四）新潮社、一九三〇年所収、一二六頁）。その後、シモン・ド・モンフォールは王権に抗して議会政治を行おうとした闘士として、英雄視されるようになった。

(10) 古代北欧の詩人の役割がそれだったという。勇士の戦いぶりを視察してのちに忠実に物語る必要があった。

(11) 能と呼ばれるようになったのは明治以降である。

(12) 琵琶法師自体、この悪七兵衛景清を開祖とみなされたこともあり、景清の名が詐称されることもあったらしい。兵藤裕己は「「平家」語りが、壇之浦合戦で死におくれた景清の懺悔語りとして語られた」と述べている（『王権と物語』青弓社、一九八九年、岩波現代文庫、二〇一〇年、二九頁）。

(13) 佐藤泉が『行人』には、回想する「象徴的〈今〉」と「その都度の〈今〉」とが併存すると指摘している（『行人』の構成――二つの〈今〉二つの見取り図）『国文学研究』第一〇三集、一九九一年三月。

(14) 『行人』初出は『東京朝日新聞』『大阪朝日新聞』一九一二年一二月―一九一七年四月。同年九月―一一月。

(15) 世阿弥「景清」、大和田建樹『謡曲評釈』三輯、博文館、一九〇七（明治四〇）年、二三頁。

(16) 『行人』の引用は『漱石全集』第八巻、岩波書店、一九九四年より、章題・章番号を付して行う。ルビは現代仮名遣いで振り直す。改行を／で示している箇所もある。

(17) **H. A. Beers** の *A History of English Romanticism in the Eighteenth Century* のこと。

(18) 前掲『漱石全集』第一四巻、四八〇頁。

(19) 近藤正尚によれば、「盲《めしい》ということは、語りにとって必須の条件であった。なぜなら、彼らは眼前の世界が見えぬ代わりに、今語っている世界を盲の奥で見ることができる。そういう特殊な能力を持った人々と信じられたからである」という（解説「「平曲」の語り」CD『那須与一　検校井野内幸次　祇園精舎（部分復元）』近藤正尚』平曲伝承会）。

(20) ホメロス『イリアス』（下）松平千秋訳、岩波文庫、一九九二年、四六五頁。漱石はホメロスの『イリアス』を『文学評論』などで高く評価している。『吾輩は猫である』の中では、人間が戦争で連想する例として『イリアス』に描かれたトロイ戦争のことを猫が挙げている。『硝子戸の中』では、飼い犬を『イリアス』に出てくるトロイの一勇将の名前、ヘクトーと名付けたとある。

第二章　猫との会話と文学の可能態
――コレットの『牝猫』と谷崎の『猫と庄造と二人のをんな』について

ダリン・テネフ
（訳＝橋本智弘）

一　文献学研究と動物の言語

われわれが知るところの文献学研究が形成されたのは、十八世紀後半から十九世紀初頭にかけてである。当時、啓蒙の合理主義的理想の圧力のもと、動物との対比において人間を定義するという課題が持ち出され、あらたに定式化されていた(1)。この区別を成す境界の一つが言語の境界であった。十八世紀における人間の言語の起源に関する思考は、動物と人間を差異化しようとする企図をつねに伴っており、これは動物には与えられなかったものを人間に見出すことにつながった。言語に関して言えば主張は多岐にわたり、過度に単純化した「動物は言語を持たない。言語は純粋に人間の属性である」、穏健な「人間の言語は獲得されたものである。言語は文化的手段によって伝達され、特別な技能や活動を条件としている。対して、動物の言語は先天的である」、あるいは「動物は抽象的に思考したり人間の言語特有の概念を扱ったりすることができない」、さらには複合的な「動物は完璧かつ完全であるので、言語のような人工物を必要としない。他方で不完全である人間は、生存し世界により良く適合するために言語を必要とする」などがあった。最後の戦略は、コンディヤック、ルソー、ヘルダーをはじめとする当時の思想家に見られる。もっともいくつかの場合では、思想家たちはむしろ動物を擁護し自然への回帰を主張していたのだが。[2]

このように、文献学研究はまさにその端緒から、人間とは何かを定義するという課題を一方で抱え、他方では動物の問題を繰り返し再考する試みと結びついていた。人間が自ら思い描くところの人間となるために、動物と人間は区別されなければならなかった。こうして、文献学研究はその核心において動物を理解しようとする動物学の企図とつながっていることがあらわになる（この企図はたちまち「動物」という一般化が根拠のないことを明らかにしてしまう。いくども指摘されてきたように、動物種内部の差異のほうが、人間と動物を分かつ差異よりもしばしば重要なのである[3]）。文献学と動物学のこうしたつながりは、二十世紀初頭の動物行動学とのちの動物記号論においては、むしろ生産的だということがわかった。ヤーコプ・フォン・ユクスキュル、カール・フォン・フリッシュ、コンラート・ローレンツ、ニコ・ティンバーゲン、ジョン・リリー、グレゴリー・ベイトソン、トーマス・シビーオクらの著作は、動物は言語を持つという考えの安易な拒絶を問いただし、人間の言語と動物の言語の区別をつねに再検討することを要請した。動物行動学の視点から見れば、動物の言語は先天的であるのに対して人間の言語は習得され文化的に伝達されなくてはならない（したがってより自由である、云々）といった主張は、「たんに動物のコミュニケーションを言語として認めないための巧妙な作戦にすぎない[4]」のである。

一方、十八世紀末期から二十世紀初頭にかけて、動物の言語や動物による人間の言語への関わり方を表象するために、文学作品は独自の手法を発達させていた。文献学や動物学の分野で起こっていたことと確かに類似があったものの、文学におけるプロセスはある程度独立したものであった。多くの場合で、近代文献学が導入した基本的な前提や区別のいくつかを問題にするのに、文学こそが最適な手段であることがわかった。これを物語る例がE・T・A・ホフマンによる牡猫ムルであり、彼は啓蒙や人間理性の存在の主張などに対する批判的な記述を提示している。ムルはこのように述べている。「むろん、余にはわかっている、連中はみずからの頭のなかに宿さざるをえない運命にあるもの、連中みずからは理性とか称しているが、それをさもなにか偉大なものであるかのように自惚れているのである。［…］総じて余は、意識などというものには誰しも慣れてしまうだけのことであると信じている。誰しも、なぜだか自分にもわからぬまま、うまく暮らしてゆき、波瀾の一生に到達するのである」(5)。注目すべきなのは、この合理性の理念の攪乱が科学からではなく文学から生じたということである。動物の言語は文献学研究に異議を提起したように思われる。この異議は文献学の前提を揺さぶるとともに、新たな視座を切り開くことで文献学の企図をさらに推し進めるものだ。

十八世紀末期と十九世紀初頭は「世界文学」の観念が形成された時期でもあったことは言及しておくべきだろう。近代文献学と世界文学は相互に依存していた――そしてある意味では今もしている――のである。世界文学が明確にしたのは、文献学研究は他者の言語とその表象の様式を主題的に論じるべきだということである。この「他者」とは、単に別の人間というだけではない。「他者」が指すのは、かつて「人間」から排除され、また今も排除されているすべての存在である。この排除によって、絶えず再生産される「非人間」との対比の運動において「人間」を定義し、維持することが可能となるのだ。だから他者の言語とは、動物の言語、さらには神霊や神々、天使や悪魔、ロボットや計算機、地球外生命等々の言語をも含んでいる。言うまでもなく、いくつかの表現様式は他者に言語を持つことを許してはいない。文学表現の形式の多くは、何が人間であり何が非人間か、そして何が言語で何が言語でないかに関する支配的な考えを保持し、再生産している。しかし、支配的な考えに対して、攪乱的な形式も存在する。表象の様々な手法を、それらの相関性において思索するためには、研究者は世界文学の共通空間を想定しなくてはならない。文学を他者との出会いの実験的土壌として読み、その表象の様式を解釈すること、そして動物の言語を扱う文学的戦略を読むこととは、すなわち、文学作品をつなぐ潜在的（virtual）ネットワークを思い描くことである。世界文学の潜在的ネットワークが指しているのは、ある作品（あるいは作品の一群）が別の作品に実際に与えた影響よりも、さらに多くのこと、そして何か違ったことである。世界文学の概念は、別個の作品における特定の側面や性質をより明瞭にすることができる。だが問われるべきなのは、作品のなかに世界文学的（world-literary）な性質が含まれているというのはどのような意味においてなのか、ということだ。こうした性質は作品に内在しているのではなく、準—内在しているのだと言うことはできる。世界文学は、外的要因を作品の内部に導入し、外的要因を内的要素へと変換するのだと言うことは可能であろう。それは特定の文学作品の遺伝子に対して、エピゲノムのようなものとして働くのだ。ゆえに、世界文学のエピジェネティクスは、研究者が異なる文化や伝統の作品に取り組まなくてはならないとき、他者の言語を表象する際の文学の手法における共通の空間を認知する手助けとなる。

本論ではまず、世界文学の現象として、近代文学の時代であった十九世紀中盤から二十世紀中盤における、猫の諸言語を表象する手法を素描する。次に、一九三〇年代の二つの小説、すなわちシドニー＝ガブリエル・コレットの『牝猫』と谷崎潤一郎の『猫と庄造と二人のをんな』に焦点をあてる。両作品では人間が猫と会話をしている。この文脈であえて「諸言語」と複数形を用いるのは、ある猫は多言語話者でありうるから（牡猫ムルはその好例である）というだけではない。複数形を用いるに際してより重要な理由は、猫の発話はいわゆる「人語」に対して複数性や多様性を導入し、その逃走線をあらわにし、それが単なる「人語」ではない何かへと変わる様を示しているからなのである。

研究の主題として猫の言語を選ぶことにはいくつかの利点がある。それは現代の動物研究の文脈において重要である。それは具体的な他者との出会いを論ずるにあたり適切な対象である。それは主題（猫、他者とのコミュニケーション、等々）と文学形式（表象の様式、修辞的装置、物語の技巧、等々）の絡みあいを浮き彫りにする。だが、猫の言語は世界文学の論題として特有の利点を持ってもいる。これまでも指摘されてきたように、世界文学は広範な地理的空間や多様な文化的背景などを想定しているために、研究者に特定の困難を突きつける。ゆえに、エーリヒ・アウエルバッハが「適切な糸口」〈Ansatzpunkt〉と呼ぶものを得ることが方法論的に重要となる。アウエルバッハによれば、「糸口は、しっかり範囲が規定されよく見晴らしのきく現象圏を選びださなくてはならない。そしてそれらの現象の解釈は、糸口の領域よりはるかに広範な領域を秩序づけ、その広範な領域をも含めて解釈するほどの光力をもたなければならない」[6]。研究すべき広大な文学のなかでは研究者はたやすく迷子になってしまうが、文学作品をあまりに絞り込みすぎると、より大局的な見地を失いかねない。したがって、アウエルバッハが述べるように、「抽象的な分類範疇や特徴概念は糸口にふさわしくない」[7]。ゆえに、「神話」や「時代概念」とか「遠近法主義《パースペクティスムス》」などから出発するのは望ましくない。「適切な糸口の特徴は、一つに具体的、簡明的確なこと、その一方で潜在的な光力を持っていることである」[8]。アウエルバッハは適切な糸口の例として、エルンスト・ローベルト・クルツィウスが『ヨーロッパ文学とラテン中世』で研究した修辞学のトポスを挙げている。ヨーロッパ文学全般について語ることはほとんど不可能であり、過度の単純化、誤った一般化、そしてあらゆる類の錯誤に帰結しかねない。この意味では、ヨーロッパ文学における修辞学のスコラ学的伝統について語るという選択は、適切な糸口である。というのも、それは十分に具体的でありつつ、まったく思いもよらない方向に通ずるような、特定の焦点を与えるからである。アウエルバッハの「適切な糸口」に対応するものが、近年フランコ・モレッティによって定式化された、明瞭で小さな分析単位をもとめる方法論上の要件にみられる。モレッティはこう書いている。「広大な地域を研究しようとすればするほど、分析の単位は縮小せざるをえない。ひとつの概念（この論文の場合）、ひとつの技巧、ひとつの文彩、限定された語りの単位――のようなものに」[9]。猫の表象、そして猫の言語の表象は、具体性を与えるし、比較的に「小さな分析単位」である。しかし同時に、それは、「他者」「人間」「言語とは何か」、「近代の文献学研究とは何だったのか」といった巨大な諸問題にも通じている。この意味で、われわれが世界文学としての近代文学に取り組むにあたり、猫の言語は適切な糸口である。

むろん、本論では、前述の問題すべてをくまなく探求することはせず、こうした諸問題をついでに指摘しておくにとどめておこう。

方法論上の注記を最後に一つだけ加えておく。ここで提示する読解は、論じられる作品を基礎にして理論的なモデルを形成する。それは近代文学における猫と人間の関係のモデルであり、近代における世界文学のプロセスをより良く理解するためのモデルである[10]。理論的なモデルそれ自体——あらゆる批評的・理論的営為がそうであるように——は、世界文学と呼ばれるものの構成そのものと無関係ではない。言い換えれば、それは不可避的に世界文学のエピゲノムの一部なのである（言うまでもなく、世界文学をエピゲノムの一種として見ることとは、エピジェネティクスが世界文学の理解のための基盤となるようなモデルを構築することである）。

猫の表象、そして猫とのコミュニケーションの表象は、世界文学の現象を研究するにあたり、良い出発点となるモデルを提起してくれるだろう。文学のなかに登場する猫たちに対する世界文学の視座は、どの町や村にも、そしてどの森や野原にも見あたらない猫、すなわち、近代小説に登場するすべての猫の背後におぼろげにあらわれる、ある虚構の猫を指しているように思われる。まるで、こうしたすべての猫たちはその猫の一部であって、このネコ科の新種に属しているかのように。近年発見されたか、あるいはいまだ発見されていないこの新種の猫は、ブンガクネコ〈*felis poeticus*〉とでも呼ぶことができるだろう。

二　猫の言語——二つの視点

ここで猫の言語に関する問いを単純化しなくてはならない。なぜならこの問いは、関連する他の一群の問いの丹念な解釈や、それらとの並行関係を前提としているからだ。そうした問いとは次のようなものである。すくなくとも近代初期以来から存在する、猫のまなざしへの魅了、新たな物語装置の発達、猫と女性の間の比喩的連関、不可視のものと亡霊との関係（これは猫が何を見ているのかという問いにも関連している）、等々である。

本章のこの部分では、込み入った分析に立ち入らず、導きとなるいくつかの仮説を提示するにとどめておこう。最初の仮説とは、文学における猫の言語の発展は、猫の表象における二つの主要な傾向に拠っている、というものだ。一つめの傾向は、外部から見た対象として猫を表象するものである。フランツ・シュタンツェルによる「外的遠近法」〈Außenperspektive〉の概念を借用して、その傾向を猫への外的視点と呼びたい[11]。この外的視点は、必ずしも全知の語り手の像に縛られているわけではない。外的視点はジェラール・ジュネットが「外的焦点化」と言ったものに対応している[12]。外的視点からは、動物の振る舞いと行動を描写することができる。だがそれは、動物の思考や動物を突き動かす動機へのアクセスを妨害し、不可能にさえしてしまう。もう一つの傾向は、猫の眼を通して見ること、猫のまなざしを利用することである。これは大抵の場合、一人称による語り（シュタンツェルが「一人称形式の語り」〈Ich-Erzählsituation〉と呼んだもの）、もしくは猫を反映する人物（シュタンツェルにおける「映し手的人物」〈Reflektorfigur〉）として利用することに通ずる。これはジュネットの「内的焦点化」に対応している。これを猫への内的視点と呼ぶことにしたい。内的視点は猫への直接的なアクセスを仮構し、それと同時に、猫の目線からは物事がどのように見えるかを教えてくれる。

ここで重要なのは、外的視点と内的視点の区別は、大方の場合、また別の区別と結びついているという事実である。その区別とは、ものを言う猫と沈黙を守る猫、語る猫と無口な猫との間の区別として定義することができるだろう。

例えばボードレールは、猫にまつわる有名な三つの詩においてこの動物を描写する際に外的視点を用いているが、彼の猫たちは沈黙しており、何も語りはしない[13]。エドガー・ポーの黒猫——同題名のこの短編はボードレールがフランス語に翻訳している——もまた話さず、言語を持っていない。黒猫を傷つけ、ついには吊るして殺してしまう主人公こそが、猫の物語を語るのである。シュタンツェルの用語で言えば、この小説には内的視点があるものの、猫に関するかぎりでは視点は外的であり、あたかもその視点自体が言語をかき消しているかのようである。[14] さらに別の黒猫——R・M・リルケの黒猫——もまた何も話さない。[15] 黒猫を見る者の視線は、黒い毛皮のうちに没入し消え去ってしまう。人間の視線の没入と類似の事態が、リルケの別の詩、すなわち「薔薇窓」に見られる。ここで視線は、毛皮ではなく、直に猫の眼へと没入していく。[16] 猫は自分を見つめている者を見つめている。そしてこの見つめる猫もまた沈黙している。言い方を変えれば、たとえ猫のまなざしが魅惑的で、詩人や作家が自らにそのまなざしを感じている場合でも、見つめられている猫とは、沈黙する猫、話さない猫なのである。一方で、ホフマンのムルのように、自らの物語を語り、人生、芸術、自然、人間、そしてその他の事柄すべてについて幅広く意見を述べる猫は、内的視点のおかげで「私」と言うことができ、思うままに雄弁になることができる。なぜなら、内的視点が猫を語り手へと変えるとき、猫は話すことを強いられるからである。話す猫と話さない猫というこの二者択一と、それを乗り越える試みを詳しく見てみよう。

三　猫の雄弁さ

1　雄弁な擬人化

十九世紀初頭以来、文学作品のなかで話す猫の数は増加している。この傾向はドイツのロマン主義から発したように思われるが、そこで終わるわけでもない。さきにふれたE・T・A・ホフマンの牡猫ムルや、ルートヴィヒ・ティークによる長靴をはいた牡猫ヒンツェ、[17] さらにはイポリット・テーヌの『ある猫の生活と意見』、[18] プーシキンの『ルスラーンとリュドミューラ』の冒頭で物語を語る猫、[19] あるいはエミール・ゾラの『新ニノンへのコント』所収の「猫たちの天国」[20]などを想起することができるだろう。この伝統のうち、日本文学においてもっとも名高い例は、もちろん、夏目漱石の『吾輩は猫である』[21]だろう。ここで重要なのは、こうした作家たちが相互に影響しあったかどうかではない[22]。大切なのはむしろ、構造的類似のほうである。こうした猫は一様にオスである。彼らはおしなべて大変に聡明であり（ゾラの猫は例外である）、彼らの発話は芸術作品や文化的事象などへの言及に満ちている。彼らはみな、人生や社会、そして人間にまつわる支配的な考え方について、陰に陽に批判を加える。彼らはことごとく非常に雄弁である。

彼らが話す言語は人間の言語である。ドイツ語、フランス語、そして日本語などだ。猫に言語を与えるという行為そのものが、猫を人間化する。単なる擬人化ではなく人間化（anthropomorphization）という言い方を私が好むのは、それが修辞的比喩を超越する効果を持つからである。人間化によって、猫は人間のように振る舞うようになる。さきにふれた作品（そして他の多くの作品）はみな、猫という像は余分な装飾であり、芸術や社会等々に関して本当に大切なことを語るための口実にすぎない、という印象を与える。あたかも、内的視点は猫について何かを言うのに重要ではなく、人間の欠点を指摘するのに必要とされているだけであるかのようだ。これらすべての猫は、皮肉を好み、また自らに対しても皮肉めいているために、支配的な文化の傾向について転覆的な見方をする。ホフマンの皮肉について論評しながら、サラ・コフマンはこう書いている。「ここでの動物の仮面は、人間をもとの位置におさめるための皮肉の装置なのである」[23]。この主張は言及した猫すべてにあてはまるように思われる。

人間化にはすくなくとも二つの帰結がある。一方では、猫は人間の投影となる。猫が語るたびに、猫は歪んだ人間像の鏡としてあらわれる。言い換えれば、こうした作品は、猫についてよりも人間について比べようもないほど多くを語っているのである。猫の発話におけるあらゆる引用、参照、諷刺において、人間は主人などではないことがあらわになっている。だが同時に、猫はある人間像に還元されてしまっている。また他方では、猫の人間化は、こうした作品の寓話化もしくは作話化に通じている。前述したすべての作品（そしてそれぞれの仕方で書かれた他の作品）はみな、寓話の構成要素を含んでいる。ラ・フォンテーヌによる数々の寓話を想起してもいいだろう。ティーク、ホフマン、ゾラ、そして漱石は、人間の境界をあらわにしているが、こうした境界は内部から人間を否認している。人間について何かを言うために猫を用いるとき、こうした著者たちはみな猫を人間へと変容させており、猫と人間の間の差異は、最良の場合でも、人間と人間自身との不一致に帰着する。ミハイル・ブルガーコフの『巨匠とマルガリータ』（ロマン派の伝統のさらなる一系譜）では、巨匠が猫のベゲモートに次のように言っている。「『どうもあまり猫らしくないようですがね』と巨匠はためらいがちに答えた(24)」。他者としての他者、猫としての猫は、除外されたままである。自身との差異あるいは不一致は、ありうるかもしれない猫の位置を指し示すだけである。しかし、この位置は空白のままだ。

2　雄弁な沈黙

逆説的にも、人間が猫に話す能力を明け渡した途端、それは猫であることをやめてしまう。猫が猫であり続けるのは、猫に発話能力を認めない場合においてのみである。だがそうすると、猫は沈黙するよう定められてしまう。猫のままでいるために払う代価は、言語を奪われることなのである。ところがこの場合においてさえ、われわれは言語の純然たる不在に直面するわけではない。

沈黙を守る猫とは、外部から見られている猫、対象としての猫である。ボードレールは、猫たちは沈黙を探している（「猫たちは、沈黙を［…］探しもとめる(25)」）と書いている。これが暗に示しているのは、猫が住んでいる沈黙のみならず、猫のなかに住まう沈黙でもある。ボードレールより一世紀後、ホルヘ・ルイス・ボルヘスはこのあいまいさを取り上げ、「一匹の猫に」というソネットを次の句で始めている。「鏡もそれほど静かではない(26)」。あいまいな沈黙、物語る沈黙、話す沈黙である。まるで、まさにこの沈黙を通して、猫は何かを表現しているかのようだ。というのも、ボードレールが書いているように、もっとも長い文を形作るのに猫は言葉を必要としていないのである。「どんなに長い文を言い表すにも、語の助けを必要とせぬ、この声[27]」。言語のない言語、無言の発話、雄弁な沈黙である。

この雄弁な沈黙は、エドガー・アラン・ポーの黒猫やR・M・リルケの黒猫に見ることができるが、それはまた、例えばエミール・ゾラの『テレーズ・ラカン[28]』、あるいは萩原朔太郎によるいくつかの猫[29]にも見られる。『テレーズ・ラカン』において、テレーズの家に住む猫は次第に、テレーズの恋人ローランが彼女の夫カミーユを殺したことを無言で責める亡霊として見なされるようになる。ローランは猫のまなざしを非難であるかのように感じ、じきに猫が死んだカミーユの声で話し出すのではないかと恐れを抱く[30]。萩原朔太郎のよく知られた「青猫」では、人類の悲しい物語を語るのは猫の影である。「かなしい人類の歴史を語る猫のかげだ[31]」。猫ではなく、猫の影である。猫自身よりもっと寡黙なものがありうるとすれば、それは猫の影であるだろう。しかし、影は沈黙において物語を語るのである。

夏目漱石の『硝子戸の中』には、彼がむかし飼っていた三匹の猫に捧げた一章がある[32]。二匹目の猫はあまりに短命であったために、漱石はほとんどその猫のことを忘れるところだったことや、三匹目の猫が病気にかかり次第に毛が抜けていったこと、そして漱石自身も病気になり、のちに彼が良くなると猫もまた回復したことなどを読者は知る。自分の病気と猫の病気の間には何か「因縁」があるのではないかと漱石がいぶかるところで、この章は終わる。猫は外的視点から描かれており、これはいっそう写実的に思われる。猫は語りはしないものの、猫が沈黙であることは、作者が黒猫の病気を自分自身の病気のあらわれとして解釈するのを妨げはしない。漱石自身が認めるように、この投影は「馬鹿らしい」ものだ。しかし、この投影が可能となっているのは、まさに猫に有意味な言語を与えないことによって、猫の沈黙を雄弁にし、作者が見たいものならどんなものでもその沈黙に表現させているからではないだろうか。

ボードレールやボルヘス、ポーやリルケ、ゾラや朔太郎の手にかかれば、猫の沈黙によって人間は、目にしたい、あるいは耳にしたいと思っていることを、猫の形象を通して見たり聞いたりできるようになる。沈黙する猫、対象としての猫は、しばしば、人間が自らの心象や妄想、孤独や怖れを投影できるような幕へと変容する。猫の無言の雄弁さは、猫のうちに何か猫とは異なるものを呼び起こす。これはおぼろげな存在（a ghostly presence）であるが、それはときに――ポー、ゾラ、朔太郎やその他の作家たちにおいて――亡霊の現前（the presence of a ghost）であることが判明する。

3　不明瞭な発話の深淵

以上に述べた二者択一は、二種類の雄弁さの間の二択であると同時に、猫の言語を排除する二つの形式の間の二択でもある。この二者択一は、あるいは悲観的なものだ。猫の言語は人間の言語へと還元されるか、もしくはまったく抹消されている。この還元こそが猫を雄弁にするのである。興味深いのは、エクリチュールが猫の言語に固有と思われる猫の鳴き声を導入するまさにそのとき――沈黙を通じて、あるいは人間の言語の使用を通じて――、猫は雄弁ではなくなるように思われる、ということである。還元を克服するのに擬声語は手助けとなったはずなのだが、大抵の場合で擬声語は、他者の言語たる猫の言語を理解不可能なものに変換してしまう。漱石の『硝子戸の中』における前述の章は、次の文で終わっている。「猫の方では唯にゃにゃ鳴くばかりだから、どんな心持でいるのか私にはまるで解らない」(33)。これは猫が何かを言っているように思われる唯一の箇所である。だが、それはまったく理解不可能なのだ。漱石にはよくあることだが、ここには自己への皮肉があり、人間の有限性を示してもいる。しかしながら実際には、猫の言語が「そのまま」表象された途端（もしもそのようなものがあるとすればだが）、コミュニケーションは不可能になってしまう。この言語自体が、差異化を許しておらず、したがって不明瞭となっているのだ。「にゃにゃ」と言うだけでは十分ではない。なぜなら、それはどんなことも意味しうるからだ。同じことを、ルイス・キャロルの

『鏡の国のアリス』の末尾に見ることができる。ここでアリスは、猫と通常の会話ができないことに不満を抱いている。

子猫ってほんとにこまったもので（アリスもいつかそういってたけれど）、こっちが何いったって返事はきまってゴロゴロなんだね。「はいっていうときだけゴロゴロで、いいえのときはニャオっていうとか、なにかそういったきまりさえあれば、お話ができるのに！　いつだっておんなじ返事しかしないひとと、どうやってお話できる？」

子猫の返事はこのときもゴロゴロばかり。はいなのか、いいえなのかも見当がつかなかった。(34)

黒い子猫はゴロゴロ言ったりニャオと鳴いたりするものの、アリスはそれが「はい」なのか「いいえ」なのかを判別できない。ジャック・デリダはこの子猫が応答できないことを指摘しているが(35)、むしろ現行のテクストの文脈で強調すべきなのは、この場面に暗示されている会話の不可能性のほうである。この――そして他のすべての――猫の言語は、コミュニケーションのためにあるのではないから、そのなかに「はい」や「いいえ」を識別することはできない。喉のゴロゴロもニャオの声も、まったく同じであり、差異化されておらず、したがって無関係なのである。

猫の不明瞭な発話に関して、さらにわかりやすい例が、夏目漱石による別の作品、つまり『永日小品』におさめられた短編「猫の墓」(36)に見られる。『硝子戸の中』の猫と同じように、ここでの猫はどんな仕方でも人間化されてはいない。漱石の短編は、この動物の最期の日々を描いている。猫はすっかり静かになってしまい、死の直前になるまで何も音を発しない。この死ぬ間際のひとときに、猫は「唸り声」をあげ始める。

ある晩、彼は子供の寝る夜具の裾に腹這になっていたが、やがて、自分の捕った魚を取り上げられるときに出す様な唸り声を挙げた。このとき変だなと気が附いたのは自分だけである。子供はよく寝ている。妻は針仕事に余念がなかった。しばらくすると猫が又唸った。妻は漸く針の手を已めた。自分は、どうしたんだ、夜中に子供の頭でも齧られちゃ大変だと云った。まさかと妻はまた繻袢の袖を縫いだした。猫は折々唸っていた。
あくる日は井炉裏の縁に乗ったなり、一日唸っていた。［…］猫の死んだのは実にその晩である。(37)

日本語の「唸る」は、「ほえる」、「うめく」、「遠吠えする」、そして「どなる」をも意味する語であり、それに「声」が結びついている。この短編で死にゆく猫は、声を持っていないわけではないが、その声は不明瞭なのである。この動物が何を言おうとしているか、語り手が理解することはない。苦痛に満ちた、脅かすような、不気味な「唸り声」は、理解できないのである。それは言語ではないのだ。

あたかも、猫が人間化されていないときにはいつも、猫の言語は言語であるのをやめ、表現やコミュニケーションのできない不明瞭な発話となってしまうかのようである。

四　コレットと谷崎——三角関係とキメラ猫

ところが、他者の言語一般、そしてとりわけ猫の言語の表象のために、近代文学はまた違った選択肢を見出している。二十世紀初頭の数十年の間、異なる文学作品が、人間の言語、雄弁な沈黙、そして不明瞭な発話を超えて、人間の言語に猫の発話を組み込む試みを行っている。こうした一連の実験のなかでも、本論のねらいに資する二作品のみを取り上げたい。すでに述べたように、その実験的小説とは、コレットの『牝猫』と谷崎潤一郎の『猫と庄造と二人のをんな』である。どちらの小説もほぼ同時期に出版されている。コレットの『牝猫』は一九三三年、谷崎の作品は一九三四年である。のちに明らかにするように、この二作品の類似には特筆すべきものがあり、多くの示唆を与えてくれる。

ともあれ、まずは二人の作家について、そして彼らの猫への関わりについていくらか述べておこう。コレットも谷崎も愛猫家であった。シドニー＝ガブリエル・コレットの場合では、動物全般、そしてとりわけ猫への愛着は、彼女の母親による影響と関連しているように思われる。これは彼女の作品『シド』から推察することができる。[38] 谷崎に関して言えば、彼は横浜に住んでいたときから猫を飼っていたものの、「本當に猫を熱心に飼ひ出した」のは、おそらく、関東大震災の後、一九二三年の暮れに関西に移住してからである。[39] 二人とも多くの猫を飼っていた。今まで指摘されてきたように、コレットは自分の猫たちとともに写真に映ることを好み[40]、谷崎は一時期には十一匹以上の猫を飼っていたと言われている。[41]

したがって、彼らの作品に一度ならず猫が登場するのは、まったく意外なことではない。『動物の対話』（一九〇四年）[42] や『動物の平和』（一九一六年）[43] といったコレットの初期の作品には、猫は主要な登場人物としてあらわれる。しかし、猫は他の多くの作品の端々にも登場しているために、一九五〇年にはコレットが猫について語るすべての箇所を集めた選集が出版されている。[44] 『牝猫』の十三年前の一九二〇年にはすでに、人間の文化のなかの猫の役割についておそらくは最初の本を書いたカール・ヴァン・ヴェクテンは、「動物についてコレットほど深い思いやりを持って書いた者は他にいない」[45] と述べている。

谷崎潤一郎もまた、様々な場面で猫について語っている。未完の「ドリス」[46]「ねこ」[47]「猫――マイペット」[48]「客ぎらひ」[49]「當世鹿もどき」[50] などを想起することができるだろう。おそらく現代の読者は、文学のなかの猫についての日本語の選集すべてに谷崎の名前を見つけることだろう。[51]

作品のなかに多くの猫が登場するだけではなく、コレットと谷崎は猫と同一化していた。ある意味で、この二人の作家は猫になりたがっていたのである。[52] これは猫を人間へと還元する企てではなく、人間を変容させ、猫により近い何かへと人間を変えようとする試みである。人間の猫への変身、とでも言えるだろうか。これは間違いなく、猫との関係に関して大きく異なる視座を与えるものだ。

もちろん、初期の作品でコレットが猫にフランス語を話させたとき、彼女は先述したところの「雄弁な擬人化」に準じている。つまり、『動物の対話』におけるキキの言葉、そして『動物の平和』に登場するポーン、ポロ、ノノーチェ、母猫、そして他の動物たちの言葉は、たとえこれらが「コレットが猫を主体として扱った[53]」ことを示しているとしても、猫を寓話に還元してしまう可能性をもたらす[54]。コレットと谷崎の両方に、別の傾向、すなわち雄弁な沈黙を見出すことも容易にできる。ところが、『牝猫』と『猫と庄造と二人のをんな』に至り、二人の作家はさきに詳述した二つの傾向のどちらにも還元しがたい何かを導入している[55]。二つの小説に移ろう[56]。

この二つの小説の読者が最初に気づくのは、どちらもある三角関係の構図を含んでいるということである。しかも、三角関係には猫が含まれている。コレットの作品では、はじめ主人公アランの婚約者で、のちに彼の妻となるカミーユが、彼の猫サアに嫉妬している。谷崎の作品では、庄造の二人目の妻である福子が、最初の妻であった品子からの手紙が届いた後に、彼の猫リリーに嫉妬するようになる。だから、実際には谷崎の小説にはすくなくとも二つの三角関係がある。一つ目が、庄造・品子・リリーの三角関係、二つ目が、庄造・福子・リリーの三角関係である[57]。どちらの小説でも、男性の主人公たち（庄造、アラン）はむしろ消極的で、母親を頼りにし、飼い猫（サア、リリー）に愛着を抱いている。

長い間、猫は女性をあらわす形象（換喩、比喩、寓喩）として用いられていた。日本では、猫と女性の換喩的なつながりは、すくなくとも平安時代の『源氏物語』にまでさかのぼることができる[58]。ヨーロッパの文脈では、猫と女性の関連づけは、すくなくともルネッサンス期にまでさかのぼる。コレットと谷崎の小説に関して興味深いのは、一方では、もはや猫は女性的なものの形象ではなく、女性の現実的なライバルとなっているが、他方では、三角関係や敵対関係があるように見えるのは、三角関係のなかの一つの視点から見たときだけである、ということだ。言い方を変えれば、男性主人公と猫のどちらも、事態を三角関係とは捉えていないのである。だからこそ、アランと庄造は妻からの非難を理解せず、嫉妬する理由があるとは思っていない。

両小説において、三人の女性（一方でカミーユ、他方で品子と福子）が猫を処分しようとするのは、この嫉妬の感情による。カミーユはアパートの十階から猫を投げ落として殺そうとし、幸運にも猫は九死に一生を得る。品子は福子に宛てた手紙のなかで、自分よりもリリーを好んだ庄造が、リリーとは別れたがらなかったことをほのめかしている。この品子の手紙によって、福子はリリーに嫉妬を感じるようになる。品子のもくろみとは、この嫉妬を利用して猫を手に入れることである。このようにして品子は、この動物への庄造の愛着に頼りながら、彼を取り戻すか、あるいはすくなくとも復讐を果たそうとしている。もくろみは成功し、福子は品子に猫を譲ってしまう（しかしながら、思いがけず品子とリリーは互いを気に入り、小説の終わりには、二人の関係のなかで庄造はもはや不要となっているように思われる）。

二つの小説はいずれも非常に短いということも注目に値する。一見したところ無関係なこの側面は、二つの小説が数人の人物しか扱っていないという事実から生じている。主要な問題の妨げになるような余計なことは何も起こらない。二つの小説が提示しているのは、理解しがたいある問題に関する微視的研究に相当するものである。ゆえに、読者は決して迂回すべきではないのだ。すでに示したように、三角関係は登場人物のうちの一人の側にしか存在しない。この問題は、三角関係から生まれたものではなく、主人公たちの何人かにとっては三角関係があり、他の人物にとってはない、という事実から生じているように思われる。だが、この言い方ではまだ大雑把にすぎる。というのも、猫との重要な関係は、三角関係はないと思っている人物たちの側にあるからだ。理解しがたいある問題とは、まさに猫との関係なのである。三角関係の構図は、何が起こっているかを読者が推察する一助となる。この構図により、読者は人間と猫の関係について知見を得ることができる。二つの小説を三角関係の小説として論評したり捉えたりするときはつねに、人間と猫との関係を理解できない人物特有の立場を取っていることになる。これは嫉妬する妻の視点である。そしてまさにこのことにより、この知見はむしろ、まぎらわしく誤った知見であり、何が起こっているかについての知見を持たない知見となっている。あたかも、猫への道を切り開くと思われる男性への道を、女性が切り開いているかのようだ。猫が理解不可能であることにより、人間と猫の関係自体も理解不可能となっている。
そして、嫉妬する妻の視点、つまり三角関係を見ている視点が、形式的に言って、小説のなかでもっとも重要な視点ではないということは、偶然ではない。どちらの小説も三人称で語られている。あるいは、ジュネットの用語で言えば「異質物語世界的」（heterodiegetic）な声がある。『牝猫』においては、カミーユではなくアランが焦点化されている。『猫と庄造と二人のをんな』では、焦点は大部分で庄造にあり、品子が猫を手に入れた後は、焦点は品子に移る。別の言い方をすれば、三角関係をもっともよく理解している視点が優勢になることはないのである。主要な視点は、中間の位置にある視点、つまり、別の人間と関係を持ち、同時に猫とも関係を持つ人間の視点である。付言すべきなのは、猫に関しては内的視点が存在しないということだ。猫が見たり考えたりしていることを読者は直接知ることができない。アラン、そして庄造、次いで品子の中間の位置のみが、彼らのネコ科の友人に対する唯一の入り口なのである。

さきに述べたように、二つの作品において母親像が重要となる。母親と同居する消極的な男性の人物は、日本で言うところの「マザコン」にあまりにも完璧にあてはまる。実際これまでに、ある種の一般化されたマザー・コンプレックスによって小説を解釈しようとする試みがあった(59)。アランとサアの関係、そして庄造とリリーの関係が可能になったのは、母親がいたからである、と言うことは可能である。しかし問われるべきなのは、猫がいたからこそこの母親像が理解可能となったのではないか、ということだ。さらに加えて、母親像では、なぜそれが他の何でもなく猫でなくてはならなかったのかということを説明できない。

その上、どちらの小説でも主人公は猫を一匹だけ飼っている。コレットと谷崎のどちらも一度に複数の猫を飼っていたという事実を知らなければ、これは奇異には思われなかっただろう。すでに指摘したように、谷崎には十一匹以上の猫を飼っていた時期があった。小説中に一匹の猫しか登場しないという事実が示すのは、作品のなかで重要なのはその単一性であるということだ。サア、そしてリリーといったこの具体的な猫の、単一のかけがえのなさこそが問題なのである。

ここまで私は、あらゆる猫が同一で取り替え可能であるかのように、つまりどの猫について語っているかは問題とならないかのようにして「猫」という言葉を用いてきた。だが、二つの小説が示しているのは、まったく逆のことである。どの猫について語っているかは、どうでもよいわけではない。『牝猫』の最後のシーンの一つで、もしも仮にサア以外の猫であったならそれほど狭量にはならなかったかとアランがカミーユに尋ねると、カミーユはすぐさま同意する。もし別の猫であったなら、嫉妬はしていなかったのだ[60]。その直後に彼女はパトリックというある人物の例を持ち出して、彼は動物が好きで、犬と戯れたり、猫のものまねをして反応を見たり、鳥に向かって口笛を吹いたりするのだと述べる。そして彼女は、アランはそんなふうではなく、彼にとってサアは特別なのだと力説する。したがって、サアが動物であることや、猫であることは重要ではないのだ。大事なのは、サアがこの唯一無二の存在であることのほうである。パトリックにとっては、たくさんの動物がいて、彼はそれぞれの独特さに関係なく、そのすべてとふれあいを持つ。いずれの動物たちとも遊ぶことができるという意味で、彼にとってはどの動物も同一である。これは、サアは他の動物たちとは違うと思っているアランにはあてはまらない。カミーユが嫉妬する理由はここにある。しかし、アラン自身が主張するように、これは嫉妬があるべきではない理由でもある。というのも、サアとカミーユでは、比較が不可能であり、同じ基準で測ることはできないのだ。「サアはきみのライバルじゃない」とアランは言う[61]。同じことは庄造とリリーについても言える。唯一無二で取り替えのきかない存在がいて、それと主人公が関係を持っているかぎりにおいて、嫉妬は的はずれであり、しかも同時に不可避でもある。サアがカミーユの、そしてリリーが福子のライバルとなるのは、猫が無二ではなく、彼女たちと比較可能である場合のみである。

この唯一無二の存在（サア、リリー）と主人公（アラン、庄造）との特別な関係が暗示しているのは、主人公は特権的な視点を持ち、ネコ科の友人をより深く理解しているのだということである。そして、どちらの小説でも示されているように、アランや庄造は自分こそがこの無二の友人をもっともよく熟知していると思っている。だが同時に、彼らの知識には限界があり、必ずしも正しくはない自分たちの考えをこの動物に投影しているのだということも明示されている。庄造の場合、これが特に明白になるのは、リリーが品子のもとに渡った後、もはやかつてのようには反応しなくなるときである。[62]『牝猫』では、すくなくとも一つの場面で、アランがサアに自分の思いを投影していることが明示されている。「その姿は、ひどくちっぽけで、仔猫のように軽そうに見えた。彼は、自分が空腹なものだから、猫もなにか食べたいだろうと想像した」[63]。アランはサアが空腹なのだと考えているが、それは自分自身が空腹だからである。彼は自分の空腹をサアに投影しているのだ。だから、読者にとってサアへの入り口となるアランの中間的な性質は、信頼に足るものではない。これはつまり、サアは現実の猫であるとともに、彼の欲望や幻想の産物でもあるということを意味している。アランへの焦点化は、猫への入り口としてもっとも確実であり、かつもっとも不確実でもあることになる。引用したこの一節以降、読者はアランの視点からなされたサアの描写のすべてを問いに付すことができる。しかし、他の視点はほとんど存在しない。

文学的技巧として、コレットと谷崎は、人間の登場人物とともにとどまることを読者に強制しているが、人物たちが見ていることと語り手によって示されていることの間には、ときに乖離がある。唯一無二の他者との出会いに際しては、他者のすくなくとも一部は、無意味さや不明瞭な発話に還元されず、説明がつかないままになる、と言うことができるだろう。

二つの小説のなかの猫は、ある一匹の猫として重要なのではなく、無二の存在として重要なのである。しかし同時に、猫がいったい何であるかについて、われわれは確信を得ることはできない。なぜなら、もっとも重要な局面において猫は、必ずしも信頼できるとはかぎらない主人公の視点から描かれるからだ。この猫は他のあらゆる猫と区別されるべきだという考えは、二つの作品においては、猫と「猫でないもの」との対比によって表現されている。これは、サアやリリーは単に一般的な「猫」の観念によって考えられるべきではないということを強調する方法なのである。

だからこそ、冒頭の品子から福子への手紙の直後、リリーは一連の奇妙な喩えとともに導入される。リリーはバー・カウンターにいる客のようであり、またノートルダム大聖堂のガーゴイル像のようでもある（「バアのお客がカウンターに寄りかかっているようでもあり、ノートルダムの怪獣のようでもある」）。また、びっくりした人のようでもあるし（「大きな、悧巧そうな眼を、まるで人間がびっくりした時のようにまん円く開いて」）、幽霊のようでもある（「リリーは前脚をチャブ台から離し、幽霊の手のように胸の両側へ上げて、よちよち歩き出しながら追いかける」）[64]。これよりもさらに多くを物語るのは、他の動物や事物とサアとの絶えざる比較である。サアは、「銀色のきらきらしたもの」「魚」「魔物」「灰色の蜥蜴《とかげ》」「雨のしずく」「小熊」「青い鳩」「ワン公」「栗鼠《りす》」「ピューマ」「森鳩」「フォックステリア」「蟇蛙《ひきがえる》」「野鼠」等々のようだと言われる[65]。文学史のなかでは、猫はしばしば女性、神秘、死、魅惑的なまなざし、ロマン主義的イロニー等々をあらわしてきた。猫の雄弁な沈黙がこれを可能にしていた。コレットのサアと谷崎のリリーは、それとは逆の過程に携わっているように思われる。近代文学の多くの作品のなかで何か別のものの形象となる猫とは異なり、谷崎とコレットにあっては、猫は単に形象であるばかりではなく、いわば脱形象化されている。言うなればそれは、猫とは違った何か――ガーゴイル、雨のしずく、蟇蛙――であるかぎりにおいて、「猫そのもの」にとどまっているのだ。投影のための幕、キメラである。『牝猫』の末尾でアランの母親は「あの猫はお前のキメラなんだわ」[66]と言っている。このキメラ猫は、もはやネコ科の一種ではなく、女性的なものをあらわす字義化された比喩の一例でもない。キメラ猫とは、絶対的に唯一無二で、だからこそ定義不可能な、この存在である。この猫であって他ではない、まるで概念をもたない猫。根源的に経験的で、現実／非現実の境界を超越している猫。この猫は、現実的であると同時に

キメラ的である。現実的であるがゆえにキメラ的であり、キメラ的であるがゆえに現実的なのだ。(67)

五　コレットと谷崎――人間の言語における猫の発話

キメラ猫は、登場人物の猫に対する視点の次元でその姿をあらわしている。この視点は、「猫」「動物」「恋人」といった一般的な概念には還元できない何かとしてと同時に、幻想の幕として猫を提示する。それは、現実的であると同時に空想的でもあるこの猫の単一性をあらわにする。

しかしながらこのキメラ猫は、もしも猫の言語が導入されていなければ、容易に登場人物の想像力へと還元されていたであろう。コレットと谷崎の本当の実験は、猫の描写の次元ではなく、猫とのコミュニケーションの次元において展開している、と私は主張したい。この次元がなければ、猫の描写は猫への外的視点の亜種にとどまっていただろう。その場合、エミール・ゾラの『テレーズ・ラカン』でローランが猫をテレーズの亡夫の幽霊と考えたことに見られるように、猫は単なる対象にすぎない。

しかしそれでは、猫とのコミュニケーションは二つの小説のなかでどのように提示されているのだろうか？

1　ヒトの言葉を超えて

容易に見て取れることだが、アランがサアとコミュニケーションするとき、彼は猫の発話をあらわす同一の擬声語のなかにいくつかの異なる意味を聴きとっている。そして、別々の場面で擬声語がまったく同じつづりで書かれているときにさえ、これはあてはまる。例えば、サアが言うことの一つに、「ムゥルレーン」(“me-rraing”)がある。(68)だがアランは、ある場面においてこれを非常に特別な仕方で理解する。

「サア！」

「ムゥルレーン！」猫ははじけるような声で答えた。

「僕のせいじゃないよ、おまえが腹ぺこでも。早くほしかったら、下におりて牛乳をもらえばいいんだもの」[69]

彼はフランス語を使ってサアと話しているが、猫のほうはフランス語を使っていない。あるいは読者は、猫の出す音声が転記されているという可能性を見るかもしれない。だがこの転記は、アランがそれをもとにして非常に具体的なメッセージを導き出すことができる様子からわかるように、誤ったものであるのが明らかになっている。すでに指摘したように、猫の言うことへのアラン自身の解釈自体が、サアに対する彼の投影の結果である可能性がある。だが物語は、両者の間のコミュニケーションが続いていくことを明確にしている。唯一アランだけが媒介者となり、サアが言うことの翻訳のようなものを読者に提供しているが、この翻訳は疑わしいものだ。猫がいったい何を言っているかについてわれわれは完全に確信を得ることはできない、とコレットは示唆しているように思われる。

もう一つの例は、「ムゥルーィン」（"me-rrouin"）が帯びる特定の意味をカミーユが識別できないということであろう。というのも、彼女は同じつづりで書かれる別々の音を区別できないのだ。他方で、アランは他の音との聴き分けができるために、彼にとってはこうした音は何か特定の意味を帯びている。[70]

同じようなことを、『猫と庄造と二人のをんな』のなかでリリーがはじめて出産をする場面に見ることができる。庄造はリリーの鳴き声のなかに次のようなことを聴きとる。

> 「ニャア」とは云っているのだが、その「ニャア」の中に、今までの「ニャア」が含んでいなかった異様な意味が籠っていた。まあ云ってみれば、「ああどうしたらいいでしょう、こんな気持ちはまだ覚えがありません、ねえ、どうしたと云うのでしょう、心配なことはないでしょうか？」――と、そう云うように聞こえるのであった。[71]

この場面はすべて庄造の視点から語られている。アランのように、ここでの庄造は媒介者であり、リリーの言うことを翻訳する中間的な人物である。この翻訳は読者のみならず、庄造自身にも向けられている。人間が猫の声を聴くのはこのような仕方であるという事実を、谷崎は強調している。庄造は猫に言語を与えるが、それによって猫自身の発話を置き換えることはない。翻訳は「よう」という節とともに挿入されており、これによって翻訳そのものが仮定のものとなっている。

この猫は日本語で「ニャア」と言っている。これはつまり、人間の言語を通じて猫の言うことを表現する慣習的な方法があるということだ。谷崎の例においては、「ニャア」という音すら異なった意味を持っことがあらわとなっている。したがって、「ニャア」の使用は人間による還元を超越していると同時に、小説のなかで用いられる言語をも超越している。

どちらの小説でも、媒介となる人物を用いることによって、語り手の言語を超越したある言語を指し示すことが可能になっている。語り手の言語を超越しているのみならず、登場人物たちの言語よりもさらに多くのもの、そして何か違ったものでもあるこの言語は、もちろん不確かで不安定である。それを幻想と区別するものはほとんどない。けれども、それはある可能性として、すなわち、人間の言語のなかに人間の言葉ではあらわすことのできない猫の発話を取り入れる一つの可能性としてそこにある。この語りの技巧は他者を救い出し、他者や他者の言語を支配できるという人間の幻想に制限をかける。

2　差異と反復

これで終わりではない。

典型的な擬声語である「ニャア」を用いる谷崎と違い、コレットはフランス語でそれに相当する語"miaou"を一度たりとも使っていない。サアは、「ムウルーィン」("me-rrouin")、「ムウルレーン」("me-rraing")、「ル……ルーィン……」

（"rrr..rrrouin"）、「ムエック、ムエック、ムエック」（"mouek mouek mouek"）、「マァアア」（"ma-a-a-a"）、「ムエン」（"m,hain"）、「エック……エック」（"ek…ek"）などと言っている。[72] コレットは新しい擬声語や造語をこしらえている。彼女は新たな形式を探求し、そうしてフランス語を再発明しているのだ。この実験は、猫の発話を表現するための固定化された様式を用いることを拒んでいる。「ミャオ」といった通常のタイプの擬声語を用いることは、猫の発話を人間の言語に従属させる企てであり、コレットにおいては、人間の言語を猫の発話に従属させる試み——つかの間、すくなくとも猫の発話が人間の言葉によって語られる間は——がなされている、と言うことができるだろう。そしてこの実験が成功するのは、それが実験にとどまり、「ミャオ」のように不変で一般に容認された形式へと変換されていない場合においてのみであるように思われる。それが定着してしまえば、たちまち実験は失敗する。これはつまり、実験はいくども繰り返されなければならないということだ。

だが二つの小説は、造語だけでは十分ではないと示唆しているようだ。

アランがサアと会話をする『牝猫』の最初の場面が示しているのは、単なる造語の効果にとどまるものではない。

「やあ、ここにいたな、サア！　さがしてたんだ。どうして夕食のときテーブルに来なかったんだい？」

「ムゥルーィン」と牝猫は答えた、「ムゥルーィン……」

「なにさ、ムゥルーィンって。なんでムゥルーィンなんだよ。それでしゃべってるつもりかい」

「ムゥルーィン」と牝猫はくり返した。「ムゥルーィン……[73]」

サアは同じことを何度も繰り返し言っているように思われる。アランの言葉はこうした印象を強めている。ここで重視すべきなのは、猫による主張である。猫は自分の「言葉」を反復しており、その反復によって主張をしている。猫は何を主張しているのだろう？　それはわからない。われわれが知っているのは、主張しているという事実であり、これによって他者は猫に意識を向けている、ということだ。この主張を通じてサアは、アランの幻想よりもつねに多くのもの、そして何か違ったものである自分を読者に対して知らしめている。

同じことが、『猫と庄造と二人のをんな』のなかのもっとも美しい場面の一つに、さらにめざましい効果とともにあらわれている。それは庄造の最初の妻である品子とリリーが登場する場面である。ある種の仕返しとして、そして庄造を取り戻す企てとして品子がリリーを連れ去った後、品子はこの猫と仲良くなることができず、リリーは逃げ去ってしまう。あるとき品子は心配しリリーを待ちはじめるが、これは必ずしも元夫のためというわけではない。まもなくしてリリーは帰ってくる。ある雨の夜、屋根の上を歩き部屋に近づいてくるリリーに気づいた品子は、リリーの名を呼びかける。

「リリーや」

と、呼んだ。すると、「ニャア」と云う返辞をして、瓦の上を此方へ歩いて来るらしく、燐色に光る二つの眼の玉がだんだん近寄ってくるのである。

「リリーや」

「ニャア」

「リリーや」

「ニャア」

何度も何度も、彼女が頻繁に呼び続けると、その度毎にリリーは返辞をするのであったが、こんなことは、ついぞ今迄にないことだった(74)。

この会話において、猫は応答している。品子も読者も、この応答が何を意味するのかを言うことはできないだろう。しかし、同じ音が反復されるなかでその強度が増していき、それがリリーと品子の関係に決定的な差異をもたらす様は見て取れる。もしも語りが品子にリリーを一度しか呼ばせていなければ、そしてリリーが一度しか応答していなければ、普通でないことやおかしなことなど誰も感じ取りはしなかっただろう。品子とリリーがともに同じことを繰り返して言っている――それがいったい何であろうとも（そしてわれわれはそれが何であるかを知ることがない）――だけではなく、語り手のほうもまたこの主張を強調しており、反復があることを言うために反復を用いている（「何度も何度も」）。この執拗な反復により、言葉はその特定の意味を取り去られている。この場面が滑稽でもあるのはそのためである。無意味な反復は読者の笑いを誘うのだ。どんな特定の意味も失われているものの、言語はいまだそこにあり、反復のなかで強度を増して差異を生み出していく。まさにこの場面において、品子はリリーにはじめて出会うのだと言ってもいいかもしれない。一匹の猫という観念、または夫の猫という観念、あるいは夫が飼い猫について持つ観念などではなく、リリー「それ自体」、この無二のかけがえのない存在に。そしてこの差異は、反復によって導入される強度がなければありえなかっただろう。

同一のものが反復しながら差異を生み出すという現象は、コミュニケーションの問題を強度にまつわる問いとして提起する。他者の言語とは何よりもまず強度のある言語であり、おそらくその次にはじめて、意味のある言語となりうるのだ。執拗な反復とともに強度は増していき、差異を生み出す。これは先に引用した『牝猫』の一節にも含まれる要素である。サアは主張する。リリーは主張する。主張は人間の人物との関係を強化し、すでに確立された他者の観念とは別の、それを超越した他者との出会いを可能にする。おそらくは、「猫」一般について語るのが誤りであったのと同様に、「他者」一般について語ることさえ、誤りであろう。他の事柄のなかでも、とりわけ主張がここにある。無二であることの主張、還元不可能で取り替えのきかないこの猫やあの猫の単一性への主張がある。執拗な反復は、人間の言語のうちに強烈な差異を生み出す。フランス語であれ日本語であれ何であれ、反復によって自然言語は変容する。それは人間の言語の境界のうちにまた別の発話を取り入れるのである。

だから、この実験にはすくなくとも二つの面がある。媒介する中間的な人物を通じた語りによる猫の描写があり、この描写の結果としてキメラ猫が生まれる。唯一無二であるこのキメラ猫は、現実的なものと幻想的なものを結合し、真正な猫でありながら人間の幻想の投影ともなる。それから、その都度単一である他者の主張によって起こる人間の言語の変容がある。ここで変容は、何度かの反復、翻訳、造語を通じてほとんど気づかれないうちに起こるが、こうした作用はまさに言語の変容可能性を指し示している。言語の変容可能性とは、この場合、言語とは何かについてのわれわれの知の基盤を問い直す、文学の可能態（ポテンシャリティ）であることがあらわになる。コレットと谷崎は、いかにして猫の発話が人間の発話に専有されないままに人間の言語のなかに導入されうるかを、小説を通じて描き出している。すなわち、二人の作家が実演したのは、猫の発話がいかに差異を保持しつつも人間に自らの境界を超えさせることができるのか、そして文学の可能態を通して人間に自らの境界を規定するものとの出会いを探求させうるかであった。また、それと同時に二人の作品は、猫の発話が人間に自らを変化させ、人間の境界を変化させうる様をも示している。

本論で言及したすべての文学作品が示しているのは、「猫」の言語に例示される「他者」の言語を考慮しようとする十八世紀末以来の文献学の企図の文学的発露は、この企図自体を様々な仕方で再編成する（remodelling）ものとして見ることができる、ということである。つまり、こうした文学作品は、「他者」、「動物」、「猫」などが言語を持っているのかという問いに対して、特定の答えを想定すべきではないというだけではなく、言語とは何かについてもいかなる確信も前提とすべきではない、ということを示唆しているのである。存在するのは、外に向けた運動としての実験（experiment）のみである。この実験は、人間の言語自体の境界と、現在から未来にかけていまだ「文献学」と呼ばれるであろうものの境界を変質させていく。

研究者が近代文学のこうした点のすべてを世界文学の一つの現象として見なしてはじめて、このことは見て取れるようになる。ここで論じた作品の諸相は、それぞれのＤＮＡや遺伝子の一部であり、特定の文学的伝統とつながっている。それぞれの伝統は、日本、フランス、ドイツ、ロシア、その他の文化によってもちろん異なっているだろう。しかしながら、世界文学の「エピジェネティクスの指標パターン」こそが、こうした「遺伝子」の特定の表現を生み出すのであり、だからこそ私は、コレットと谷崎潤一郎、ボードレールとリルケと朔太郎、エミール・ゾラと夏目漱石を関連づけることができたのだ。ここに築いた理論的モデルにおいて、こうした作家たちは潜在的には互いにつながっており、どんな特定の作品をも超越した何か、文学が持つ変革の力、文学を文学たらしめるその可能態を示していることが明らかになる。

（1）もちろん文献学それ自体はもっと古く、ヘレニズム期のアレクサンドリアまでさかのぼることができる。文献学の歴史に関する最近の概説については、James Turner, *Philology: The Forgotten Origins of the Modern Humanities*, Princeton: Princeton University Press, 2014 を参照。

（2）最後の主張のもっとも典型的なものは、むろんルソー自身の主張である。彼は言語と動物の関係について次のように書いている。「さらに、一般的な観念が精神の中に招き入れられるにはどうしても語の助けが必要であり、知性が一般的な観念を把握するにはどうしても命題を介する必要がある。まさにこのために、動物たちは一般的な観念を形成する能力をもたないのであり、この観念なしには成立しない完成に向けて自己を改善する能力を決して獲得できないのである。」Jean-Jacques Rousseau, DISCOURS SUR L'ORIGINE ET LES FONDEMENS DE L'INÉGALITÉ PARMI LES HOMMES, in Collection complète des oeuvres, Genève, 1780–1789, vol. 1, in-4.,（édition en ligne www.rousseauonline.ch, version du 7 octobre 2012）, p. 68.〔ジャン＝ジャック・ルソー『人間不平等起源論』（坂倉裕治訳、講談社学術文庫、二〇一六年）、七二頁〕。J. G. Herder, *Abhandlung über den Ursprung der Sprache*（1772）, Stuttgart: Philipp Reclam, 1997.〔ヨハン・ゴットフリート・ヘルダー『言語起源論』（宮谷尚実訳、講談社学術文庫、二〇一七年）も参照のこと〕。

（3）Jacques Derrida, *L'Animal que donc je suis*, Paris : Galilée, 2006.〔ジャック・デリダ『動物を追う、ゆえに私は（動物で）ある』（鵜飼哲訳、筑摩書房、二〇一四年）を参照〕。

（4）David McFarland, ed., *Oxford Companion to Animal Behaviour*, Oxford: Oxford University Press, 1982, p. 332.〔デイヴィッド・マクファーランド編『オックスフォード動物行動学事典』（木村武二監訳、どうぶつ社、一九九三年）、二四四頁〕。Fernand

Méry, *Les bêtes aussi ont leurs langages*, Paris : Pocket, 1976. も参照のこと。

（5） E. T. A. Hoffmann, *Lebensansichten des Katers Murr*, Hamburg: Alfred Janssen, 1912, S. 14.〔『ホフマン全集7　牡猫ムルの人生観』（深田甫訳、創土社、一九七二年）、二三―二四頁〕。

（6） Erich Auerbach, "Philology and *Weltliteratur*," trans. by Maire and Edward Said, *The Centennial Review*, Vol. 13, No. 1 (Winter 1969), p. 14.〔エーリヒ・アウエルバッハ『世界文学の文献学』（高木昌史・岡部仁・松田治訳、みすず書房、一九九八年）、四一四頁〕。

（7） 同前、四一五―四一六頁。

（8） 同前、四一五頁。

（9） Franco Moretti, *Distant Reading*, London, New York: Verso, 2013, p. 53.〔フランコ・モレッティ『遠読』（秋草俊一郎・今井亮一・落合一樹・高橋知之訳、みすず書房、二〇一六年）、八六頁〕。私がこの引用を引いた同じ箇所で、モレッティがアウエルバッハにふれていることは興味深い。しかし私の知るかぎり、モレッティはアウエルバッハの「適切な糸口」の方法論に言及してはいない。

（10） ベルンド・マーとマティアス・エードベアーにならい、あらゆるモデルは――理論的であれ何であれ――何かのモデルであり、そして何かのためのモデルであることを私は認めている。Bernd Mahr, "On the Epistemology of Models," In: *Rethinking Epistemology*, ed. Günter Abel, James Conant, Berlin, New York: Walter de Gruyter, 2011, pp. 249–300 および Robert Matthias Erdbeer, "Poetik der Modelle," *Textpraxis*, 11/ 2015, S. 1–35. を参照のこと。

（11） Franz K. Stanzel, *Theorie des Erzählens*, Vandenhoeck & Ruprecht: Göttingen, 1979.〔フランツ・シュタンツェル『物語の構造――「語り」の理論とテクスト分析』（前田彰一訳、岩波書店、一九八九年）〕。

（12） Gérard Genette, *Figures III*, Paris: Seuil, 1972, pp. 207–208.〔ジェラール・ジュネット『物語のディスクール――方法論の試み』（花輪光・和泉涼一訳、書肆風の薔薇、一九八七年）、二二一―二二三頁〕を参照。

（13） Charles Baudelaire, *Les Fleurs du Mal*, Moscou: Editions du Progres, 1972, pp. 60, 86–87, 111.〔『ボードレール全詩集1　悪の華／漂着物／新・悪の華』（阿部良雄訳、ちくま文庫、一九九八年）、九三―九四、一二四―一二七、一五八―一五九頁〕を参照。

（14） Edgar Allen Poe, "The Black Cat," *The Complete Tales and Poems of Edgar Allan Poe*, London: Penguin Books, 1982, pp. 223–230.〔ポー『黒猫／モルグ街の殺人』（小川高義訳、光文社古典新訳文庫、二〇〇六年）、九―二六頁〕。視点が内的でもあり（なぜなら物語は登場人物の一人の視点から語られているから）、同時に外的でもある（猫に関するかぎり）、というここでの問題は、ジュネットの用語で十分に説明することができる。ジュネットによれば、内的焦点化（ポーの物語におけるそれのような）は、他の人物に対する外的視点として見ることができ、また逆の見方をすることもできる。「ある作中人物については外的焦点化がなされているとしても、別の作中人物についてはそれをそのまま内的焦点化として定義しうることも、時にはある」（Gérard Genette, *Figures III*, Paris: Seuil, 1972, p. 208.）〔ジェラール・ジュネット『物語のディスクール――方法論の試み』、二二四頁〕。

（15）Rainer Maria Rilke, "Schwarze Katze," *Selected Poems with Parallel German Text*, Oxford: Oxford University Press, 2011, p. 92.〔「黒猫」『リルケ詩集』（高安国世訳、岩波文庫、二〇一〇年）、八八―八九頁〕。

（16）Rilke, "Die Fensterrose," op.cit., pp. 60-62.〔『リルケ詩集』、六四―六五頁〕。

（17）Ludwig Tieck, *Der Gestiefelte Kater*, Stuttgart: Reclam, 1990.〔ティーク『長靴をはいた猫』（大畑末吉訳、岩波文庫、一九八三年）〕。最初の版は一七九七年、改訂版は一八一一年に出版されている。

（18）Hippolyte Taine, *Vie et opinions philosophiques d'un chat*, Paris: Hachette, 1858. 次のURLで参照可能。http://www.textesrares.com/philo/tainchat.htm,（visited on 17.08.2015）.

（19）Александр Пушкин, *Руслан и Людмила*, Тула: Родничок, 2012.〔『プーシキン全集1　抒情詩・物語詩 I』（川端香男里訳、河出書房新社、一九七三年）、三四七―五〇七頁〕。詩は一八二〇年に書かれている。次のURLでも参照可能。http://rvb.ru/pushkin/01text/02poems/01poems/0784.htm

（20）Emile Zola, *Nouveax contes à Ninon*, Paris: G. Charpentier, 1874.〔「猫たちの天国」『ゾラ・セレクション1　初期名作集』（宮下志朗編訳、藤原書店、二〇〇四年）、三三二―三四二頁〕。

（21）夏目漱石『吾輩は猫である』（角川文庫、一九七二年）。作品は当初、一九〇五年から一九〇六年にかけて『ホトトギス』に掲載された。

（22）ティークによるヒンツェは、ホフマンがムルを創出するにあたって直接の影響をおよぼしている可能性が高い（David Charlton の *E. T. A. Hoffmann's Musical Writings*, ed. by David Charlton, Cambridge: Cambridge University Press, 1989, p. 70における解説を参照）。批評家たちはすでに、ホフマンのムルと漱石の主人公猫との関係を指摘している（数あるなかでも、吉田六郎『「吾輩は猫である」論』（勁草書房、一九六八年）を参照）。

（23）Sarah Kofman, *Autobiogriffures*（*du chat Murr d'Hoffmann*）, Paris: Galilée, 1984（1976）, p. 31.

（24）Михаил Булгаков, *Мастер и Маргарита*, Москва: Астрель, 2011, p. 326.〔ミハイル・ブルガーコフ『巨匠とマルガリータ　下』（水野忠夫訳、岩波文庫、二〇一五年）、一六一頁〕。小説は一九二八年と一九四〇年の間に書かれ、ようやく一九六六年になってブルガーコフの死後出版された。
(25) Baudelaire, "Les Chats," *Les Fleurs du Mal*, op. cit., p. 111.〔『ボードレール全詩集1　悪の華／漂着物／新・悪の華』、一五八頁〕。
(26) Jorge Luis Borges, *Obras completas 1923–1972*, Buenos Aires: Emece Editores, 1974, p. 1135.〔『ボルヘス詩集』（鼓直訳編、思潮社、一九九八年）、八七頁〕。
(27) Baudelaire, "Le Chat," op. cit., p. 86.〔『ボードレール全詩集1　悪の華／漂着物／新・悪の華』、二六頁〕。
(28) Emil Zola, *Thérèse Raquin*, ch. 7, BeQ: Quebec, 2015.〔エミール・ゾラ『テレーズ・ラカン　上』第七章（小林正訳、岩波文庫、一九六六年）〕。作品は最初、一八六七年に出版された。
(29) 例えば、『萩原朔太郎全集　第一巻』（新潮社、一九五九年）所収の「青猫」（九七―九八頁）、「石竹と青猫」（一八七―一八八頁）、「猫の死骸」（二四九―二五〇頁）などを参照。
(30) Zola, *Thérèse Raquin*, op. cit., pp. 258–259.〔エミール・ゾラ『テレーズ・ラカン下』、二七―二八頁〕。
(31) 『萩原朔太郎全集　第一巻』、九八頁。
(32) 夏目漱石『硝子戸の中』（新潮文庫、一九八七年）、第二八章、七〇―七二頁。
(33) 同前、七二頁。
(34) Lewis Carroll, *Through the Looking Glass*, Puffin Books, 1976 (1872), p. 344.〔ルイス・キャロル『鏡の国のアリス』（新潮文庫、一九九四年）、一九六―一九七頁〕。
(35) Jacques Derrida, *L'Animal que donc je suis*, Paris: Galilée, 2006, pp. 24–25.〔ジャック・デリダ『動物を追う、ゆえに私は（動物で）ある』、二六頁〕を参照。
(36) 夏目漱石「永日小品」『文鳥・夢十夜』（新潮文庫、一九九〇年）、七七―八〇頁。この作品は『吾輩は猫である』の三年後、一九〇九年に書かれている。
(37) 同前、七九頁。
(38) Colette, *Sido suivi de Les Vrilles de la vigne*, Paris: Fayard, 1973 (1930).〔コレット「シド」『コレット著作集7』（山崎剛太郎訳、二見書房、一九七〇年）〕。Frédéric Vitoux, *Dictionnaire amoureux des Chats*, Paris : Plon, 2008. も参照のこと。
(39) 谷崎潤一郎「猫――マイペット」『谷崎潤一郎全集』第二三巻（中央公論社、一九八三年）、一二八頁を参照。谷崎終平「回想の兄・潤一郎」『谷崎潤一郎全集』第一〇巻、付録月報一〇（中央公論社、一九六七年）も参照のこと。
(40) 例えば、富田仁「コレット・牝猫」『国文学』第二七巻一二号、一九八二年九月、一二一頁を参照。
(41) 「『猫の家』を訪ねて――谷崎潤一郎氏の猫の趣味談を聴く」『大阪朝日新聞』一九二六年（大正十五年）一一月二三日、

また、千葉俊二「谷崎潤一郎——猫の家」『国文学』第二七巻一二号、一九八二年九月、八九—九〇頁を参照。
(42) コレット「動物の対話」『コレット著作集8』(榊原晃三訳、二見書房、一九七一年)。
(43) コレット「動物の平和」『コレット著作集8』(山崎剛太郎訳、二見書房、一九七一年)。
(44) Colette, *Chats*, Paris: Albin Michel, 1950.
(45) Carl Van Vechten, *The Tiger in the House*, New York: Bonanza Books, 1936 (1920), p. 183.
(46) 谷崎潤一郎「ドリス」『谷崎潤一郎全集』第一一巻(中央公論社、一九八二年)、四五—七〇頁。
(47) 谷崎潤一郎「ねこ」『谷崎潤一郎全集』第二三巻(中央公論社、一九八三年)、一一六—一一八頁。
(48) 谷崎潤一郎「猫——マイペット」『谷崎潤一郎全集』第二三巻(中央公論社、一九八三年)、一二八—一三〇頁。
(49) 谷崎潤一郎「客ぎらひ」『谷崎潤一郎全集』第二一巻(中央公論社、一九八三年)、三五九—三七〇頁。
(50) 谷崎潤一郎「當世鹿もどき」『谷崎潤一郎全集』第一八巻(中央公論社、一九八二年)、三四三—四九四頁。
(51) 例えば、有馬頼義ほか『猫』(中央公論社、一九五五年)、青木玉・常盤新平・夏目房之介『作家の猫』(平凡社、二〇〇六年)、クラフト・エヴィング商会編『猫』(中央公論新社、二〇〇九年)、彩図社文芸部編『文豪たちが書いた「猫」の名作短編集』(彩図社、二〇一七年)など。
(52) 例えば、谷崎潤一郎「客ぎらひ」『谷崎潤一郎全集』第二一巻(中央公論社、一九八三年)、三五九—三六一頁、Gérard Bonal, *Colette*, Paris: editions Perrin, 2014 などを参照。コレット『牝猫』の邦訳の解説において工藤庸子は、人間ではなく大きな牡猫と結婚したいというコレットのコメントを引用している(シドニー＝ガブリエル・コレット『牝猫』(工藤庸子訳、岩波文庫、一九八八年)の「解説」を参照)。
(53) Van Vechten, *The Tiger in the House*, op. cit., p. 183.
(54) 言及しておかねばならないが、文学を扱うかぎり寓話的読解は重要であり、かつ不可避でもある。ここで私は、あらゆる寓話に抗する純粋な猫「そのもの」の文字通りの表象を提起しているのではない。私が究明しようとしているのは、人間がその都度唯一で取り替えのきかない他者と出会うに際し、文学が寓話を通じていかにその手助けとなるか、ということである。
(55) Colette, *La Chatte*, Paris: Hachette, 2009〔シドニー＝ガブリエル・コレット『牝猫』(工藤庸子訳、岩波文庫、一九八八年)〕、谷崎潤一郎『猫と庄造と二人のおんな』(新潮文庫、二〇一二年)。
(56) 私は本論で、二つの小説を比較的な視点で読解する。しかしながら、コレットと谷崎のより徹底的な比較分析をするならば、猫の主題や具体的な猫小説以外の多くの事柄を考慮しなければならないだろう。そうした分析は、愛とセクシュアリティの問題、両作家における巧みな社会批判、自由という問題を二人がどのように扱ったか、二人の文学スタイルの採用、等々を説明するものでなければならない。これは本論の論題の範疇を超えているので、そうした分析はここでは行わない。

(57) 容易に見て取れることだが、事態はもっと複雑であり、実のところ四つもの三角関係がある。すでにふれた二つの三角関係の他に、庄造と二人の妻の三角関係があり、(品子が、庄造が猫を譲るよう福子に説得させ、リリーが庄造の代わりに品子になついた後には)品子・庄造・リリーの三角関係がある。表面上、これは最初の三角関係の反復であるが、人物の立場が再配置されている。

(58) 「若菜」巻における柏木と女三の宮の物語(紫式部『源氏物語4』新編日本古典文学全集23、小学館、一九九六年)を参照。とりわけこの物語における猫の役割、および日本古典文学全般における猫については、田中貴子『猫の古典文学誌』(講談社学術文庫、二〇一四年)を参照。

(59) 河合隼雄『猫だましい』(新潮文庫、二〇〇八年)、二四六―二四七頁を参照。私の知るかぎり、河合隼雄はこの二つの小説の類似を分析した数少ない人物の一人である。河合によれば、アランと庄造はともに母親から引き離されておらず、「マザー・コンプレックス」を抱えている。ここで「一般化された」と言ったのは、河合が――ユング派特有の仕方で――母親的なものを一般化し、土や身体といったものを含めようとするきらいがあるからだ。例えば、アランがビルの十階で結婚生活を始めるとき、これは母親からの別離としても解釈される。河合の主な主張は、猫は主人公のたましいのあらわれであり、心と身体を融合させる働きをする、というものだ。

こういった猫の読み解き方は、猫を何か人間的なものへと還元することで、猫を抹消してしまう様式の一つとして容易に解釈できてしまう。私が考えるところでは、コレットと谷崎の小説にはもっと多くのものがある。

(60) Colette, *La Chatte*, op. cit., p. 162-163.〔コレット『牝猫』、一四四―一四五頁〕。

(61) Ibid., p. 163.〔同前、一四五頁〕。

(62) 谷崎『猫と庄造と二人のおんな』、一四六頁を参照。

(63) Colette, *La Chatte*, op. cit., p. 171-172.〔コレット『牝猫』、一五七頁〕。強調テネフ。

(64) 谷崎『猫と庄造と二人のおんな』、九―一〇頁。

(65) Colette, *La Chatte*, op. cit., pp. 52, 58, 59, 60, 67, 68, 70, 73.〔コレット『牝猫』、一一、一九、二〇、二二、二九、三二、三三、三六、三七頁〕。

(66) Ibid., p. 180.〔訳注――工藤庸子訳では「あれがおまえの見はてぬ夢なんだわ」(一六八頁)と意訳されている〕。

(67) キメラ、および動物にまつわる言説におけるキメラの位置については、Jacques Derrida, *L'Animal que donc je suis*, op. cit., pp.

43, 65–66, 70–71.〔デリダ『動物を追う、ゆえに私は（動物で）ある』、五二、八一―八二、八七―八九頁〕を参照。

（68）Colette, *La Chatte*, op. cit., pp. 65, 95.〔コレット『牝猫』、二七、六三頁〕。

（69）Ibid., p. 65.〔同前、二七頁〕。

（70）Ibid., pp. 56–57.〔同前、一七頁〕。「ムゥルーィン」は、アランがカミーユに説明するのとは違った意味で用いられている。p. 52〔一一頁〕を参照のこと。

（71）谷崎『猫と庄造と二人のおんな』、五四頁。

（72）Colette, *La Chatte*, op. cit., pp. 52, 56–57, 65, 66, 95, 130, 141–142.〔コレット『牝猫』、一一、一七、二七、二八、一〇五、一二〇頁〕を参照。

（73）Ibid., p. 52.〔同前、一一頁〕。

（74）谷崎『猫と庄造と二人のおんな』、八六―八七頁。

第三章　フランツ・カフカの「変身」と宇野浩二「夢見る部屋」というモダニストの部屋

スティーブン・ドッド
（訳＝田中・アトキンス・緑）

はじめに

第一部第三章では、十九世紀後半にモダニストという言葉を最初に造ったニカラグアから日本へ発信されたモダニスト理論の動きについて論じた。本章では、文学テキストを通して精読、先の理論考察より、むしろ実践的文章分析を行う。理論と実践は、あたかも二つの分離した演題として論じられがちだが、実際問題として、どの理論も特定のテキストにのみ応用、試考される。逆に、いかなる精読も、〝ありのままに〟テキストを読んでいるというその読者の主張にもかかわらず、一つの決まった理論と寄り添い、偏ったものなのである。

つまり、文学を理解しようという試みには全て、理論と実践とが混合して関わっている。こういった理由のため、本章の〝実践的な〟精読でさえ、テキストを理解するために理論的枠組みが必要とされる。そしてここでは、フランツ・カフカの「変身」（一九一二年）と、宇野浩二による「夢見る部屋」（一九二二年）を考察し、テキスト中の空間構成が、如何にそれぞれのテキストの言わんとすることの鍵となっているのかという点に特に注意を向けたい。と同時に、両作品はモダニスト的実験作品としての可能性を持つことに考慮すべきであるという理由から、作品に現れる部屋の輪郭を構築するにあたり、どのようにモダニストの視点が影響を与えているかという点も考察したい。

まずは、空間を中心とした理論がどのようにテキスト読解に役立つのかを検討するために、フランスの理論家、ガストン・バシュラールの一般論考から始める。

一　ガストン・バシュラール——空間読解と文学的想像

バシュラールの著書、『空間のポエティーク』（一九五八年）は、空間という視点からのテキスト考察を試みるにあたり、重要な洞察を提供する。バシュラールは科学哲学研究をパリのソルボンヌ大学で始めたが、その後、道理と科学という研究から、文学的想像、詩と美学へ興味を変えていったということを知っておくべきであろう。この一分野から別の分野への変更は矛盾したものだと考えられるかもしれない。加えて、作家の潜在的、心理的衝動を組織的かつ正確に分析しようとする試みと研究法は、科学的で事実を基にしたものであるとも言えるであろう。と同時に、バシュラールは明らかに純理論的アプローチを抑え、代わりに自由な想像力を許容することによって深淵な評論分析をとり行おうとしている。その結果、彼の文章の趣きは事実的基盤と想像的形式が交錯したものだと言えるであろう。つまり、バシュラールは詩に内意を受けた理性的なディスクールを提議しているのである。

この明らかな矛盾にもかかわらず、その根底にある論理はバシュラールの別の批評方法へ繋がれていると言えるであろう。つまり、彼はテキストの真髄に在る曖昧さをできる限り具体的に強調するために、わざわざ詩的に曖昧な文体で筆を進めているのである。この意味で、バシュラールの著書がジュリア・クリステヴァやエレーヌ・シクスー達理論家の心理分析的評論法と並行したものであると言ってもおそらく驚くにはあたらない。その上、どの心理分析的アプローチも、人間の無意識の深層は「夢」言語によって間接的にのみ解読されると論じたジクムンド・フロイトと根本的に通じている。バシュラールは、「トポ分析」（我々の私的な生活の場に関する組織的心理学的研究）と言う名の一種の批評読解形式においてテキストに同様の夢言語を博することで、フロイトのアプローチと呼応している（『空間のポエティーク』、英訳、八頁）。

バシュラールのテキストにおける空間表象についての興味にあたっては、西洋の批評と思想の分野において、空間と時間の関係に関する理解が二十世紀にどれほどの変化を経たかということを考慮すると、さらに理解しやすいのではないだろうか。十九世紀以降、西欧の批評家達は、変化を可能にする主要作因は時間であるとしており、その反対に、空間は受け身で動きの無い役割、つまり、主要力である歴史の舞台としての場所という役割を与えられてきた。この時空の役割についての見方では、確かに時間（つまり歴史）は社会的政治的要因が進歩するにあたっての中枢プロセスであるとしてヘーゲル、マルキシストに受け入れられたとしている。

この時間と空間の関係に関して、社会学者エドワード・ソジャは興味深い見解を示している。ソジャは、バシュラールの三十年後に執筆しているのだが、社会変化の作因であり時間や歴史の力と同等の意義を持つものとしての空間の役割を、もっと真剣に受け取るべき理由を有効的に提案した。

ソジャの著書『ポストモダンの地理』（一九八九年）は、地理学は明らかに非政治的で、単純に「事実」の研究であるという既存の学問的地位に挑戦し、より幅広い社会政治的内容に、より緊密に関係づけることで、特にアメリカで、一九八〇年後半に地理学を再活性化することを目的とした。これは、「純粋の地理学」（地図、山、川の名称等に集中したもの）からいわゆる「人間地理学」（人類の歴史と場所との関連性の関連性）へのシフトと言えるかもしれない。ソジャは、過去百年、西洋のマルキシズムと社会科学の書物において、時間（歴史）は特権的に扱われてきたと論じ、その扱いの正当性を認めた。というのは、結局のところ、歴史が先導した革命的変遷という概念は、人は時間を通して進取的変遷を果たすことができるという可能性を提示しているのである。しかし、二十世紀中期以降までに、推進力としての時間という概念は危機に瀕した。保守派ポストモダン文化評論家たちは、歴史は「死」に至り、今や何事も無意義であると提案した。この動きは、フランシス・フクヤマの著名な『歴史の終わり』（一九九二年）を思い起こさせるであろう。左翼側においては、社会主義が実存主義的危機に面していた一九八〇年後半には、マルキストの中枢的作因である歴史への依存はもはや効果的でなくなったように見えた。こういった広い意味合いで、ソジャは、もう一つの解明を可能にする手段として空間に重点を置いていると理解すべきである。

バシュラールのトポ分析的アプローチはフロイトの強い影響を受けている。文学の中の空間形成は「圧縮された時間」（八頁）として理解されるべきであるというバシュラールの論は、いくつもの夢思考は加工され、はっきりとした夢の一つの要素に融合されると仮定する、夢分析におけるフロイトの圧縮理論に共鳴したものである。例えば、バシュラールは文学作品中の家の描写は作者の思考、記憶のシンボルであるとし、特に地下室に関しては、家の中の物理的に暗い場所であるだけでなく、暗黒の圧屈された思考の隠喩的場所を表象するとみている。それに対し、テキストの中に現れる明るい天井裏の空間は、物理的な明るさや、希望に満ちた夢や軽やかな空想をしばし喚起させるとしている。しかしながら、悪夢、あるいはもっと陽性の夢であるかはさておき、このフランス人の批評家は、家とは保護空間である、つまり、家とは、「白昼夢を保護し、夢見る人を守り、平和に夢見ることを許す」ものとして定義しているのである（八頁）。つまり、皮相的空間と内面の夢は別個の存在であると受け取られるべきではなく、同じプロセスの中の二つの別個の要素であり、これらの夢の両側を一緒にすることによって初めてその世界の意味を理解できうるとしているのである。

このように、トポ分析法は文章精読に非常に効果的であるとはいうものの、間違いなく問題も抱えている。結局のところ、バシュラールは、どの読者も類似した予想を持ってテキスト内の空間構造に感応すると仮定しているようである。しかし、個人反応は、同一文化の内でさえ、その階級、人種、性別の違いによって様々であろうし、さらに広い意味で、どの文化も物を同じように見るのではない。例を挙げると、暗い地下室と屋根裏部屋という観念は、西洋の架空風景の中では馴染みのあるトポスであろうが、実際、全ての文化がこういった空間に現実的に慣れ親しんでいるのではない。結局のところ、異文化は、それぞれ異種の住空間を作り出してきたのであるのだから。

この種の文化的断絶の一例として、内側・外側空間を組成するものに関する日本の伝統的な理解が挙げられる。西洋の伝統では、レンガで作られた厚い壁は内側の部屋と外の庭とのかなり明確な異質性を示す。しかし、夏、引き戸を開け放った伝統的な日本の縁側から見た場合、屋内側と屋外のはっきりした違いはなくなる。この場合、見る者は家の中の部屋と庭を両方同時に視覚することができ、その結果、二つの場所を簡単に別個化することは難しい。つまり、西洋の見方と比べ、日本の視点では、内空間と外空間の始点と終点は、大まかで曖昧なのである。

勿論、同様の訓告を全ての文化に適応させるのは可能であろうが、ここでは、カフカの「変身」の中の西洋の部屋と、宇野の「夢見る部屋」の日本の部屋に表象される各々一空間の様子を比較し、対比させることに意義があるように思われる。しかしながら、これらの部屋がモダニスト理論によって形作られていることも忘れてはならない。そこで、次にモダニスト感性と都市空間との繫がりについての理解に影響を及ぼしたゲオルグ・ジンメルの著名なエッセイに言及したい。

二　ゲオルグ・ジンメル――モダニズムと都市空間

ゲオルグ・ジンメルの影響力の高いエッセイ「都市と精神生活」（The Metropolis and Mental Life、一九〇三年）が執筆されてから百年以上になるが、このエッセイは未だに討論の刺激になる。というのも、主に現代のディスクールに影響を及ぼす都市のモダニストの視点――つまり、市を変化と可能性によって特徴付け、固定した地域的なものとしてではなく、プロセスとして見据える視点――を整然と論じているからである。ジンメルは、近代生活の最も根深い問題は、「社会主権権力に対し個人の存在の独立性と個人性を維持し」ようとする個人の試みから生まれるとしている(Simmel, G. "The Metropolis and Mental Life," In On Individuality and Social Forms (1903), pp. 324-339. Chicago, University of Chicago Press, 1971, p 324. 日本語訳田中・アトキンス・緑)。さらにジンメルは、大都市生活は、小さい町や田舎の穏やかに流れる生活のリズムと正反対の、視覚経験の過激化とイメージとの遭遇や暴力的な刺激によって成り立っていると論じており、大都市型の人間は、合理的、無感情的に周辺の人々と対応することによって日常生活に突発的に発生する障害物から自己防御する、と定義している。

ジンメルは、理知主義者の態度は支配的通貨経済と親密に関連しており、それは益々、即物的で打算的な態度を呼ぶ。特に通貨は、その数値価値のみでモノの相違評価をするという性質のゆえ、モノの独自性を無価値にするという。そういった環境は、個人的経験のレベルで無関心でよそよそしい態度を生むものの、大都市圏外では知られない幾分かの個人的自由を可能にする結果、高い稠密な大都市の群衆の孤立感や寂寞感を刺激する。とかく、そういった自由は必ずしも肯定的価値経験とされるものではないのである。

しかし、ジンメルのエッセイの素晴らしいところは、全一個人を都市の一員として認識するだけでなく、彼らの極限に勝る精神的活力を持ち合わせるものとして、都市を説明していることである。この概念は、個人の主観的経験と都市生活の外面が客観化された現象とを同レベルで考えることに由来する問題に関わる緊張感を仄めかす。つまり、ジンメルは、近代の大都市経験を、数知れない人々、物、欲望と空想の全く新しい相互作用的形態から生まれた新しい現象であるとして論じる。

基本的に、ジンメルはモダニストの現実認識について、こういった都市生活内の隔離、断絶された近代の経験をなす数々の断片を全て把握しようとする試みによって明言している。さらに、彼は文学研究者というよりもむしろ社会学者として知られているが、詩人シャルル・ボードレールの近代に対する強い審美的意識と共鳴しており、その研究手法においては、純粋に科学的な視点だけでなく、芸術的、文学的反応も許容している。実際、ジンメルにとって、モダニティが一番はっきりとその素質を表すのは、芸術的創造性においてである。こういったことを考慮すれば、科学的、芸術的アプローチを合わせもった法で解明しているという点で、ジンメルとバシュラールにある種の類似点があることは明白であろう。

都市社会の中で個人は自立と個性を維持しようと試みるということについてのジンメルの論考は、自己と他者との差異、そして、人間の身体と都市環境とのさらに大きな違いについて大きな議論を啓発する。この点に関し、彼は、一体の肉体が占める単なる物理的空間以上の、個人が与える都市環境への影響という論法を用い、むしろ自己と他者の関わり合いは、より複雑なプロセスだと言う。

人（の存在）は、身体の物理的な境界や、肉体行動の当座という限られた地点内によって制限、束縛されるのではなく、むしろ時間的にも空間的にも、彼が齎す因果関係全てを包含している。同様に、市はその当座の領域を超越するのである（前掲書、三三五頁）。

つまり、個人と数々の都市環境現象との境は、一見するよりも、より大まかなものだというのである。

ここまで、個人と都市空間のモダニスト的関係について、ジンメルの一般的なコメントをまとめたが、彼の考えと人の部屋との関わり方をもっと限定して繋げることも可能である。では、最初に「変身」の例における、この関係について二、三、探査するとする。

三　フランツ・カフカの「変身」

「変身」の筋はよく知られる。グレゴール・ザムザという巡回販売員は、ある日目を醒まし、自分が醜い巨大な虫のようなものに変わっていたことを知る。彼の部屋を訪ねてきた人々は、最初彼の容貌を見て怯えるが、次第に新しい姿に慣れてくる。例えば、グレゴールの妹グレーテは同情し、彼に牛乳とパンを与えるのだが、虫に変貌してしまった彼は食べ物の好みも変わり、妹は腐りかけの残り物の食べ物に取り替える。グレゴールは何度か部屋から出ることも成し遂げるのだが、彼の姿は見る人々を不快にし、グレゴールは部屋にスゴスゴと慌てて戻ることを強いられるのである。やがてグレーテの同情心さえも薄くなり、家族の将来の生活維持について心配し始め、彼女は、グレゴールを除去しなければ家族皆は破滅する、と両親に伝える。人間が化けた虫は、自分が家族に負わせた負の衝撃を次第に理解するようになり、最後に自分の部屋へ退去し、そこで死ぬ。

この作品の意義については、あらゆる角度から解釈を目的とした数知れぬ重要な研究がすでに発表されているが、ここでは部屋の空間的特徴の重要さに関する点について述べたいと思う。

「カフカ的」という言葉は、個人が慣れ親しんだ考えや行動習慣が困惑し、絶望的な世界に住むという感覚を意味する。その主例としての「変身」では、部屋は牢屋、絶望的な場所であり、グレゴールの部屋は究極的には読者が不可解で我慢しがたい現実への直面を強いられる場所として表象されている。

一方、部屋は、私たちの住む世界の特質が明示、形成される場所としても理解されうるだろう。例えば、この部屋の中でグレゴールは目を覚ました時に自分の身体が見知らぬ虫に変わっているのを発見し、そして話が進むにつれ慣れていき、驚くことに、新しい身体を受け入れるようになる。別の言い方をすれば、部屋はグレゴールの身体と心の変身という過程が通過した場所である。さらに、部屋はグレゴールだけでなく、何が普通であり、許容できるものなのかということに関して、他の登場人物も新しい理解に到達するという機会をも与えるのである。

ここでの部屋は、グレゴールの妹、両親、貸し部屋の住人や彼の事務所のマネージャーといった様々の人々に検証される標本のように虫を入れておく、ほぼ実験用のガラス瓶だとも考えられるかもしれない。と同時に、部屋は避難と防御の場所としても作動する。グレゴールは、アパート内の他の場所へ出かけて行くと人々は自分の醜い外見を見て気分を害する、という理由で自分の部屋へ撤退することを強いられる。虫であるグレゴールは、ヤドカリが自分の選んだ防御殻に安全を求めるように自身の保護空間に戻るのであり、そういった意味で、部屋はグレゴール自身の延長部分、虫という新しいアイデンティティを囲み、庇う、一種の骨組みの建物となるのである。

カフカは、興味深く、新しく、そしてダイナミックな時空間の相互対話的関係が生まれる空間として、部屋を表現している。例えば、グレゴールの妹は兄が虫になり、床や壁を這い回るスペースが必要になったと知るやいなや、部屋からほとんどの家具を取り除く。というのも、肉体の変化を経験するなり、グレゴールは虫のように部屋の中を忙しく動き回ることで主に時間を費やすことになるからである。しかし、動きというのは、一般に一つの地点から別の地点への意図的なシフトを意味するものだが、この場合、グレゴールの終わりなく狂気的な動きは、方向性の無さの意味を含む。つまり、ぐるぐると回ることに異常なほどの時間を費やしていても、その方向性の無い動きは、目的地に向かって行くというよりも、むしろ、終わりの無い迷路の中に迷い込んだというイメージを思い起こさせる。そういった焦点の無い動きは、空間と時間の断絶を意味している。

このように、グレゴールが部屋へ戻り広い世界から遮断されるという状況は、ジンメルがモダニストの大都市経験として指摘した、孤立と疎外というテーマとも呼応している。特にグレゴールの肉体的変化は、彼の家族にとって、異質、相容れない生物、人間性の排除を意味する。もはや人間の口を持たない彼は、結果、簡単に意思伝達もできず、他の人間達からさらに孤立する。いつも彼を価値ある家族の一員としていたのは勤勉な勤労者である彼の経済的な貢献であったのであり、その唯一の理由で家族は彼を慇懃に扱い、アパートの中心にある大きな部屋を与えたのであった。しかし家計に貢献できなくなるや、彼は家族の重荷となり、家族は彼を排除したくなる。この例は、優占的通貨経済は、人間の感情の残骸を益々事実中心で計算深い考え方と取り替えるというジンメルの主張を支えるように思える。

次に日本のモダニストという文脈で、宇野浩二の「夢見る部屋」という作品を通じて、部屋の意義を考えてみたい。

四　宇野浩二の「夢見る部屋」

「夢見る部屋」は、いささか複雑な筋書きとなっているが、簡略化して述べると、主人公は一九二〇年初期東京に住む、宇野自身とよく似た作家となっており、非常に冗漫な叙述体で、世間から離れ孤立した娯楽の嗜好や都市環境に在る群衆を避ける主人公の強い内向的傾向を露呈している。彼は、少年時代に友達が幻燈を披露しあう会を楽しんでいる時も、家の押入れの中に隠れて幻燈で一人遊んでいたというほどである。社会的責任を負うべく成人した今となっては、東京の特徴の無い借家で同じ屋根の下に妻と母と同居しているが、内心未だにみすぼらしい下宿部屋を好み懐かしがっている。多くの意味で、宇野の主人公は大正文学に登場する、典型的な、孤立し内気な文学者だと言えよう。

主人公は、いつものように東京中心にある上野公園の近くを散歩しているある時、粗末な東臺館という四階建てのアパートを見つけ、実際、天窓のある最上階の部屋を借りてしまう程強く惹かれてしまう。二軒目の部屋を借りる動機は混同したものである。一つには、家をのべつ訪れてくる同業の作家達、雑誌記者や友達から逃れたいということ。

さらに個人的なレベルでは、愛人を呼び入れるのに安全な場所を探しているため、彼がこの新しい借部屋のことを家族から隠すと決めることは驚くべきではない。物語が進行するにつけ、彼は非常に大切にしている持ち物を家から新しい部屋へこっそりと持ち運び、これらのオブジェは、新しい空間内で一連の空想や、夢、欲望を掻き立てていく。物語は、主人公が夜、布団に横たわり、天窓から夜空の星を見上げるという恍惚とした瞬間に終わる。その瞬間、彼は部屋にある全ての所有物――物質としてのオブジェと共に彼の肉体的自己――が外側の空と一つに溶けてつくりあげる一体感覚を経験する。

近代の根本となっている流動的生活についての有名な説明で、マルクスはかつて、「個体のものは全て空気に溶ける」と言明した。宇野の「夢見る部屋」では、主人公が一番大切な所持品を家族の家から新しい部屋へ持ち出す様子が描写される際に、同様の非現実性を思い起こさせる。結局、これら全てのオブジェは、基本的に変化していくものであり、一旦新しい部屋へ場所を移すや、それらは別個のものを意味するようになるのである。例えば、作品の初め、山を深く崇拝する主人公は、家族のいる家の自室の壁全面に、日本アルプス、近江地方の伊吹山、伯耆地方にある大山から、ヨーロッパアルプスのユングフラウ、メンヒ、アイガーに至る山の写真を掛けていると説明している。これらの愛する山々を登れないという現実は、憧れる気持ちをなお一層深くするのみである。

彼の新しい部屋は幾分、主人公が私的な空想に耽る自由に満ちた場所として、家族の家にある自室の「離れ」版のようである。例を挙げると、新しい部屋の壁にはかつて家の自室にあったものと同じ写真を掛け、さらに一番のお気に入りの象徴派詩人「フェルナン・セベラン」の絵や、紛失した恋する女性の写真のネガも持ち込んでいる。彼が新しい部屋に設置するもう一つの大切なものは、写真引伸機であり、この機械を使い、ネガからブロマイド紙に彼女の写真印刷をするのである。

この機械については、主人公がこれらの写真と訣別すると決断する時点で彼のオブジェとの関係が大きく変化するという意味において、宇野は、新しい夢の部屋の中での流動的な現実を照らし出すべく、特別に用いていると言えるだろう。主人公は、写真の代わりに引伸機をスライド機のように使うことによって、そして、壁に直接、恋人と山のイメージを映し出すことによって、身の回りのオブジェとの関係の物理的変化を露呈している。ここで愛する山や恋人の写真は、すでに「現実の」モノから一旦離れ、複製されたものでありながら、（紙上の化学薬品としての）写真も、被写体の（山や、愛人といった）モノも、物理的世界においては、物理的存在を分かち合っていることを覚えておくべきであろう。

反対に、引伸機に幻燈のように映されたイメージは膨大な物質的変化を意味する。もはや、壁の表面上の一時的なイメージの存在は機械が出す光に完全に依存しなければならない、という現実が希薄に変形したものであり、その新しい希薄な現実は、実質のオブジェと同じように重要な意味を持つという事実によってさらに複雑化する。結果、話し手は映写されたイメージを眺め、それらのイメージと私的で親密な会話に耽ることで深い喜びを得、映写されたイメージは話し手との会話を交わすことが可能であるという意味で、物理的存在を有することを提示する。

これらの映写によって得る喜びと、夏の暑い日々、押入れの中で一人幻燈会を楽しんだという彼の孤独な子供時代には強い関連性があるが、双方の享楽は、ジンメルが近代の特徴として指摘した孤独と孤立とをも思い出させる。宇野は、主人公の記憶を通じて幻燈の悦びを思い起こす。

あたりの空氣は釜の中のやうに蒸し蒸しするし、機械のランプの火照りのために腹から胸にかけて次第に熱くなつてくるし、そんな目にあつて、私は身體ぢゆう汗びつしよりになりながら、それで、なんともいへぬ愉快さと、安心さと、さうして秘密な氣分とを樂しんだものであつた（二七七頁）。

この節で、宇野は喪失した一体感の瞬間をノスタルジックに想起させるため、主人公の孤独な子供時代の記憶を採用している。新しい夢見る部屋は、この経験を再現する新しい機会を与え、孤立した個人と彼を囲む世界の新しく肯定的な関係を作り上げるのである。

宇野がこの夢見る部屋で描くもう一つの特殊なモダニズムの特徴は、自己と外的世界とのハーモニーの消失感を再現する方法として審美的快楽を用いていることである。例を挙げると、主人公の官能的肉体の知覚が、子供時代に押入れの中で幻燈で遊んだ体験において核をなすのならば、肉体性と官能といった、同様の関連性は夢見る部屋でも大きく浮かびあがっている。というのも、かつて三味線を購入した主人公は、家族の邪魔にならないよう、遠慮し、家では練習しにくいと感じていたのだが、新しい部屋では好きなだけ、思う存分に自由に練習できると感じるのである。

それを鳴らしながら、時の立つのを忘れた形であつた。そんな風な夢の状態になると私の周圍の壁にかかつてゐる、歐洲アルプスの寫眞や額も、方方にピンで貼りつけてある、私の好きな諸國の山山の寫眞と繪も、さてはフエルナン・セベランの肖像も、數枚の私の戀女の肖像寫眞も、すべては、一つにとけて、私の氣もちは、何と形容の言葉もない、甘い味はひに溺れるのである（三〇四―三〇五頁）。

この場面は、性的絶頂感に近い、ある種の恍惚感を仄めかし、事実、押入れがもたらすプライバシーの中で幻燈に遊び耽る子供の快楽に繫がる自慰的満足感と同じものだと言えるかもしれない。さらに、そのエクスタシー的なものは、哲学者チャールズ・テイラーの言うところの審美的閃きはモダニスト経験の真髄である、という主張にも関連するのではないだろうか。

しかしながら、夢見る部屋は、さらに顕著な転向の瞬間を主人公にもたらすのである。というのも、彼のモダニスト経験の鍵は、部屋にある天窓にあるのである。この経験において、ジンメルが論じる、近代の街では個人はその肉体としての物理的身体のみに制限されるのではなく、「むしろ時間的にも空間的にも、彼が齎す因果関係全てを包含している」（三三五頁）という説を実証できると言えよう。

夢見る部屋の天井とビルの屋根との間の、天窓が設置されている隙間は次のように描写されている。

それは、屋根の天井の深さだけ、即ち一間ほど、四角な漏斗を倒間に置いた形で、上に到るほど細くなって、結局、尖端に一尺四方ばかりのガラスが嵌つてゐるのである（二九五頁）。

つまり、この天窓は、主人公にとって、無限なる世界の代替的幻影という可能性を持ち、別種の映写機を意味するのである。本章ではすでに、主人公がその部屋の中で三味線を弾くことが別の現実と相まる様子を指摘したが、さらに、彼は天窓を見ることによって、部屋の中に存在するいくつもの現実よりなお一層幅広い世界を経験するのである。主人公は夜になると布団に横たわり、天窓を見上げている。彼は空を見つめながら、自分の肉体も含め、部屋の中にある物全てが夜空の表面に天窓を通して映写されているような気に包まれる。

そうして、それはたいてい夕方か、あるひは夜のことであつた。聞くところによると、それは一年中で星を見るのに最も適當な頃だといふことであるが、いかにも、私の望遠鏡にも、その先きが一枚のガラスである代わりに、まるで水晶のレンズでも嵌ってゐるかと思はれるほど、四角に切り取られた深い紺青の夜空の中に、青いの、大きいの、小さいの、さては、遠いの、近いの、さまざまの星が、何か子供の自分にそんなやうな玩具があつたやうに思へるが、それがどんな玩具であつたか思ひ出せない、實に不思議な、見てゐれば見てゐるほど不思議な、綺麗な、燦爛とした光景を現すのだつた。私は、それを見るために、部屋の中の電燈を消して見たり、又ともしてみたり、さうして、又寝ころんで見ている私の頭の位置を一寸ほどづつ變へては、その望遠鏡に違つた星を映して見たりした。或る時は又、私は、その眞四角な四畳半の部屋全體と、そのまん中に突き出して附いてゐるその天窓とを想像して、恰もそれは天に向かつて上向きに置かれてある幻燈機械のやうな氣がした。してみると、部屋の中の、私自身や、本棚や、蒲団や、壁の数多の寫眞や、が一幅の繪となつて、その天窓のレンズをとほして、空の何處かに映し出されてゐるのではないかと、いふやうな氣さへして來るのである（三〇五頁）。

このシーンが非常に心打つ理由は、部屋の中の肉体と他のオブジェが三次元性を失い、夜空の二次元的表面に映し出されているという事実にある。いわば、宇野はここで全世界の革命的再構築という可能性を提示しているのである。物質体は打ち壊され、異なった形と融合し、存在の総体性は夜空の暗いキャンバスにモダニストの絵の形となって映写されるようなのである。

おわりに

フランツ・カフカと宇野浩二の作品を理解するにあたり、部屋の空間構成を探究することは、もちろん、数多くの中の一つの批評法に過ぎない。しかし、全く異質の文化を背景に持つ二人の作家がどのように自分たちが生きた近代世界を理解しようとしたのかを考えるにあたり、こういったアプローチが役立つということを本章で論証した。さらに、文学の伝統や歴史の明確な差異にもかかわらず、部屋を両作品の中心に設定するという形をとる共通のモダニストの意識の比較をすることに価値があることを証明した。

参考文献

Bachelard, G. *The Poetics of Space*（1958）, Boston: Beacon Press, 1994.

Kafka, F. "Metamorphosis," In *Metamorphosis and Other Stories*, pp. 85–147. London: Penguin Books, 2007.

Simmel, G. "The Metropolis and Mental Life," In *On Individuality and Social Forms*（1903）, pp. 324–339. Chicago: University of Chicago Press, 1971.

Soja, E. *Postmodern Geographies: The Reassertion of Space in Critical Social Theory*, London: Verso, 1990.

宇野浩二「夢見る部屋」『現代日本文学大系』四六巻、四二一—六二頁、筑摩書房、一九七一年

第四章　自分のアイデンティティへ
――高橋たか子『空の果てまで』とモーリヤック『テレーズ・デケルウ』

リンダ・フローレス
（訳＝田中・アトキンス・緑）

はじめに

高橋たか子の『空の果てまで』（一九七三年）についての論評で、山本かほるは、主人公、久緒を十分に理解するには、フランソワ・モーリヤックの『テレーズ・デケルウ』を読むことが必要であると提案している。(1) 両作品における二人の女性登場人物には、夫、子供達に対しての愛情が欠けるという点において、幾つもの類似点があるといえる。

モーリヤックの名祖ヒロインであるテレーズ・デケルウは、一連のモーリヤック作品の中でも、夫ベルナールを毒殺しかけたという凶行で、特に悪名高き人物である。一方、久緒は高橋たか子の『空の果てまで』の凶悪な女主人公である。彼女はアジア太平洋戦争中に乳児を置き去りにした後、夫を死に追いやり、その後、知人の赤子を誘拐した上、虐待的に育て、正道から外れた母娘一対という新しい家族モデルを形成する。高橋本人が、「悪意」のモデルはモーリヤックのテレーズに影響を受けていると論じている。モーリヤック作品と似て、高橋の小説は、公然と、頻繁に、そして凶悪的に社会道徳規範を破り、歯牙にもかけないという、物議を呼ぶような女性人物達で満ちている。

本章は、高橋の『空の果てまで』をモーリヤックの小説『テレーズ・デケルウ』を背景にして読み、久緒、テレーズ両者が、どのように母性の誘引と父権家族に反抗し、新しい自己のアイデンティティを見つけて構成しようと格闘するのかを検討する。両人物は家族に対し、暴力をもって対抗するが、両者の攻防は絶対的に異なった形を取っている。テレーズは夫に対する暴力をもって家庭内で家族に対し反抗するのに対し、久緒は外側から家族を規制し、家庭を崩壊し、誘拐するという行動によって、家庭システムに対して暴力をふるう。そしてさらに正道を外れたバージョンとしての家庭を築くのである。

本章は、ミシェル・ド・セルトーと、マルク・オジェの「場所」と「空間」についての理論を用い、各女主人公が、家と家庭内に対して自己の位置を操作していく様子を探るものである。ここでは、テレーズは家という場所に閉じ込められた「囚人」として描写されているのに対し、久緒は家と家族・家庭からの「逃亡者」として描かれていると論証してゆく。

『テレーズ・デケルウ』

『テレーズ・デケルウ』の舞台は、一九〇〇年代初頭にフランスのボルドー市からもかなり離れた町、サン＝クレールから十キロメートルのところに位置する田舎の村落、アルジェルーズに設置されている。テレーズは裕福な地主ベルナールと結婚しており、夫婦には幼女マリがいる。教養のある、退屈したテレーズは、ブルジョワの生活スタイルに付随する世俗的な贅沢を楽しむものの、妻、母としての自分の人生は取るに足らないものとして考え、所帯染みた状況にますます幻滅していく。

ある日、夫がうっかり二倍量の常用薬を服用し、その後も、薬をその日すでに飲んだかどうかを尋ねた夫に対し、テレーズは返答を拒む。そこで彼女は閃き、この方法で夫に薬を過剰投与し続けるとどうなるだろうと自問する。テレーズは、過剰投与することで夫を毒殺することを決心し、その結果、彼は重態に陥る。

やがてテレーズの犯罪は発見され、彼女は殺人未遂で告発されるものの、父親と夫ベルナールは、各家の名誉を守る画策をし、テレーズへの法の裁きを免れることに成功し、免訴（*'non-lieu'*、文字通り、「根拠なし」、または「場所なし」）の評決が言い渡される。長い帰途の間、テレーズは自分の人生――結婚生活、義妹との友情、娘の誕生、犯罪を犯すに至る出来事まで――を振り返るが、帰宅後に夫に対する説明の言葉に窮することに気づく。家に着くや、ベルナールには、自分のいかなる説明をも黙って許されることはないのだと察し、そこでテレーズはベルナールに自分が家族の前から消え去ることを提案するが、ベルナールはそれを拒否する。

彼女はベルナールの毒殺未遂の刑罰からは逃れ切ったが、まだ夫の手による罰に直面しなければならないのである。テレーズは、本も取り上げられ、家の中に閉じ込められ、教会や重要な家族行事時には忠実な妻の役目を果たさせられることになることで、実質的に家の中での家族制度の囚人となる。その結果、テレーズは、常時ワインを飲み、たて続けにタバコを吸うことで、肉体的にも痩せ衰え、実際に行動に移すことはないものの、自殺することも考える。テレーズはただ、夫ベルナールの慈善心によってのみ自由になれるのである。それからしばらく後に彼らの家、アルジェルーズに戻ったベルナールは、妻の憔悴した姿を目にし、不憫に思う。彼は、自分の手でテレーズの健康を取り戻させるよう看病し、異母妹が無事に結婚した後は、テレーズが独立して生活できるように、生活費も払い、自由にすることを彼女に約束し、世間体を保つだけのために、重要な行事の時にのみ家族の元に戻ってくるようにと頼む。

最終章では、ベルナールはテレーズをパリまで同行させ、そこで彼女は彼に謝罪する。彼女は彼の富が目当てであったのではなく、おそらく、自分の中には「二人のテレーズ」、田舎の妻の人生を送ることを欲した一人、そして、自由と冒険を求めるもう一人の自分がいたのだと説明を試みる。最後の場面では、パリのカフェで、ベルナールと一緒にワインを飲んだ後、ほろ酔い加減で足元がふらつくテレーズは、テーブルから立ちあがり、「気の向くまま」（*'au hasard*）道を歩いていくというところで幕を閉じる。

一　『空の果てまで』

『空の果てまで』は、アジア太平洋戦争に降伏してから十二年後の日本の関西地方を舞台にしている。久緒は信次と結婚して間もなく、息子洋平に恵まれている。久緒にとって、妊娠とは、結婚後、数日後に出来始めた夫婦の溝を埋める手段であった。妊娠発覚後子供を産む決心をしたのは、一部病理的好奇心からでもあるとも自己認識している。テレーズと同様、久緒にとって、母性とは我慢ならないほど圧制的なものであることが自明となり、息子の洋平の誕生後、久緒は乳児の彼を「自分の命を吸い取る怪物」だと見ている。彼女は時には泣く洋平を畳の上に放置し、外出し、道を独り彷徨う。最終的に、空襲中に幼児の息子を放置し、夫も子供も火の中で焼け死に灰になるだろうと十分承知の上、子供を「救う」ためにと、夫を火事で燃え盛る家の中へ送ることで、久緒は母性と家族とを凶暴に拒否している。そこで実質的な形としての家と家族は同時に破壊され、久緒は自ら望んで家族のシステムと家から逃避した「逃避者」となり、長い間求めていた自由と孤独を、燃え切った町の廃墟の中に見つける。

久緒の次なる罪は非常に問題含みである。彼女は放置殺人しようという計画で、知人の雪江の幼女、万佐子を誘拐するが、その計画が妨害された時、軌道修正をし、万佐子を自分のようにねじ曲がった人間に育てようと決心する。万佐子の名前を「珠子」と改名し、戦争中に出生記録は消失したのだとして、珠子を自分の娘として育てる。次に久緒は二人が住む家庭を作り、「母と子」の二人は、久緒が以前猛烈に対抗していた便宜的な家族システムと家に真っ向から対抗する形として、「邪道な家族」を形成するに至るのである。久緒が雪江と雪江の二人目の娘、晴子と会った時、血の繋がった異父妹である晴子と、友達になるようにと珠子に勧める現在の場面は、作品の中でおそらく一番倒錯しているところと言えるであろう。結局、久緒は、珠子と母と子として一緒に生活していくことを決心し、悪事を過去に棄て去ることは可能なのであろうか、と自問するところで作品は終わる。

二　高橋とモーリヤック

高橋がカトリック作家モーリヤックの作品に多大な影響を受け、長期に渡り彼の作品を研究したことは、すでに知られたことである。高橋のモーリヤック作品への興味は深く、一九六三年に、モーリヤックの『テレーズ・デケルウ』の日本語翻訳をしたほどである。

フランソワ・モーリヤック（一八八五―一九七〇）は、一八八五年、フランスのボルドーに生まれ、おそらく「カトリック作家」として最も著名な、詩人、劇作家、評論家、小説家で、ジャーナリストでもあった。特にフィクション作品では、人間の内部に存在する暗部を頻繁に探求し、多くの作品では、罪とその贖罪の可能性について論じている。モーリヤックは、ボルドー大学学生時代には文学を学び、パリにあるフランス国立古文書学校にて学問を続けた。最も知られた作品群には、『愛の砂漠』（*Le Desert de l'amour*, 一九二五年）、『テレーズ・デケルウ』（*Thérèse Desqueyroux*, 一九二八年）、『蝮のからみあい』（*Le Nœud de vipères*, 一九三二年）、『夜の終わり』（*La fin de la nuit*, 一九三五年）、と『仔羊』（*L'Agneau*, 一九五四年）がある。モーリヤックは一九三三年にフランスアカデミー員、そして、一九五八年レジオン・ドヌール大十字勲章受賞などを含め、多くの文学賞や、名誉賞を得ており、一九五二年にノーベル文学賞も受賞した。

モーリヤックの小説『テレーズ・デケルウ』は、当初一九二六年十一月から一九二七年一月にわたって、パリス・レヴューに連載作品として掲載され、その後、単行本として一九二七年に発行された。本作品の主人公であるテレーズは、今なお、モーリヤックの作品の中でも最も謎に包まれ、論じられている人物の一人であり、フランス語、英語、他の言語でも、何十編もの作品研究が存在する。それら多くの研究論文は、何故テレーズは夫を毒殺しようと決心したのか、その犯罪動機は何なのかを問うたものである。テレーズという人物は、一九三〇年出版の小説、『疑惑』（*Ce qui était perdu*, 一九三一年、後に *That Which Was Lost*, として一九五一年英翻訳出版）や、よく議論された一九三五年作品『夜の終わり』（*La fin de la nuit*）そして一九三八年の短編集『テレーズと医者』（*Plongées: Thérèse chez le docteur*）に含まれる短編の二作品、『ホテルにおけるテレーズ』（'Thérèse at the Hotel', 一九三三年）と、『医院におけるテレーズ』（'Thérèse and the Doctor's, 一九三三年）等、数作品に登場している。言い換えれば、テレーズとは、一九二六年から一九二七年にパリス・レヴューで初登場後もモーリヤックが何度も登場させた人物だと言えるであろう。

高橋たか子は、評論家で随筆家でもあるシャルル・ボードレールについての卒業論文を書き、一九五四年京都大学フランス文学部を卒業し、同年、作家であり、活動家の高橋和巳と結婚している。二年後高橋は、フランス文学研究を再開し、フランス人ノーベル賞受賞作家フランソワ・モーリヤックについての修士論文を書き、一九五八年に修士号を取得した。モーリヤック同様、高橋も頻繁に「カトリック作家」と評され、一九七五年にカトリック信者になったことでも有名である。カトリック教に帰依した後五年後には渡仏し、一九八五年にはシスターとなり、日本帰国後はカルメル会修道院に入院するが、後に、母親の看病をするため、修道院を去る。おそらく、キリスト教との関わり故に、日本における高橋に関する研究の多くは罪、原罪、そして救済といったテーマに言及しているのであろう。

前述した高橋のモーリヤックに関する修士論文は、彼の小説に関して、「何故、モーリヤックの小説の登場人物は、それほど鮮明に描写されているのか？　作家は、どのように人物たちに命の息を吹き込んでいるのか？」について問うているが、高橋は、特に、作家（としての）モーリヤック、読者と登場人物達の三角関係について興味を持っていた。(2) これらの問いに答えるため、論文では、『蝮のからみあい』『愛の砂漠』『テレーズ・デケルウ』、そして一九三六年作品の『黒い天使たち』（*Les Anges noirs*,『黒い天使たち』として一九五一年に翻訳、その後一九五三年、『無実の仮面』として翻訳）を含め、主作品のうちの数作品の登場人物について、（一）登場人物を創作するに当たっての作者の拡大化と単純化の原則、（二）危機解決と過去、（三）モーリヤック、作中人物と読者の三角関係、といった主要三トピックを中心に、詳しい分析を行った。(3)

高橋は、一九六五年に初めて小説を執筆し、それは、長く多彩な作家生活の始まりとなる。『空の果てまで』で田村俊子文学賞を受賞、小説集『ロンリー・ウーマン』で女流文学賞、『怒りの子』で読売文学賞、そして、『きれいな人』で毎日芸術賞を含め、長年にわたり、多くの称賛を受けた。高橋は家族、母性といった支配的な社会基準に対抗する女性を描く小説や物語で知られる。高橋作品の研究者達は、暴力を犯す、または暴行を振るうことを夢想する女性として描かれる女主人公について論じ、マリエレン・トマン・森や、マーク・ウィリアムス（といった学者達）も、分身（ドッペルゲンガ）というテーマ、または、分裂した語り口についての評論を発表している。(4)

高橋作品には妊娠や母性といったテーマもよく扱われ、どちらも敵意を掻き立てられる存在状況として扱われている。『空の果てまで』に見られるように、高橋の作品では、幼児、子供、そして実に、胎児までもが、女性登場人物の高潔に対する脅威であるとして頻繁に表現されている。母性という概念は度々論争の場とされ、高橋の作品には、母性に抵抗する女性、不本意な母親、母性に欠ける母親たち、さらには凶暴な母親たちで充満している。

高橋の『空の果てまで』は、『蝮』、『愛の砂漠』、『黒い天使たち』と『テレーズ・デケルウ』を含むモーリヤックの代表作品と同様、回顧作品で、現時点から始まり、主人公の個人的歴史を通じて回想していくものである。高橋は、モーリヤック修士論文の中で、『愛の砂漠』のレイモンドは、登場と同時に、青年時代の過去を辿っていくことによって復讐心の元凶について思案すると指摘している。モーリヤック作品において、これは明確に珍しいパターンではなく、高橋は、モーリヤック小説群は、しっかりした準備に欠けた始まりになっている、とも論文で述べている。言い換えれば、モーリヤック作品の読者は、初め、出し抜けに危機のど真ん中に投げ込まれ、物語はそこから展開し、その後その危機を解決する筋が続くことで成り立っているのである。

高橋の『空の果てまで』の構成は、主人公久緒が十三年振りに偶然、雪江（知人であり、誘拐した幼女の母親）と再会し、その出会いが久緒の思い出の扉を開くというように、ミステリーを読者に提示することで物語が始まることから、注目に値するといえよう。モーリヤックの『テレーズ・デケルウ』と同様、『空の果てまで』も多くの紆余曲折を含んでおり、紋切り型の直線型構成にされておらず、フラッシュバックがあちこちに用いられている。前述したように、高橋の小説は現在から始まり、過去へと回想し、奇数章（一、三、五と七章）は現在形、偶数章（二、四と六章）では過去形で語られている。モーリヤックの『テレーズ・デケルウ』は、おそらくそれほど厳密に構成されていないものの、この面では『空の果てまで』の構成と類似している。作品は、裁判所の外で、テレーズが「免罪」という告知を聞くことで幕を上げる。そこからテレーズはアルジェルーズに向かい、長距離列車で旅立つが、その間、過去の出来事を辿ることにより、自分の犯罪の動機について回顧するのである。

モーリヤック、高橋両作家とも、こういった、作品中の人間の存在にある暗い側面を探求するということで知られている。高橋自身は、中村真一郎との対談中、本作品は、十五年前に読んだ、気が狂い犯罪を犯した女性についての記事を元にしたとしている(5)。先にも述べた通り、高橋の「悪意」のモデルはモーリヤックの『テレーズ・デケルウ』の影響を受けており、高橋のモーリヤックとキリスト教に関する多大な関心、そして、後にキリスト教の洗礼を受けた事実からも、『空の果てまで』は、贖罪の可能性についての作品であるとして理解したいところである。さらに、その表題の一部、『空』は、実際、複数の「空」として翻訳可能であるが、同時に比喩的に「天国」とも訳すこともできるということからも、おそらく、そのような理解も可能であろう。実際、『空の果てまで』は高橋がキリスト教を信仰する以前に書かれたものだが、高橋が徹底的にキリスト教とキリスト教作家モーリヤックに影響を受けていたことからも、本作品だけでなく他作品も、原罪と救済という概念に合わせて理解されることが多々あるといえるだろう。

『空の果てまで』の最後では、主人公久緒は、自分と万佐子は悲劇的な経験によって結ばれていることから、母と娘として、万佐子と共に生きて行くことを決心する。久緒は人生、犯した悪事、間違いを振り返っているようであり、別の人生を送ることは可能であるのかとの自問もする。しかしながら、高橋自身は、「今度の作品にも、やはり救済がないのです。救済を書けば、嘘を書いたことになりますからね(6)」と言い、小説の最後には久緒という人物には救済はないのだと提示する。さらに、高橋は、この小説を書いた時には自分がカトリック信者ではなかったことを指摘し、「私はカトリック文学から影響を受けて、カトリック的人間観に近いような人間観を持っていますけれども、信仰の対象としての神があるわけじゃないし、何もないという結論の小説でね(7)」と、明言している。

三　テレーズ、母性と家族

両主人公、テレーズと久緒は、家族の権威や、母性なるものと家族なるものが個々のアイデンティティに押し付けてくる制約に対してもがくのだが、重要なのは、テレーズは、とりわけ夫に対して恨みを持つのではなく、むしろ、デケルウ家という「制度」に対して疎ましく思っているという点である。彼女は、ベルナールの異母妹のアンが思いを寄せる、挑発的なジャン・アゼヴェドとの家族の権力に関する会話を回想する。

「他の田舎と同じようにここも一人一人が自分の法則をもって生れ、一人一人の運命は別々ですが、この暗い共通の宿命にしたがわねばなりません。それに抵抗する者がありますが、そのとき生れる悲劇について家族はいつも黙っています。ここでは『くさいものにはふたをしろ』とみんながいうじゃありませんか(8)」

さらに、テレーズは、デケルウ家の家族写真アルバムのページの、好奇心をくすぐられる数々の空白の部分について尋ねた時のこともこう回想する。

時にはわたしもそんな悲劇をもった大伯父や祖母のことをたずねてみたことがある。そういう人たちの写真はアルバムから剝がされ、そしてわたしはいつも『彼はどこかへ行かせられたのだ』という打ちあけばなしのほかは返事らしい返事をきくことはなかった(9)。

テレーズは、家族という組織は、その一員の存在の記憶をも歴史から事実上消去する力も持ち合わせているのだと気づく。

テレーズのアンニュイに関しては、母としての体験に遡るとも言えるだろう。娘、マリを妊娠したと知った時、テレーズは自分のアイデンティティが危ういものになったと感じ始める。カトリック教作家による作品の取り扱いとしては論争を呼ぶことであろう。

あと何ヶ月したら子供が生まれるのかと、自分はそのとき数えてみた。まだ自分の胎内についているこの未知の生命が陽の目をみないようにする神があるならば、そんな神を知りたいと思ったのである(10)。

このように、その女主人公は、妊娠から逃れようとも考え始める。そして、妊娠という体験を通し、夫と義母にとって、自分は家族の名を繋げていくという特定の機能を果たす器なのだという考えに至る。

ラ・トラーヴ一家はまるでわたしを、自分たちの子孫の聖なる器か苗床のようにたいせつにあつかったのである。万一のときには彼らがこの赤ん坊のためにわたしを平気で犠牲にすることも確かだった。わたしは自分の存在を感じなくなっていた。ぶどうつるにすぎない、家族の目からみると、このつるにぶらさがる実だけがたいせつなのだ(11)。

そしてさらに、テレーズは出産後、乳児の娘に対し母性的な愛着や愛情も感じない。

テレーズはマリが自分に似ていることを好まなかった。自分のからだからこの肉体と何一つ共通なものはもちたくなかったのだ。あの女には母性感情がまだあるから絞め殺さないだけだという噂までたちはじめた[12]。むしろ、どれほど娘が自分に似ているかと人が言うのを聞くのも嫌がるほどである。こうしてテレーズは、血族関係――家族の絆――から自由になることを切望し、家から出走する可能性について夢想し始める。

金さえあればパリに逃げだしまっすぐにジャン・アゼヴェドのところにかけつけ彼に頼ろう。彼は自分のために仕事をみつけてくれるだろう。パリで一人っきりで暮らしている女。自分の生活費を稼ぎ、家族もいない女になろう！　そうすれば自分の身内を選ぶのも自分の意志どおりになることができる。そのときは身内を選びはしない。心やからだの関係で選ぼう。たとえそれがどのようにまれで散らばっているものでも、自分のほんとうの身寄りをみつけること……。テレーズはやっと窓をあけたまま眠りに落ちた。朝方のぬれた冷気が目を覚させたとき、彼女は歯をかちかちとならし、起きあがって窓をしめる気力もなかった。腕をのばし毛布をひっぱりあげることすらできなかった[13]。

このような自由への願望にも拘らず、テレーズは、制度としての家族と家というものは、その一員としての個人全員をもってしても勝ち得ない力を持つものだとして理解するようになる。「家族から逃れることは不可能」というのが、夫を毒殺することで家族に反逆しようと試みた結果学んだことなのである。

久緒、母性と家族

テレーズと同様、久緒の敵意は夫に特定して向けられたものではない。むしろ、それはつかみどころのない無形のもの、自分でもはっきりと特定できない何かだと彼女は述べている。久緒もまた、妊娠と出産が差し迫ったことにより、アイデンティティが脅かされていると認識し、その上、久緒は結婚数日後、夫婦間の亀裂を感じ取った後に妊娠することを決心する。

久緒はこれまで自分が子供を産むなどということはほとんど考えてもみなかった。信次といっしょに街を歩いていて、自分たちと同年輩の夫婦が赤ん坊を抱いてにこやかにしている姿をたまたま眼にとめても、それが近い将来の自分たちの姿でもあるなどと考えたことはなく、全く別な世界の現象のように見たものだった(14)。妊娠という体験を、相容れないものだと感じるのである。

さらには、息子洋平の出産後でさえ、久緒は自分の乳児への愛着や愛情も感じることがない。

だが乳房にしがみついている洋平を見ていても、あまり愛情らしいものは感じられなかった。洋平が顔じゅうを真赤にして乳を吸っていると、赤ぐろい肌をした怪物に自分のいのちを吸い減らされているような気のする時さえある。このなまなましい生命は久緒にはすくなくとも面倒なものにすぎなかった(15)。

洋平を厄介なものとしてみている。

そして、テレーズのように、久緒は猛烈に血縁と家族との絆を拒否する。

人が誰でも血のつながりに依存して生きている感覚というものが、久緒にはどうしても合点がいかなかった。自分は一箇の精神的存在である。存在のまわりには深い、からっぽの淵があって、誰とも通じ合ってはいない。淵はからっぽなのに、そこに血が溜っているように錯覚して、血をつたって泳いでくる肉親というものは、久緒には許せない(16)。

久緒は、結婚と誕生（というシステムと出来事）を通して自分と関係を繋いでいるという理由で自分の近くに存在する者達を拒絶し、ある時は、夫に対して「「そばにこないで」」と叫び、そして、「そう、私が耐えがたいのは、あなたがそこに存在するからだわ。私のすぐそばに存在するというだけで、私はなぜか憎悪せずにはいられない」と悟る(17)。

先に述べたように、『空の果てまで』には久緒が乳児の洋平を置き去りにし、街を徘徊するというシーンがある。

久緒にとって、家とは個人のアイデンティティを拘束する場所であり、それに対し、特徴の無い街の都市空間は、彼女を匿名化（あるいは無人化）し、母性、家族という拘束からの脱出を可能にする場を提供する。夫信次が久緒を捜しに出かけ、家に戻るよう切願する場面でも、久緒は、自分は乳児に授乳するためにのみ必要とされているのだろうと言い返す。その後二人は口論になり、信次は、家に戻ることを拒む久緒の頬を打つに至る。何故自分のことを嫌がるのかと問われた時、「どこも厭ではありません。あなたも洋平も、どこが厭かと問われても、答えようもありません。それなのに、あなたと洋平とにたいする、この憎悪。だが、なぜ？」[18]と、久緒は自問する。しかし、信次に対する底深い敵意の源はどこにあるのであろうか。

一瞬、醜くなった、信次の顔。久緒はそれを点検するふうに見つめる。私はこの顔が厭なのかしら。あの眼、あの鼻、あの首、あの肩、あの髪。私はどこが厭なのかしら。いや、何も厭なものはない。決してそういうことではない。[19]

突きとめようとしても、具体的な答は摑めないのであるが、久緒の不幸は、「どこにもいるところがない」と繰り返されるその断言に、源があると言えよう。

信次が厭な人間に見えてきたというのではない。信次との間にいさかいばかりが続いているというのでもない。それにもかかわらず家をとび出してしまった久緒は、帰るべき家もなく、また訪ねていくべき友もないと感じた。いや、もっと根元的に、自分はどこにもいるところがない者だと感じたのだ。[20]

この告白にあるように、彼女は自身を「どこにもいるところがない」（居場所のない）人間だと定義しており、この感情は何度も繰り返されるモチーフとして、この作品を構成しているのである。

四　テレーズ・デケルウと「免訴」（'Non-Lieu'）という評決

テレーズと久緒の両人は、自分には「居場所を持たない」として自己認識している。これは、モーリヤックの小説で、殊、有名な裁判所の場面で始まる『テレーズ・デケルウ』の一文に特に関係の深いものである。

弁護士が扉をひらいた。テレーズ・デ［ス］ケルウは、裁判所の暗い裏廊下で顔に霧を感じ深々と息をついた。待ちかまえている人たちがいるかと気おくれして、彼女は外へ出るのをためらっていた。高いカラーをつけた一人の男が、プラタナスの木から身体をはなした。父である。

「免訴です」と弁護士はテレーズをふりかえり、「出ても大丈夫ですよ。だれもいませんから。」[21]

夫の殺人未遂で告発されたテレーズは、「免訴」（'*non-lieu*'）、文字通り、「根拠なし」（と、同時に「場所なし」ともいう意味）という言渡を裁判官から受けたばかりである。ベルナール、テレーズの父親、そして弁護士達は、デケルウ家、ラロック家両家の名誉を守るため、無起訴になるよう、画策したのであった。しかしながら、妻を起訴しないというベルナールの決断は、娘のマリを彼の異母妹が育て、テレーズ本人は、家族の名誉を保つため、品行方正な妻という役割を果たすよう常に家の中にいるべし、という高い代償を伴うものであった。ベルナールの提示した、自由との交換条件に怖れをなし、テレーズは次のように、自分が家族の前から静かに姿を消すことを提案する。

彼女はこういおうとしていたのである。「ベルナール、わたしが消えていきます。心配なさらないで。そのほうがよければ、すぐにでも真っ暗な外へ出て行きます。森も、夜の闇も怖くありません。森も闇もわたしを知っています。わたしはこの寂寥《せきりょう》とした土地に似て創られた女。飛ぶ鳥や野生の猪のほかには生きているものは何もいないような女。追い出されてもいい。写真はみんな焼いてください。娘がわたしの名を知らなくてもかまわない……わたしがはじめからいなかったと、みんな考えてくれればいいんです。」[22]

テレーズの提案は、どういった理由であれ、家族の一員がかつて占めていたデケルウ家の家族写真のアルバムの中の謎の空白のスペースについての彼女の感情を反影したものである。

しかし、『テレーズ・デケルウ』の「免訴」という不思議な評決には、どういった意味が付随しているのであろうか。ジャック・デリダによると、

「免訴」（'non-lieu'）というのは、フランスの法律においては不可解な評決であり、無罪放免よりも価値があるとされる。訴訟手続きがすでに進められていたとしても、告発、逮捕、勾留、裁判（訴因）そのものを仮無効にするものである。しかし、そのうえに、調書、裁判記録と、「免訴」という認証は残留する。[23]この論では「免訴」の「アポリア」（または論理的難点）が強調されており、それは、事実上「無判定」、'place of no place' という評決であるのだ。

ここで逐語的に、'non-lieu' の意味を「場所なし」、さらには「地盤なし」として借用した場合、この評決がテレーズとデケルウ家の中の彼女の位置付けにとって、甚大な意味合いがあるということが明白になるであろう。アレクサンダー・フィシュラーは、『テレーズ・デケルウ』での「免訴」判決について、次のように論じている。

（前略）弁護士は、テレーズが世にまた戻ることを許すために裁判所の扉を開けただけではない。彼は、'non-lieu'、言うならば、証拠不十分、あるいは文字通り、地盤を持たず、という奇抜な立場でテレーズが親族の間で生活を再開してもよし、という立場を言い立てているのである。[24]

アポリア的評決は矛盾した結果を招き、テレーズは実刑を免れる一方、罪の懺悔として、家に閉じこもり良妻の役をはたすことになるのである。フィシュラーが評したように、「刑から逃れたという（彼女の）一時的猶予は冷淡な世間からの非難を伴い、信用のならない法律や道徳的立場からテレーズの品行を正当化したり、あるいは弾糾すること

を許すのである」[25]。皮肉にも、テレーズは法的には自由になったものの、アルジェルーズでデケルウ家の囚人となることを強いられるのであった。

フィシュラーは、さらに、テレーズの存在が、ある特定の場所（'lieu'「場所」の複数としての'lieux'）と親密に連結しているということから、'non-lieu'という審判は、彼女にとって、とりわけ非常に不利なものであると指摘している。というのは、テレーズの家はアルジェルーズにあり、妻、母親としての家族内での役割は、彼女個人としてのアイデンティティを窒息させるものでありながら、彼女はそれでもデケルウ家の一員という立場がもたらす経済的保障や社会的地位に価値を見出しているからである。

つまり、フィシュラーによると、「テレーズは、自分を取り巻く周辺の人々との絶対的な差異を確立する個人的人格を定義する地盤、つまり、場所（'lieu'）を持たない一方、アルジェルーズ、サン＝クレールという特定の場所（'lieux'）、そして、そこに関連する人々や、彼らの中に存在する種々諸々のもの、慣れ親しんだ、いつも比較的口に出さずとも常に敵意を含んだ環境を言及することでしか、自分の自己決心と自己主張という手法を持てていないのだと悟る」[26]。テレーズが自殺を熟考した時も、自身の人生を生きるという可能性はデケルウ家の外においては全く手に入らないと見受けられるからであり、テレーズには、逃げ道が無い。「この世界からぬけだしたい。だがどのようにしてどこへぬけだせようか？」[27] 言い換えれば、テレーズは文字通り、そして比喩的にも、「居場所」の無い場所に存在することを強いられたのである。

五　ミシェル・ド・セルトーの「場所」と「空間」

ミシェル・ド・セルトーは、彼の最も有名な著作の一つ、『日常的実践のポイエティーク』（*The Practice of Everyday*

Life, 一九八四年）の中で、日々の生活に関連する日常的な実践についての調査によって、「場所」と「空間」の重要な違いについて論じており、一九八四年の出版後から現在に至るまで、彼の理論は、場所、空間、都市、モダニティ、そして都市空間に関するディスクールに知を投じ続けている。セルトーはこう言う。

まずはじめに、あつかう領野をはっきりさせるために、空間と場所の区別をつけておきたい。場所というのは、もろもろの要素が並列的に配置されている秩序（秩序のいかんをとわず）のことである。したがってここでは、二つのものが同一の位置を占める可能性はありえないことになる。ここを支配しているのは、「適正《プロープル》」かどうかという法則なのだ。つまりここでは、考察の対象になる諸要素は、たがいに隣接関係に置かれ、ひとつひとつがはっきり異なる「適正」な箇所におさめられている。場所というのはしたがって、すべてのポジションが一挙にあたえられるような布置のことである。そこには、安定性がしめされている。(28)

セルトーは、場所を安定と関連づける一方、空間を流動性と関連づける。

方向というベクトル、速度のいかん、時間という変数をとりいれてみれば、空間ということになる。空間というのは、動くものの交錯するところなのだ。空間は、いってみればそこで繰りひろげられる運動によって活気づけられるのである。(29)

著書『非場所——超モダニティ序論』（*Non-Spaces: An Introduction to Supermodernity*, 一九九二年）において、マルク・オジェは、「超モダニティ」とする社会条件を述べるにあたり、「場所」と「非場所」(30)の理論を展開している。オジェの「超モダニティ」においては、人々は過剰過多の世界に存在し、人間相互間の関係は、益々、暫定的な空間やテクノロジーを通じて起こるとなされている。(31)オジェは、セルトーの「場所」を想起させる「人類学的場所」は、「アイデンティティ、関係性、歴史性との関係を欲する——人々がそう欲する——場所」の、少なくとも三点の特徴を持っていると定義している。(32)

言い換えれば、オジェによると、「人類学的場所」は、人々がアイデンティティを形成し、グループ内のメンバー達だけでなく、他者との相互関係を発展させ、過去を想起し、今・現在を体験し、そして将来を想像する、物理的であると同時に空間的な座、として作動する。そこに居る者達にアイデンティティを受け渡し、歴史を含む。こうした場所には意義が染み込んでいるのである。

『空の果てまで』と『テレーズ・デケルウ』両作品とも、「家」という場は、セルトーの「場所」、そして、オジェの「人類学的場所」の実例として構成されていよう。家とは、根本的にアイデンティティ（家族）と関係しており、歴史（家という建物そのものと、そこに何年、何世代に渡って住んだ居住者達）を持ち、そして、家族メンバー間の関係が、家族独自の社会体制（父、母、子供達、義理の家族等）によって治められ、組織化された場所なのである。そこには、特有のイデオロギーと秩序が存在し、テレーズと久緒双方が閉塞感を感じるのは、明らかに、この家族と家の画一主義的と見受けられる体制なのである。

六　久緒――「場所」と「空間」の交渉

テレーズと同様、久緒にとっての家とは安堵の場ではなく、むしろ、抑圧の現場である。とりわけ、高橋たか子の作品では、久緒一人が、家という場と母性を暴力的に回避する登場人物であるというのではない。『渺茫』（一九七〇年）では、主人公清子は、最近流産を経験し、義母から家族の名のために世継ぎを生むようにという圧力を感じる妻である。清子は家庭生活を重苦しいと感じるのみでなく、家という制度そのものと、その場所を非常に不快だと思い、近所の新しい住人たちが住む、画一化した市営住宅を「生温かい粘っこい巣」と呼ぶ。[33] 彼女は家の外にある空間に安楽を求め、遊園地を訪れ、貨物電車が目の前を通り過ぎていくのを見たり、街の道を往く歩行者を観察したりと、都会の景色の中を頻繁に彷徨う。そこでは、清子は血で繋がるのではなく、気質のあった個人たちとの関係を模造しようと試みるのである。

高橋の『空の果てまで』では、「場所」と「空間」の関係において、いかに主人公久緒が自己の位置付けを交渉し、最終的に「彼女自身の場所」を確保するに至るのかという物語として読解可能だと主張したい。久緒は母親としての経験に距離を置き、家という場所、そして自分の役割が、「母親」、「妻」という二役によって規定、定義される現場から逃避しようとする。息子を一人家に置き去り、都市空間を歩きに出かける時も、彼女は家という場所を否定しているばかりでなく、街の都市空間に存在する間という匿名性を受け入れているのである。

外の空間を歩くというテーマは、本作品に繰り返し出てくるモチーフである。物語は、久緒が寺の庭園へ繋がる長い径を歩くという場面で始まる。本書には久緒が独り焼夷弾から逃れたことを回顧する一節も多々ある。そして、この小説は久緒と珠子が共に丘を登り歩いていくところで終結している。加えて、息子を一人家に残して外出する時も、久緒は街路を歩く。そこにはこれといった目的地があるわけではなく、ただ、逃避の手段として徘徊する。セルトーは、特に都市という文脈における「歩行」についてこう述べる。

歩くということ、それは場を失うということだ。それは、その場を不在にし、自分のもの《プロープル》を探し求めてゆくはてしないプロセスである。都市はしだいに多様な彷徨をうみだしていっているが、そうした彷徨をとおして、都市全体が場所の剝奪という巨大な社会的試練の場と化してしまっている――そう、たしかにそれはひとつの試練なのだ。ささやかな無数の流汗（移動と歩行）のうちに散り散りになってゆく試練。そのかわり、その試練をとおして、人びとの大移動が交わりをうみだし、その交差と結びつきによって都市の織り目がつくりだされてゆく。そうした試練の彷徨は、究極的にはどこかの場所をめざしているのだ。といってもその場所は《都市》というひとつの名でしかないのだが。(34)

しかしながら、久緒の場合、歩行とは、単に「場を失うこと」、あるいは「欠如」と関連づけられているのではなく、むしろ発展するプロセスと関連している。つまり、家が「存在」と関係づけられるのであれば、外空間における歩行、もしくは、移動という行為は、「(自己に) 成る」ことに結びつくのだといえよう。もし、セルトーがいうところの、歩行というプロセスが「自分のものを探し求めてゆくはてしないプロセス」であるとすれば、久緒は自己と相応う「場所」を発見するのではなく、むしろ、創り上げるのである。

おわりに——「居場所のない」の場所から「自分のところ」まで

信次と洋平の死後、久緒は両親を訪ねて実家へと旅する。家を失ったものの、それでも久緒は実家へ戻って生活せよという母の懇願を拒む。その代わり、久緒は不思議なことに「自分のところ」へ「帰ら」なければならないと言い張る。


「帰るわ」

久緒はそう言って、立ち上った。

「帰るって?」

母が眼を丸くして振りむく。

久緒は茶の間をでた。廊下の薄暗がりで素脚に綿毛のように触れてくるのは、何匹かの大きな藪蚊らしい。

「ここで暮らすつもりで戻ってきたんでしょ」

母の声が追いかけてくる。

「自分のところへ帰るんだから」

久緒はかまわずに台所へ入っていく。

「それは何処?」

「何処でもないわ」(35)

現実的には焼夷弾で焼かれた後に「帰る」家はないのだが、久緒は家を作ることを手懸け始める。規範的な家族と関連するあらゆる場所(lieu)を暴力的に避ける、家という場所からの逃避者である久緒は、万佐子(つまり珠子)を誘拐することによって、自分の家と邪道のバージョンとしての家族を打ち立て、さらに二人のための有形の家を創り上げるのである。

久緒と雪江が十三年ぶりに再会する本作品の第一章では、久緒の家の内外の様子に焦点が当てられている。久緒は「いい家でしょ。五年前から住んでいます。こんな古ぼけた家がみつかりましてね」と、誇りを持って自家について語るが、語り手は「久緒は誰の眼にもかならずしもいい家とはうつらないこの家を、いい家と思っている」と指摘している。さらに、雪江に持ち家なのかと尋ねられると、久緒は「私の家なんです」と誇らしげに宣言している。(36)玄関の外観、家の見取り、各部屋のサイズ、襖の柄などさえの詳細が丁寧に描かれ、次章では、久緒が地主から借金をして家を購入し、利子をつけて返済していることを、読者は知る。そこで久緒は娘の珠子(実は雪江の娘)と一緒に住んでいると雪江に説明する。

『テレーズ・デケルウ』に戻れば、ベルナールがテレーズと連れ立ってパリに行く最終章で、二人はカフェに座り、そこでテレーズが自分には、二人のテレーズ、田舎のブルジョワの主婦生活を楽しむ一人と、「もう一人の別人のテレーズ」がいると説明しようと試みる。(37)結局、かつてデケルウ家族の家の囚人であったテレーズは、時折大事な冠婚葬祭に参加することのみを条件として、パリで自分の人生を生きるべく、自由になる。

『空の果てまで』の場合は、物語中ずっと「行き場のない」女として自分を解釈していた久緒が、「場所」、「空間」

を凶暴で過激に渡っていくことによって、ついに、「自分のところ」、真の意味で自分の場所といえる家で、自身と珠子とで成る邪道な家族を築くのだといえよう。

参考文献

Augé, Marc. *Non-places*. 2nd ed. London: Verso, 2011.

Bosteels, Bruno. "Nonplaces: An Anecdoted Topography of Contemporary French Theory," *Diacritics*, Vol. 33, No.3/4, New Coordinates: Spatial Mappings, National Trajectories（Autumn – Winter, 2003）, pp. 117–139.

Certeau, Michel de. *The Practice of Everyday Life*. Steven F. Randall, Trans. Berkeley, California: University of California Press, 2013.

セルトー、ミシェル・ド、山田登世子訳『日常的実践のポイエティーク』国文社、一九八七年

Derrida, Jacques. "Living On: Borderlines," Trans. James Hulbert. *Deconstruction and Criticism*. New York: Continuum, 1979（75–176）, pp. 137–138.

遠藤周作「テレーズの影を追って——武田泰淳氏に」『三田文学』〔第二期〕第四二巻一号、一九五二年、五〇—五九頁

Fischler, Alexander. "Thematic Keys in Francois Mauriac's *Thérèse Desqueyroux and Le Noeud De Viperes*," *Modern Language Quarterly*（1979）, p. 380.

Lefebvre, Henri. *The Production of Space*. Reprint. ed. Malden, Mass.: Blackwell, 2016.

Maeda, Ai, and James A. Fujii. *Text and the City: Essays on Japanese Modernity*. Durham: Duke University Press, 2004.

Mauriac, François. *Thérèse Desqueyroux*. Translation, Introduction and Notes by Raymond N. MacKenzie. Lanham: Rowman and Littlefield, 2005.

モーリアック、フランソワ、遠藤周作訳『テレーズ・デスケルウ』講談社文芸文庫、一九九七年

中村真一郎・高橋たか子対談「『空の果てまで』をめぐって」高橋たか子『空の果てまで』新潮社、一九七三年

高橋たか子「モーリヤック論（その一）——その主要作中人物について」『*Francia*』第二巻、一九五八年、四三—五一頁

高橋たか子「モーリヤック論（続き）——その主要作中人物について」『*Francia*』第三巻、一九五九年、四二—五九頁

高橋たか子「渺茫」『彼方の水音』講談社、一九七一年、一一三—一六四頁

高橋たか子『空の果てまで』新潮社、一九七三年

高橋たか子「私と「私」の関係（文学の原点「私」——文学における「私」とは誰れか（特集））」『早稲田文学』第七次（一

号)、一九七五年、一二一―一二三頁
高橋たか子「ナチュラルな女〈変わる女・変わらぬ女〈特集〉〉」『朝日ジャーナル』第一九巻一二号、一九七七年三月、七―一四頁
高橋たか子「「地の果て」へ――モーリアックの風景を求めて Image de mere dans les Oeuvres de Francois Mauriac」『新潮』第七六巻一二号、一九七九年、一七四―一八六頁
山本かほる「高橋たか子『空の果てまで』の久緒」『国文学　解釈と鑑賞』第四一巻一一号、一九八九年、一三六―一三七頁

(1) 山本かほる「高橋たか子『空の果てまで』の久緒」『国文学　解釈と鑑賞』第四一巻一一号、一九八九年、一三六―一三七頁。遠藤周作翻訳の日本語版小説名、そして二〇一二年上映の同名の映画邦題（二〇一三年）は『テレーズ・デスケルウ』となっているが、'Desqueyroux' 原語発音は『デケルウ』であるため、本章では題名として『テレーズ・デケルウ』を使用する。

(2) 高橋の修士論文は京都大学フランス文学研究室出版誌『Francia』に二回にわたって連載された。高橋たか子「モーリヤック論（その一）――その主要作中人物について」『Francia』（一九五八年―二）、四三―五一頁、と高橋たか子「モーリヤック論（続き）――その主要作中人物について」『Francia』（一九五九年―三）、四二―五九頁。

(3) 前掲論文。

(4) Mark Williams, "Double Vision: Divided Narrative Focus in Takahashi Takako's *Yosōi Seyo, Waga Tamashii Yo*," in *Oe and Beyond: Fiction in Contemporary Japan*, ed. Stephen Snyder and Philip Gabriel（Honolulu: University of Hawai'i Press, 1999, 104-129. Maryellen Toman Mori, "The Quest for *Jouissance* in Takahashi Takako's Texts", in *The Woman's Hand: Gender and Theory in Japanese Women's Writing*, ed. Paul Schalow and Janet Walker（Stanford: Stanford University Press, 1996, 205-235 を参照。

(5) 中村真一郎・高橋たか子対談「『空の果てまで』をめぐって」高橋たか子『空の果てまで』新潮社、一九七三年、付録四頁。

(6) 前掲対談。

(7) 前掲対談。

(8) フランソワ・モーリアック、遠藤周作訳『テレーズ・デスケルウ』講談社文芸文庫、一九九七年、九〇頁。

(9) 前掲書、九〇―九一頁。

(10) 前掲書、七一頁。

(11) 前掲書、一〇〇―一〇一頁。

(12) 前掲書、一〇五頁。

（13）前掲書、一四三―一四四頁。
（14）高橋たか子『空の果てまで』新潮社、一九七三年、一四一頁。
（15）前掲書、一五三―一五四頁。
（16）前掲書、七九頁。
（17）前掲書、一六二頁。
（18）前掲書、一五九頁。
（19）前掲書、一六一頁。
（20）前掲書、一五〇頁。
（21）フランソワ・モーリアック、前掲書、九頁。
（22）前掲書、一一九―一二〇頁。
（23）Jacques Derrida, "Living On: Borderlines." Trans. James Hulbert. *Deconstruction and Criticism*. New York: Continuum, 1979, 75–176, pp. 137–138. Bruno Bosteels, "Nonplaces: An Anecdoted Topography of Contemporary French Theory," *Diacritics*, Vol. 33, No.3/4, New Coordinates: Spatial Mappings, National Trajectories, Autumn – Winter, 2003, pp. 117–139. 田中・アトキンス・緑訳。
（24）Alexander Fischler, "Thematic Keys in Francois Mauriac's *Thérèse Desqueyroux and Le Noeud De Viperes*," *Modern Language Quarterly*, 1979, p. 378.
（25）Ibid., p. 380.
（26）Alexander Fischler, "Thematic Keys in Francois Mauriac's *Thérèse Desqueyroux and Le Noeud De Viperes*," *Modern Language Quarterly*, 1979, p. 380.
（27）フランソワ・モーリアック、前掲書、一〇六頁。
（28）ミシェル・ド・セルトー、山田登世子訳『日常的実践のポイエティーク』国文社、一九八七年、二四二頁。
（29）前掲書、二二〇頁。
（30）オジェの'non-place'は、テレーズの'*non-lieu*'評決や、'no-place'と訳される'*non-lieu*'とも異なることに注意したい。オジェの'non-places'は、特に、空港、交通手段、ショッピングモール等の人々が往来し、通過していく〝超モダニティ〟内に存在する様々な空間について言及している。同様に、明らかに、オジェは、ある意味セルトーの理論を取り入れているものの、オジェの'non-places'はセルトーの展開する〝空間〟とは異なる。
（31）Marc Auge, *Non-places: An Introduction to Supermodernity*, London: Verso Books, 1995.

(32) Ibid., p. 43.
(33) 高橋たか子「渺茫」『彼方の水音』、講談社、一九七一年、一六三―一六四頁。
(34) ミシェル・ド・セルトー、山田登世子訳『日常的実践のポイエティーク』国文社、一九八七年、二二〇頁。
(35) 高橋たか子『空の果てまで』新潮社、一九七三年、二〇六頁。
(36) 前掲書、一二頁。
(37) フランソワ・モーリアック、前掲書、一七二頁。

第三部　引き継がれる世界と生命

第一章　世界文学としての三つの生命
——漱石、スタイン、ジェームズ

マイケル・ボーダッシュ

はじめに

本書中のもう一つの拙論で、漱石の主に『文学論』を解釈しながら、翻訳に頼らない、特に世界言語とされる英語への翻訳に頼らない「世界文学」の概念を追求した。ここで具体的な問題として、再度漱石を取り扱うが、今度は「世界文学」の作家として彼の作品を再考察したい。翻訳という前提を避ける「世界文学」として、漱石の作品をどう辿るべきかという課題に一つの答えを示唆したいと思う。同時に「世界文学」は固定化された構造を持つという前提も避けたい。そして、実はこの二つは漱石の『文学論』そのものにも深く通じるところがあるのだ(1)。

このような再読の方法として、漱石を同時代のあるネットワークを通して読み直すことにする。これはある意味で「潜在意識」的なネットワークである。実は一九〇二年という年に、夏目漱石とアメリカ人の小説家・詩人ガートルード・スタインは同時にロンドンに滞在していた。トラファルガースクウェアやカーライル・ハウスの入り口で、二人の外国人住民がすれ違うところを想像するのはとても魅力的だが、現実にはおそらく二人が出会うことはなかったであろう。スタインが漱石の存在を知るすべはなかったし、漱石もスタインの名前を見る機会はおそらくなかった。欧米の出版社が漱石の作品の英訳を出版するのは戦後まで待たなければならなかったし、スタインの作品の最初の和訳は漱石の没後まで現れなかった。(2)

つまり、このふたりの作家が互いの存在を意識することはほとんど不可能だった。しかし二人は「世界文学」というネットワークで同時に活躍していた。彼等の間には様々な微妙な縁が存在していた。それだけではなく、初期の漱石の作品を理解するためには、スタインの初期の作品が有用な手掛かりになる。ここで、その二人の一九〇五年（明治三八年）前後の作品を分析しながら、翻訳を前提にしない「世界文学」の方法を模索したいと思う。漱石の短編「一夜」（初出は明治三八年九月号の『中央公論』）とスタインの小説家としてのデビュー作『三つの生命』（一九〇五―一九〇六年執筆、一九〇九年出版、昭和四四年『三人の女』として富岡多恵子が和訳）を見ながら当時の一つの「世界文学」というネットワークを辿りたいと思う。

一見するとこの二人の共通点は皆無と言って良いほど異質に見える。スタインはアメリカ人女性で、漱石は日本人男性。彼女の方は彼より七歳若い。漱石と違って、彼女はヨーロッパでの外国生活が大変気に入り、亡くなる一九四六年までそこに残った。(3)そして犬好きのスタインに対して、漱石はどちらかというと猫派であった。『吾輩は猫である』の連載は「一夜」が出版された年に始まっている。

しかし、これらの目立った差異の裏に二人の間の興味深い類似点も見出すことができる。例えば二人とも自然科学に深い興味を持っていた。実は、スタインの最初に活字になった作品は科学実験の報告書だった。また二人は芸術、特に絵画への関心を共有し、その文学作品にもよく絵画や画家に関わる出来事を描いている。『三つの生命』を執筆しているスタインの机の上の壁にポール・セザンヌの「マダム・セザンヌの肖像」がかかっており、次の文の発想をさぐりながらスタインがその油絵を見つめていたのは有名な逸話である。「一夜」も含めて漱石の作品にもよく絵画のことが話題になる。この芸術への関心は二人が実験的な小説方法論に関心を持つきっかけにもなった。特に二人の初期の小説を見ると印象派やキュービズムを思い出させる傾向が見える。例えば、物語の時間構造では直線的なリニア時間を避けており、「意識の流れ」のような語り方を試している。そして漱石の木曜会とスタインの土曜夜のサロンで二人は大きな影響力を持つホストになり、次の世代のモダニズム的な芸術の指導者的な役割を果たした。だからこそ、ある学者が指摘しているように、スタインは「モダニズムがまだ到着していない時期にすでに『モダン』であった」(4)。漱石についても同様のことが言えよう。

しかし何より漱石をスタインとつなげるネットワークの重要な存在はウィリアム・ジェームズであった。周知のように、漱石は明治三〇年代の学生時代以来ジェームズの心理学や哲学に興味を持つようになり、ロンドン滞在中には『文学論』の基礎になる研究として、ジェームズの主な作品を読んでいる。『吾輩は猫である』の中でもジェームズの名が登場人物たちの会話に出てくる(5)。

スタインとジェームズの関係はより直接的なものだった。一八九〇年代に彼女はラドクリフ大学の学生として、ハーバード大学の研究室で直接ジェームズの指導を受けていた。彼女にとってジェームズが大切な指導者であったことは間違いないし、ある意味で殺さなければならないエディプスコンプレックス的な父親でもあった。ところで、一九〇九年にスタインが『三つの生命』の初版本をジェームズに送ったところ、彼は礼状の中でその作品を「優れた新しいタイプのリアリズム」と評価している(6)。

ジェームズは「意識の流れ」という言葉の生みの親でないとしても、少なくともその言葉が広く知られるようになったのは彼の貢献による。ここで取り扱う二つの小説はいわゆる「意識の流れ」の文体を示唆している。しかし、この二つの作品の文体と我々が理解している通常の「意識の流れ」の語りとの間にある重要な違いをまずは認めなければならない。「一夜」も『三つの生命』もある意識の流れを表す言葉で綴られている物語であるが、誰の意識かというと、登場人物のものではなく、物語世界の外にいる第三者の語り手の意識である。[7]「意識の流れ」文体というより、「会話の流れ」文体といったほうが適切かもしれない。この特徴は同じ「世界文学」のネットワークの中で生きていた二人の作家が描く「自我」や「心理」を理解するための大切な手掛かりになる。

一　「一夜」の語りと構造

「一夜」は漱石の作品の中で最も難解で、実験的な作品だと言えよう。だからこそ、あまり批評家や学者に取り扱われていない。『吾輩は猫である』の第六章で、東風の口を借りて、漱石本人もこの短編の難解さを認めながら戯画化している。

「(…)この頃の詩は寝転んで読んだり、停車場で読んでは到底分りようがないので、作った本人ですら質問を受けると返答に窮する事がよくあります。全くインスピレーションで書くので詩人はその他には何等の責任もないのです。註釈や訓義は学究のやる事で私共の方では頓と構いません。先達ても私の友人で送籍と云う男が一夜という短篇をかきましたが、誰が読んでも朦朧として取り留めがつかないので、当人に逢って篤《とく》と主意のある所を糺《ただ》して見たのですが、当人もそんな事は知らないよと云って取り合わないのです。[8](…)」

意外なことに、「一夜」の英訳は存在する。[9]この作品を取り扱っている日本の学者は主にその文体と表現様式に注目している。[10]その冒頭の髯ある男の発話は、内容も文体も作品の重要な特徴である「繰り返し」を体現している。ちなみに、登場人物は皆固有名詞を持たない。

「美くしき多くの人の、美くしき多くの夢を……」と髯ある人が二たび三たび微吟して、あとは思案の体である。[11]

このセリフを発話者の短い描写の後、繰り返しの形で二人目の発話者が現れる。

「描けども成らず、描けども成らず」と椽《えん》に端居《はしい》して天下晴れて胡坐かけるが繰り返す。兼ねて覚えたる禅語にて即興なれば間に合わす積りか。剛き髪を五分に刈りて髯貯えぬ丸顔を傾けて「描けども、描けども、夢なれば、描けども、成りがたし」と高らかに誦し了って、からからと笑いながら、室の中なる女を顧みる。[12]

間もなく三人目の発話者として「女」のセリフが出る。彼女の話し方も繰り返しを特徴とする。そして二人目と三人目が話している間にも、髯ある男が「美くしき多くの人の、美くしき多くの夢を……」というセリフを反復している。[13]

これで短編の一頁目は終わるが、物語らしい物語は全然進展していない。作品を最後まで読んでも、物語としてプロットの展開も発展もほとんどない。故に、加藤二郎が指摘しているように、「一夜」は小説というより「反小説」に近い[14]。しかし、前方に進まない繰り返しや、繋がりのないように見える人物の様々なセリフを読みながら、読者は少しずつ物語の設定や内容を把握していく。ある雨が降る五月の夕方、プライベートな空間で漱石が好む三角関係の二人の男と一人の女がいる。細かい説明はないが、何となく死や嘆きの雰囲気が漂う。髯ある男は夢について語りだすが、その語りは途中で何度ももう二人の人物に遮られる。遮る度、彼らの発話もまた繰り返しになっている。だから語り手が三人の発話は「頗る解しにくい」と判断する[15]。蜘蛛や蟻の出現は唯一のプロットの出来事。三人は庭からホトトギスの鳴き声を聞き、そして隣の家から楽器の音も聞く。「惚れる」ことが会話の話題になるが、登場人物は特に誰かに惚れている感じはしない（しかし語り手は「女」に魅了されているようで、彼女の姿を反復して細かく描いている）。

この短編は場面を描写する語り手の地の文と登場人物のセリフが交差する。俳句の季語が頻繁に出て、物語の世界が俳諧の季節に基づく周期的な時間性に支配されているようである[16]。発話されるセリフには繰り返される言葉がよく出て、読者はやがて登場人物が歌か詩、あるいは画をかこうとしていることに気がつく。

女は（中略）「私も画になりましょか」と云う。はきと分らねど白地に葛の葉を一面に崩して染め抜きたる浴衣の襟をここぞと正せば、暖かき大理石にて刻める如き頸筋が際立ちて男の心を惹く。

「其儘《そのまま》、其儘、其儘が名画じゃ」と一人が云うと

「動くと画が崩れます」と一人が注意する。

「画になるのも矢張り骨が折れます」と女は二人の眼を嬉しがらしょうともせず、膝に乗せた右手をいきなり後ろへ廻わして体をどうと斜めに反らす。(17)

三人の登場人物がそれぞれの寝室へ戻る時に、この不思議な会話の流れが急に終わる。すると、今度は語り手が繰り返しの言葉を使いながら、忘却について語りだし、作品の結末へ向かう。

三十分の後彼等は美くしき多くの人の……と云う句も忘れた。クヽーと云う声も忘れた。蜜を含んで針を吹く隣りの合奏も忘れた、蟻の灰吹を攀《よ》じ上った事も、蓮の葉に下りた蜘蛛の事も忘れた。彼らは漸く太平に入る。凡てを忘れ尽したる後女はわがうつくしき眼と、うつくしき髪の主である事を忘れた。一人の男は髯のある事を忘れた。他の一人は髯のない事を忘れた。彼らは益々太平である。(18)

そして語り手は「時間」の性質、特に時間の蓄積や反復について考察する。

又思う百年は一年の如く、一年は一刻の如し。一刻を知れば正に人生を知る。日は東より出でて必ず西に入る。月は盈《み》つればかくる。（中略）日月は欺くとも己れを欺くは智者とは云われまい。一刻に一刻を加うれば二刻と殖えるのみじゃ。(19)

ここで、語り手が示唆するのは、漱石がのちに出版する『文学論』に見える時間、つまり個人の意識の流れの一刻一刻が蓄積し、例えばある世紀の時代精神まで形づくる時間論である。

そして「一夜」の最後の数行がこの漱石の文芸的実験を理解するための鍵になる。

八畳の座敷に髯のある人と、髯のない人と、涼しき眼の女が会して、斯の如く一夜を過した。彼等の一夜を描

いたのは彼等の生涯を描いたのである。

何故三人が落ち合った？　それは知らぬ。三人は如何なる身分と素性と性格を有する？　それも分らぬ。三人の言語動作を通じて一貫した事件が発展せぬ？　人生を書いたので小説をかいたのでないから仕方がない。なぜ三人とも一時に寝た？　三人とも一時に眠くなったからである。[20]

結局、「一夜」は一つの考えからもう一つの考えへの意識の不思議な飛躍の繰り返しからなっている。これは心理学の概念である「暗示」の文学的な表象の試みで、意識の流れにできるだけ忠実であろうとした実験的文体と言えよう。[21]ジェームズの『三つの生命』への評価の言葉を借りるなら、「一夜」も「新しい種類のリアリズム」を実現しようとしている。つまり、リニア時間的な因果関係の代わりに繰り返しの時間性、そして一夜の描写が一つの人生の全体の描写になるような新種のリアリズムの作品である。

二　『三つの生命』における繰り返しと意識の流れ

この「一夜」を理解するための鍵は実はスタインの『三つの生命』にも当てはめることができる。「お人好しのアンナ」、「メランクタ」、「やさしいレナ」という三章で出来ている長編小説で、それぞれの章は別々の薄幸な女の伝記的物語だ。[22]『アリス・B・トクラスの自叙伝』によると、三人の女主人公のモデルはスタインがラドクリフ大学を卒業した後、ジョンズ・ホプキンズ大学の医学部生時代に出会った人々である。三人とも「ブリッジポイント」という架空の町を舞台にするが、それ以外はお互いに無縁である。それぞれの章は主人公の子供時代から大人になって最後に死ぬまでの時間的な弧を描く物語の構造を持つが、作品は全体として発展する物語らしい物語の構造を持っていない。そして何よりも、作品の特徴はその実験的な語りの文体である。ある学者が指摘するように、「この作品で、スタインは文章の流れと意識の過程を進めようとし」、そのために「意識の動きを自然にたどることができなかった一九世紀の文法や措辞法を破る」ことが必要になった[23]。

この文法の脱構築と繰り返しが『三つの生命』の文体の特徴である。マリアン・デコーヴェンが論じているように、「一九〇六年から一九一一年の間のスタインの作品の最も著しい特徴はその繰り返しである。この時期のスタインほど広域にわたって繰り返しを使った作家はおそらく存在しない[24]」。繰り返しは作品中に様々なレベルでみられる。まず、三人の主人公の、それぞれいくつかの特性が紹介されている。そしてそれらの特性は全く同じ言葉で何回も作品中で反復される。例えば、「メランクタ・ハーバートは上品で、うすい黄色っぽい肌の、知的で魅力的な黒人女だった」（九四頁）という文章はほとんどそのまま何度も読者の前に現れ、ワーグナーのオペラに出る「ライトモティーフ」と同じような役割を果たす[25]。どの章もこのような口癖のような言葉がほとんど変化なしにいたるところで繰り返される。そして小説全体の構造もある意味で繰り返しになっている。つまり、まず一人目の女性の生命が語られ、そして二人目の生命があり、そして三人目の生命がある。

スタインのほかの作品もそうであるが、『三つの生命』の内容をかいつまむことはほとんど不可能である。なぜかというと、作品が狙っている効果はストーリーではなく、言葉などの繰り返しの蓄積から生まれる効果だからだ。「繰り返し」そのものより、繰り返しという過程から生まれてくる細かい差異、言葉の「強調」「こだわり」などの変調を通して理解してほしい、と晩年のスタインは自らの作品について語っている。彼女のほとんど翻訳不可能な独特の文体の例をここで紹介しよう。

…every time one of the hundreds of times a newspaper man makes fun of my writing and of my repetition he always has the same theme, that is, if you like, repetition, that is if you like the repeating that is the same thing, but once started expressing this thing, expressing any thing there can be no repetition because the essence of that expression is insistence, and if you insist you must each time use emphasis and if you use emphasis it is not possible while anybody is alive that they should use exactly the same emphasis. And so let us think seriously of the difference between repetition and insistence.(26)

あえて翻訳に挑戦してみると次のようになる。

新聞記者が私の文章や私の繰り返しを何百回も揶揄したが、彼らはいつも同じテーマを持ち出す。つまり、繰り返しのことを。でも、繰り返しということ、つまり同じことを繰り返すということで何かを表現すれば、実は、考えてみると繰り返しはあり得ないのだ。いわゆる繰り返しの本質はこだわりということで、そしてこだわるためにはまず強調しなければならないが、強調を使えば、生きてるものは誰だってまったく同じ強調を繰り返すことは不可能。だからこそ、考えなければならないのは繰り返しとこだわりの違いなのだ。

続いて、スタインはこの発想は子供のころ、自分の叔母たちの会話や噂話を聞きながら発見したことだという。この発見は自分が「書きだしたきっかけになったとまでは言えないが、繰り返しがなぜ不可能かということを知ることの始まりだった。物事が何回起こっても、誰かがその物事を口にすればその途端に繰り返しは不可能になる。ウィリアム・ジェームズはこれを『生きる意志』と呼ぶ。でなければ、だれも生きることができなくなる(27)」。

つまり、スタインにとって「繰り返し」とは同じことが再三起こるような単純なことではなく、強調やこだわりの度合いの微妙な差異を発生させる一つの方法である。繰り返しは変化や新しい何かを生むための方法になり、生命や意識の展開の原動力でもある。スタインはこのような繰り返しを活動写真と比較して、一つのコマはある程度前のコマの繰り返しになると同時に、その前のコマとは微妙に違うと論じる。

通常、スタインはアバンギャルドの作家として文学史の伝統を切断するような存在とみなされている。しかしスタインのアバンギャルドの特徴は切断というよりは繰り返しであった。例えば、「薔薇は薔薇であり、薔薇であり、薔薇である」（“A rose is a rose is a rose”）や「あそこにはあそこがないよ、あそこ」（“There’s no there there”）のような彼女の名言を思い出すとこの特徴がすぐ見えてくる。リスィ・シェーンバッハが指摘しているように、スタインの文学的な実験の目標は読者に「ショックそのものを与えることではなく、明らかな大袈裟さによって習慣《ハビット》を可視化する」ことであり、作品の力は「信念の猛烈さや表現の純粋さによるものではなく、雪だるま式に膨らんでいく繰り返しや拡張の論理による」(28)。『三つの生命』における繰り返しは徐々に新しい意味を積み重ねて、それによって反復されるセリフの文字通りの意義から逸脱するような皮肉的で批評的な距離を開けることになる(29)。

結局スタインは自由奔放な生き方をとるイメージがあるのに、実際には漱石と同様に日常的な習慣から抜けられない人であった。そして彼女の文学が描いた世界も習慣に支配されており、繰り返しの形をとる日常生活であった。それはジュリア・クリステヴァが言う「女性時間」の生活であった。この日常性の繰り返しの時間性を文学に表象することが、スタインと漱石を繋げる「世界文学」のネットワークの繋ぎ目である。しかしそれを理解するためには、三人目のウィリアム・ジェームズの思想を視野にいれなければならない。

三　ジェームズにおける「繰り返し」の意義

漱石の小説は繰り返し「繰り返し」の構造を通して分析されてきた。しばしばフロイトの精神分析学の枠組みで、例えば、一九八〇年代の「『こころ』論争」で小森陽一や石原千秋が論じたように、「トラウマ」や「無意識」、「抑圧されたものの再回帰」、「反復強迫」などに基づいて解釈される。こういった解釈では、「繰り返し」は物語や人生の健康的な前進を塞ぐような、病症的な存在になる。

しかし、漱石とスタインを世界文学ネットワークのもとで並行させながら再読すると、違う意味の「繰り返し」の可能性が見えてくる。この種の「繰り返し」は無意識ではなく「潜在意識」や「下意識」の領分に属する。これを理解するために、ウィリアム・ジェームズ、とくに彼の『心理学の原理』における「習慣《ハビット》」という有名な一章が重要なヒントを与えてくれる[30]。ジェームズの「習慣」論は二〇世紀の心理学が辿っていく道筋を予測したと言えるが、それは精神分析学の方向というより、主にジョン・ワトソンやバラス・スキナーの行動主義心理学の方向を指していた（ちなみにスキナー自身、スタインの作品を心理学者の立場から分析する面白い論文も出版している[31]）。

ジェームズによると、生物に習慣が存在するのはその有機物の可塑性による。つまり、有機体は外部からの刺激に反応し、自分の中の物質を最適に処理し、その変更によって新しい安定した状態を獲得する。習慣は類似する刺激が脳や神経系においてすでに存在している神経経路をたどる傾向から生まれる現象である。「一度神経インパルスが通った経路はどこにでもある道のように、通ったがために軌が彫られ、次に通りやすくなるはずで、新しい神経インパルスが通るごとにこれが繰り返されるはずである[32]」。

これは効率と機能拡大のために望ましい結果である。「習慣はある結果を出すために必要な労力を軽減し、その正確度を増し、疲労を減らし」して、目的とする行動を遂行するための「神経と筋肉の費やし方を効率的にする[33]」。なぜかというと「習慣は我々の行動に伴う意識的な注意の必要を減少する」からである[34]。

習慣になった行動の連鎖には、意識的な考察をしなくても、最初の神経の刺激だけがあれば連鎖全体が自動的に動き出すからだ。漱石の『文学論』における（F+f）の数式で言えば、習慣はある行動を意識の頂点Fの位置に上らず、fだけの領分で成し遂げることを可能にする。

一般的にモダニズムなどのアバンギャルド文学を考える時、「習慣」を好ましくないこととみなす傾向がある。大抵モダニズムにおいては、慣例や規約は乗り越えるべき問題で、斬新なスタイルの作品が呼び起こすショックによって、その常識の壁を乗り越え、化石化された思想や文化を壊すという見方が常である。しかし、ジェームズとスタインには、あるいは漱石にも、「習慣はある快楽を生み出し、それは繰り返しという快楽になる」のだ[35]。彼らにとって繰り返しはその独特な機能を通して不可欠な差異を作り出す方法だ。つまり読者は「一夜」と『三つの生命』を通して、この特殊なモダニズムと出会う。この種のモダニズムのもとでは、習慣や繰り返しは近代における破壊やストレスに対面して生き抜くためのストラテジーになり、相次いで出現する新しい物事から受けるショックを上手に飲み込むために、それらを同じ物事の繰り返しとして対処するすべになる。そして、習慣的な繰り返しは文体のレベルでもその近代の破壊的ショックを表現する方法にもなる(36)。

この特殊なモダニズムの習慣概念はジェームズの思想からくるが、ジェームズの習慣概念とは明らかな違いもある。ジェームズにとって、習慣は主に「習慣法則の倫理的含蓄」に関わっている(37)。習慣は自己成型の可能性を意味し、そして我々の第二の天性（と同時に第一の天性）に介入することを可能にする。習慣は「社会の膨大なフライホイールであり、社会のもっとも大切な安定剤である(38)」。ジェームズは、脳の物質の可塑性がまだ強い幼児期に良い習慣を獲得することが大事であるという。

あらゆる教育の場において何より大切なのは、我々の神経系を敵ではなく、味方にすることである。習得したことを元手として資本化し、その資金から得られる利子にたよって楽な生き方をすることである。そのため、なるべく早い時期から、なるべく多くの有用な行動を自動化して習慣化しなければならない。ペストから自分を守るのと同じほど慎重に、不利になるやり方を覚えないように注意しなければならない。日常生活のあれこれをできるだけ習慣の素早い自動性に委ねれば、その分、脳はしなければならない業務遂行に没頭できる。習慣的に何もできず、タバコに火をつけるかつけないか、何を飲むか、何時に寝起きするか、一々どうやって仕事に着手するかに悩む、というようにどんな細かい行為をするためにも意志的な考察を強いなければならぬほど惨めな人間は存在しないだろう(39)。

ジェームズにとって習慣は道徳と人格の問題になる。逆説的に聞こえるかもしれないが、習慣は自由意志の可能性の保証にもなる。「新しい習慣を獲得する時、あるいは古い習慣を捨てる時、なるべく断固とした態度で、強い意志をもって望むことが肝心である」[40]。望ましい新習慣を抽象的な考えとしてではなく、身体化された行動として獲得しないとだめなのである。ジェームズはジョン・スチュアート・ミルを引用して、「人格」とは「完全に形づけられた意志」であると論じ、そして「意志」とは「人生におけるあらゆる重要な緊急事態に対してしっかりした、迅速な、はっきりしたやり方で対応する傾向の集合」であると主張する[41]。結局、ジェームズによると、習慣は我々を自由にする。重要なのは「意志の習慣」[42]であり、もっと精確に言えば、習慣としての意志である。「小さい、無意味に見えることを毎日実行することで自分の努力する力を養いなさい（中略）毎日あるいは一日おきにでも何かしたくないことを、したくないからこそやりなさい」[43]。

ジェームズにとって、習慣や繰り返しは主体的な自由の否定ではなく、その不可欠な前提条件である。この点で、ジェームズの思想はフランスの哲学者アンリ・ベルクソンの思想と類似する。漱石もベルクソンの『時間と自由』と『笑い』の英訳を読んだだけでなく、ベルクソンの哲学を細かく紹介するジェームズの『多元的宇宙』も読んでおり、その思想をある程度把握していたであろう。スタインとベルクソンの関係もすでに多くの学者に指摘されている[44]。

ベルクソンによると外部刺激と身体化された反応の習慣として内面化された内部の回路は自由選択や自由意志を可能にするものである。繰り返されるパターンを認識することによって、我々は初めて意識的にその過程に介入することができるようになり、それで外部刺激に対しての対応を自由に選べるようになり、それによって自動化された行動以外の反応を選択することが可能になる。

四　「一夜」における繰り返しの意義をもう一度

ジェームズとスタインと漱石を一つのネットワークとして考える時、「一夜」や『三つの生命』の共通点が見えてくる。ジェームズの繰り返し論を「一夜」や『三つの生命』の文体に当てはめると、言葉やセリフの繰り返しは読者を新しい発見に促す方法になるのは明らかだ。

具体的な例として、漱石の「一夜」の途中に出てくる場面を見たい。やや長い引用になるが、三人の人物が外の庭からホトトギスの鳴き声を聞く場面である。

「一声でほととぎすだと覚る。二声で好い声だと思うた」と再び床柱に倚りながら嬉しそうに云う。この髯男は杜鵑《ほととぎす》を生れて初めて聞いたと見える。「ひと目見てすぐ惚れるのも、そんな事でしょか」と女が問をかける。別に恥ずかしと云う気色も見《み》えぬ。五分刈は向き直って「あの声は胸がすくよだが、惚れたら胸は痞《つか》えるだろ。惚れぬ事。惚れぬ事……。どうも脚気らしい」と拇指で向脛へ力穴をあけて見る。「九仞《きゅうじん》の上に一簣《いっき》を加える。加えぬと足らぬ、加えると危うい。思う人には逢わぬがましだろ」と羽団扇が又動く。「然し鉄片が磁石に逢うたら?」「はじめて逢うても会釈はなかろ」と拇指の穴を逆に撫でて澄ましている。

「見た事も聞いた事もないに、是だなと認識するのが不思議だ」と仔細らしく髯を撚る。[45]

ほととぎすの一声ではなく、「二声で好い声」になる。つまり、繰り返しによってその好いことに初めて気が付く。「はじめて逢うても会釈はな」いからである。リニアで直線的な進歩によって主体的に悟るのではなく、繰り返しの蓄積そしてその蓄積が可能にする目覚めによって悟るのだ。繰り返しは同じ事が何度も起こるだけではなく、その過程から余分な何かが発生し、それによって意識が募る。「一夜」と『三つの生命』の登場人物はこの過程を生きており、作品の物語の構造と文体もこの過程を体現している。

結局「繰り返し」はこの二つの作品のテーマであるだけではなく、読書過程においてその効果を読者の意識にも及ぼすことを目指していると言えよう。

結論の代わりに

漱石とスタイン、ジェームズがなす世界文学のネットワークは泡沫夢幻だった。一九〇五年以降、スタインと漱石は劇的に違う方向に進んだ。スタインはさらにラディカルな実験を追求し、極限的な「繰り返し」などのモダニストの文体の方に進んだ。そのためか、一九三〇年代までは広い読者層に恵まれなかった。でも、彼女の一九三三年の作品、『アリス・B・トクラスの自叙伝』が奇跡的に欧米でベストセラーになり、やっと一般の読者が彼女の独特な文体を味わうことができた。

それに対して、漱石は明治四〇年から日本一の新聞小説家としての位置を占め、その後ほぼ一年一作のペースでベストセラーの長編小説を綴る。この時期の作品にも物語の構造上などで様々な実験的な試みが見える。その意味で「一夜」の延長線上にあると言えよう。しかし、拡大しつつあった文学作品の市場で売れる商品として成功するため、その文体は「一夜」の文体よりかなりわかりやすいものに変えざるを得なかったのだろう。

リサ・ラディックによると、一九〇五年以降のスタインの文学はウィリアム・ジェームズとその一九世紀の倫理から遠ざかり、二〇世紀のフロイトの精神分析学と、さらにフロイトのエディプス論を超越するフェミニストのモダニズムへと近づく傾向として理解すべきだという。この転換において、「繰り返しという概念」は「ジェームズ流のプラグマティズムに対する彼女の武器」になったとラディックは論じる(46)。漱石についても同じようなことが言えるかもしれない。『門』や『こころ』など、フロイト的な抑圧されたものが再回帰する性質を持つものが多い。つまり、一九〇五年ごろの「潜在意識」の世界文学のネットワークはその後すぐ消えてしまった。より正確に言えば、一九〇五年以後、漱石とスタイン、ジェームズはそれぞれ違うネットワークへと進んだ。あるいは、一九〇五年ごろの「潜在意識」のネットワークがその後、より広いネットワークに飲み込まれ、それによってこの三人の役割が変質したのかもしれない。翻訳、特に英語などの世界通用言語への翻訳を前提しない「世界文学」論を考えるとき、こういったネットワーク、出現しながら消えるような複数のネットワークの集合を辿ることは一つの有用な方法だと思う。

そのはかないネットワークの存在は実は繰り返しとバリエーションの蓄積で形づけられる。我々も遺伝におけるDNAの反復と差異の蓄積によって進化する。反復と変化、というより変化としての反復こそが「世界文学」のDNAの特徴と言えるかもしれない。

（1）拙論「夏目漱石の《世界文学》・英語圏から『文学論』を読み直す」『文学』（二〇一二年五・六月号）を参照。
（2）昭和四年から七年ごろ、春山行夫は『詩と詩論』などの文芸誌にスタインの作品の和訳を出版した。これはスタインの日本語訳の最初であろう。この情報を提供してくださったホイト・ロング氏に感謝を申し上げる。
（3）漱石と違って、スタインは一九〇二年以前にもヨーロッパに行った経験がある。子供の頃にも彼女は長く滞在していた。
（4）Liesl M. Olson, "Gertrude Stein, William James, and Habit in the Shadow of War," *Twentieth Century Literature* 49: 3（Autumn 2003）, 328-359. 引用文の和訳はボーダッシュによる（以下同様）。
（5）漱石とジェームズの関係について、小倉脩三『夏目漱石・ウィリアム・ジェームズ受容の周辺』（有精堂、一九八九年）や宮本盛太郎・関静雄『夏目漱石・思想の比較と未知の探究』（ミネルヴァ書房、二〇〇〇年）などを参照。
（6）Lucy Jane Daniel, *Gertrude Stein*（Reaktion Books, 2009）, 73.
（7）普通の「意識の流れ」の文体とスタインの独特の語りの文体についてはNorman Weinstein, *Gertrude Stein and the Literature*

of Modern Consciousness（Frederick Ungar Publishing, 1970）, 15-16を参照。

（8）『漱石全集』第一巻、二六一頁。漱石のテクストの引用は『漱石全集』（岩波書店、一九九五―九九年）により、引用文の振り仮名などは省いたり、旧仮名遣いを現代仮名遣いに直したりした。

（9）Natsume Sōseki, "*Ichiya*: One Night," trans. Alan Turney, *Monumenta Nipponica*, 33:3（Autumn 1978）, 289-297.

（10）小橋孝子「一夜」『国文学・解釈と教材の研究』（一九九四年一月号）三九―四三頁。

（11）「一夜」『漱石全集』第二巻、一三一頁。

（12）『漱石全集』第二巻、一三一頁。

（13）『漱石全集』第二巻、一三二頁。

（14）加藤二郎「漱石の『一夜』について」『文学』（一九八六年七月号）四九―六四頁。

（15）『漱石全集』第二巻、一三八頁。

（16）小橋孝子「一夜」四〇頁。

（17）『漱石全集』第二巻、一四〇頁。

（18）『漱石全集』第二巻、一四一頁。

（19）『漱石全集』第二巻、一四一頁。

（20）『漱石全集』第二巻、一四二頁。

（21）佐々木英昭「「暗示」実験としての漱石短篇――『一夜』『京に着ける夕』『永日小品』の深層」『日本近代文学』（七六号、二〇〇七年）三二―四五頁。

（22）『三つの生命』からの引用はガートルード・スタイン『三人の女』富岡多恵子訳、中公文庫、一九七八年による。

（23）Donald Sutherland, *Gertrude Stein: A Biography of her Work*（Greenwood Press, 1951）, 40-41.

（24）Marianne DeKoven, *A Different Language: Gertrude Stein's Experimental Writing*（University of Wisconsin Press, 1983）, 40.

（25）DeKoven, *A Different Language*, 40.

（26）Gertrude Stein, "Portraits and Repetition," in *Lectures in America*（Beacon Press, 1957［1935］）, 165-206.

（27）Stein, "Portraits and Repetition," 169.

（28）Lisi Schoenbach, "'Peaceful and Exciting': Habit, Shock, and Gertrude Stein's Pragmatic Modernism" *MODERNISM/modernity* 11:2（2004）, 239-259.

（29）Thomas Fahy, "Iteration as a Form of Narrative Control in Gertrude Stein's 'The Good Anna,'" *Style* 34: 1（Spring 2000）, 25-35.

(30) William James, *The Principles of Psychology*, two volumes (Henry Holt, 1890), 1: 104–127.
(31) B.F. Skinner, "Has Gertrude Stein a Secret?" *Atlantic Monthly* 153 (January 1934), 50–57.
(32) James, *Principles of Psychology*, Vol. 1, 108. 引用文の和訳はボーダッシュによる（以下同様）。
(33) James, *Principles of Psychology*, Vol. 1, 112–113.
(34) James, *Principles of Psychology*, Vol. 1, 114.
(35) Olson, "Gertrude Stein, William James, and Habit in the Shadow of War," 330.
(36) Schoenbach, "Peaceful and Exciting."
(37) James, *Principles of Psychology*, Vol. 1, 120.
(38) James, *Principles of Psychology*, Vol. 1, 121.
(39) James, *Principles of Psychology*, Vol. 1, 122.
(40) James, *Principles of Psychology*, Vol. 1, 123.
(41) James, *Principles of Psychology*, Vol. 1, 125.
(42) James, *Principles of Psychology*, Vol. 1, 126.
(43) James, *Principles of Psychology*, Vol. 1, 126.
(44) 例えば、Leonard Folgarait, *Painting 1909: Pablo Picasso, Gertrude Stein, Henri Bergson, Comics, Albert Einstein, and Anarchy* (Yale University Press, 2017) や Sarah Posman, "Time as a Simple/Multiple Melody in Henri Bergson's Duration and Simultaneity and Gertrude Stein's Landscape Writing" *Mosaic: A Journal for the Interdisciplinary Study of Literature* 45:1 (2012), 105–120 を参照。
(45) 『漱石全集』第一一巻、一三三一一三四頁。
(46) Lisa Cole Ruddick, *Reading Gertrude Stein: Body, Text, Gnosis* (Cornell University Press, 1991), 5.

第二章　文学の生命線
――『リリカル・バラッズ』から漱石へ

野網摩利子

一　聞き手の存在

その構成自体が謎の漱石テクストは少なくない。たとえば『彼岸過迄』である。連載に先立ち、漱石は新聞紙上で「彼岸過迄に就て」という予告をしている。そこでは「かねてから自分は個々の短篇を重ねた末に、其の個々の短篇が相合《あいがつ》して一長篇を構成するやうに仕組んだら、新聞小説として存外面白く読まれはしないだらうかといふ意見を持《じ》してゐた」と述べられている。(1)

ところが、『彼岸過迄』の短篇ははっきりとわかるほどに「相合」しているわけではない。(2) とくに他章から切り離されて見えるのは、最初の「風呂の後」という章である。田川敬太郎という、全篇をとおしての聞き役がこの章の主人公である。彼と、森本という、その後の章では、敬太郎がステッキから思い起こすに過ぎない人物とのやりとりが中心になっている。森本は下宿代も支払わないまま満洲の大連に渡り、その後敬太郎と再会もしていない。『彼岸過迄』の各章間をつなぎ合わせるのは、むしろ読者の仕事として委ねられているような印象さえ受ける。その印象を起こさせるのは、『彼岸過迄』において聞き手が重要な役割を果たしているためである。耳を澄ます聞き手役の登場人物と、小説内の進行に口を差し挟まない読者とのあいだには、大きな差違もあるが、小さな共通点も見逃せない。小説内の世界を聴き続けることによって、その時空をつなげてゆく役割を担うのだ。

『彼岸過迄』「風呂の後」の章では、敬太郎は同じ下宿に住む森本からさまざまな冒険談や浮世話を聞いている。「浪漫趣味《ロマンチック》」（「風呂の後」四）[3]な青年の敬太郎にとって森本の経歴談は貴重で楽しみであった。森本が高じれば「妖怪談」に近い妙な話も披露される。たとえばつぎのような一話である。

　彼が耶馬渓を通つた序に、羅漢寺へ上つて、日暮に一本道を急いで、杉並木の間を下りて来ると、突然一人の女と擦れ違つた。其女は臙脂《べに》を塗つて、白粉《おしろい》をつけて、婚礼に行く時の髪を結つて、裾模様の振袖に厚い帯を締めて、草履穿《ばき》の儘たつた一人すた〳〵羅漢寺の方へ上つて行つた。寺に用のある筈はなし、又寺の門は締まつてゐるのに、女は盛装した儘暗い所をたつた一人で上つて行つたんださうである。（「風呂の後」三）

森本の話は敬太郎にとって驚きの連続だった。用がなくても毎日半日は出歩き、「能《よ》く須永の家を訪問《おとづ》れ」て話をしているのだから、友人の須永市蔵に森本の話を日々伝えているという設定であろう。すると、須永市蔵も、森本のことを話す敬太郎の聞き手といえる。須永市蔵は「母」と二人暮らしだが、じつは、須永は死んだ父と小間使いとのあいだの子である。彼はその真実を大学卒業前に、須永の「母」の弟にあたる松本恒三から聞いた。子に恵まれなかった須永の母は、小間使いから生まれた子を引き取り、事実を隠したまま養育してきて、今でも市蔵が事実を知らないと思っている。市蔵の生母である小間使いは須永家から暇を出され、お産後間もなく死んだと、松本は須永市蔵に話してしまっていた。死因は産後の肥立ちが悪かったせいだとも別の病だとも聞いたと松本は言う。

『彼岸過迄』の時間構成は、凝った作りになっていて、最初の「短篇」の内容は最後の「短篇」の内容より時間的に後に位置する。したがって、最初の「風呂の後」の章において須永はすでに自分の出生の秘密を知っている。そこへ、頻繁にやってくる敬太郎が森本から聞いた話をもたらすというわけだ。ならば、婚礼の髪と衣装で山に一人で上ってゆく女の話を、須永はどのような思いで聞いたのだろうか。このような具合に、読者の思考において短篇同士がつながりはじめる。ただし、その連結はあくまでゆるやかなものに過ぎない。

二　ワーズワス詩の関与

しかし、『リリカル・バラッズ』（*Lyrical Ballads*）初版から載っているつぎの詩、「茨」（"The Thorn"）を、東京帝国大学（専攻は法律）を卒業した須永が読んでいたとすれば、『彼岸過迄』の短篇間の連結の度合いがにわかに増す。『リリカル・バラッズ』とは、ウィリアム・ワーズワス（William Wordworth）とサミュエル・コウルリッジ（Samuel Coleridge）とが匿名で、一七九八年に出した共著である。

漱石『文学論』において、ワーズワスはシェイクスピアに継いで多くの言及がなされる。『リリカル・バラッズ』が英国文学界に与えた衝撃について何度も述べられ、たとえば、「Lyrical Ballads（一七九八年）は詩界の刷新者として、文壇を聳動《しょうどう》せるもの(4)」とする。

漱石蔵書の *Lyrical Ballads* は、一七九八年の初版をE・ダウデン（E. Dowden）が編集した一八九〇年版である。同書一八九一年版から詩の「茨」を引こう。

X.

"But wherefore to the mountain-top
"Can this unhappy woman go,
（…）

十
「でもこの不幸な女がどういうわけで
山の頂上へ登るのか？(5)
（…）

このワーズワス詩「茨」は、バラッドという、元は口承で伝えられてきた歌謡をかたどる。不可思議に思うことを尋ねる詩人がいて、それに答える村の翁がいる。聞き手がいてはじめて、とっておきの話を語り出す年長者がいる。この問答関係が『彼岸過迄』の森本と敬太郎とのやりとりに類似する。「茨」に登場する「詩人」は実際にこの詩を発表していることになっているのだから、物語詩の続きを待つ読者も、広い意味で話の聞き手に入る。このように現実に生きる者たちも虚構の構成員として巻き込んでゆくのがバラッドだ。

このバラッドのスタイルが参考にされていたがゆえに、『彼岸過迄』の短篇同士は、読者の想像から広がる連結が期待されたうえで創られたのではないか。

森本の話を敬太郎経由で聴く須永市蔵が、耶馬渓を一人で羅漢寺へ登る盛装した女についての話を聴きながら、ワーズワス「茨」を思い浮かべていたことを否定できない。否定したところで、文学が面白くもならなければ、思いきって肯定してみよう。本章で行うのは、漱石『彼岸過迄』とワーズワス「茨」とのあいだに歴然とあるテクストの枠を取り外す試みだ。

三　人の口から知る

「茨」のつづく節では、村の翁が、その山にあなたが登る前に、自分の知る限りのことをみな話そうと言い出す。

二十年も前、マーサ・レイ（Martha Ray）という乙女が、スティーブン・ヒル（Stephen Hill）という交際相手に純真な気持ちを捧げ、幸せだったと語られ始める。

XII.
And they had fix'd the wedding-day,
The morning that must wed them both;
But Stephen to another maid
Had sworn another oath;
And with this other maid to church
Unthinking Stephen went—
Poor Martha! on that woful《sic》 day
A cruel, cruel fire, they say,
Into her bones was sent:
It dried her body like a cinder,
And almost turn'd her brain to tinder.

十二
二人は婚礼の日を決めた、
二人が結ばれるその朝を。
ところがスティーブンは別の娘とも
結婚の約束を誓ってしまった。

そしてこの別の娘と教会へ
無思慮なスティーブンは行ってしまった―
かわいそうなマーサ！　そのみじめな日に
非情でむごい火が
彼女の骨まで燃え移ったと人は言う。
彼女の体を灰と化して、
彼女の頭脳をほとんど火のつきやすいものに変えた。

　恋人は他の娘とも婚約をしていて、マーサと結婚するはずのその日、他方の娘と式を挙げてしまった。マーサの体と頭脳に、その日以来、火が燃え移ったという。

『彼岸過迄』の須永は、周囲に偽られて生母を知らずに育ち、後年、出生の秘密を知った。このワーズワス「茨」は、彼のような者には非常に堪える詩である。須永の父は、マーサ・レイをだましたスティーブンと同様、無思慮にも二人の女を相手にした。

XIII.
They say, full six months after this,
While yet the summer-leaves were green,
She to the mountain-top would go,
And there was often seen.
'Tis said, a child was in her womb,
As now to any eye was plain;

She was with child, and she was mad,
Yet often she was sober sad
From her exceeding pain.

（…）

十三

この後、六カ月いっぱい、
夏の葉が青かったころ、
彼女は山頂へ登り、
そこでしばしば見かけられたと人は言う。
今や誰の眼にもはっきりしていたとおり、
彼女のおなかには子どもがいた。
子どもがいたから、気も狂った、
けれどもしばしば過度の苦痛に彼女は静かに悲しんだ。

（…）

彼女は男にこのような打撃を与えられ、山へ登り出し、山頂で見かけられるようになる。彼女はスティーブンの子どもを宿していたがゆえに、よけいに発狂したという。

須永に対して終始、母と称してきたのは、生母のほうではない。生母は小間使いであり、市蔵を宿しながら、須永家を追われ、ほどなく死んだ。叔父の松本が、須永に問い詰められ、おぼろげな記憶を辿り、思い出したのはそれだけだった。松本は、市蔵の生母についてそれ以上のことを知りたいならば、松本の「姉」、すなわち、須永の「母」

に聞かなければならないと言う。ワーズワス「茨」でも、人の口から語られていたとあるように、山へ登る気の狂った妊婦の姿と同様、聞き手が紡ぐしかない故人の肖像である。

四　脳内現象

「茨」の翁は、叔父の松本と同じようなことを詩人に言う。知らないからこれ以上は語れないという宣言が文学内でなされるときの重みは、それを耳にする者の衝撃度によって違ってくるだろう。「茨」よりも『彼岸過迄』の方が、生母について切に知りたいと思う者が聞き手となっているために、衝撃度が強められている。

XV.

No more I know, I wish I did,
And I would tell it all to you;
For what became of this poor child
There's none that ever knew:
And if a child was born or no,
There's no one that could ever tell;
And if 'twas born alive or dead,
There's no one knows, as I have said,
But some remember well,
That Martha Ray about this time

Would up the mountain often climb.

（…）

十五

それ以上は知らない、知っていれば、
みなあなたにお話ししたろう。
この哀れな子どもがどうなったか
知っている者は誰もいない。
その子が産まれたかどうかも、
語れるものは一人もいない。
子どもが生きて産まれたか死んで産まれたか、
誰も知らない。述べたように。
けれどもこのころのマーサ・レイについてよく覚えている人がいる、
彼女が頻繁に山に登ってゆくのを。

（…）

村の翁は、マーサが頻繁に山に登ってゆくのをよく覚えている人がいると語る。だが、それ以上のことは知られていないと述べる。とくに、村人はマーサの子どもについて気にかけているようだ。誰も、その子が産まれたかどうか、生きて産まれたのか、死んで産まれたのかすら知らないと。

子にとって、生母の存在が闇から闇へ葬られたということは、自身の生も闇に葬られていることに等しい。ワーズワス「茨」に描かれた、生死不明なマーサ・レイの子の話は須永にとって他人事ではない。

みなに知られているのはただ、山頂の茨のもとで、彼女が深紅の着物を着て座っていることだけだと、つぎに引く節にある。

XVII.

But that she goes to this old thorn,
The thorn which I've described to you,
And there sits in a scarlet cloak,
I will be sworn is true.
(…)("The Thorn")[6]

十七

けれども彼女がこの古い茨のもとへ行って、
私が話してみせたあの茨へ行って、
そこで深紅の着物を着て座っている、
これは誓って本当なのだ。
(…)(「茨」)

じつは、このように紹介と分析とを施してきてようやく、問うことができる。須永は敬太郎の話す森本の話を聴き耳を立てて聴いただろうか。明らかにそう設定されていよう。須永は生前の生母の様子を知りたく、焦がれる思いでいる。ワーズワス「茨」では、未婚の気の狂った妊婦が頂上を目指していた。森本からの話の一つに、婚礼姿で耶馬渓の羅漢寺まで昇ってゆこうとする女の話があった。正気を失っておかしくなかった状況だった生母の姿を、森本の話でまざまざと見るような思いに須永が陥ったならば、その前提として、須永はワーズワス「茨」を知っている必要があろう。

つまり、このワーズワス詩によってはじめて、『彼岸過迄』の「風呂の後」章と、その後の、須永が主人公になる章とが、強い鎖でつながれる。

この小説では、須永という登場人物の頭に生じている現象が描き出されているのではないか。この推測も、ワーズワス詩を補助線にすることで成り立つだろう。本論証を経てようやく、『彼岸過迄』には、「風呂の後」の章でなされた話を反芻する者として、須永市蔵を浮かび上がらせる趣意のあったことが判明する。

五　文学としての不整合性

ワーズワス詩によって『彼岸過迄』の短篇同士がより強固につながれる例をさらに指摘してゆこう。

『彼岸過迄』を読む誰にも目に付くのは、敬太郎が森本からもらった「洋杖《ステッキ》」である。森本が下宿から不意に姿を消した後、敬太郎宛てに差出人の名前のない一封の手紙が届いた。森本からの手紙だった。書中、下宿の上り口の土間の傘入れに差さっている「洋杖」を「紀念のため是非貴方に進上したい」（「風呂の後」十二）とあった。その竹製の洋杖は、握りが蛇の頭になっていて、頭の部分が口を開けて、蛙だか鶏卵だかを呑みかけているという彫りが施されている。森本が自分で竹を伐って蛇を彫ったのだという。

敬太郎はその後、浅草で「文銭占なひ」（「停留所」十六）をしてもらう。占い婆さんから「貴方は自分の様な又他《ひ》人《と》の様な、長い様な又短かい様な、出る様な又這入る様なものを持つて居らつしやるから、今度事件が起つたら、第一にそれを忘れないやうになさい。（…）」（「停留所」十九）と言われる。卒業後の口が決まらない敬太郎は須永市蔵の叔父、田口要作を頼ってみることにして、その田口から探偵めいた仕事を言いつけられたとき、占い婆さんの注意を思い出し、占いの言葉と照らしあわせ、その蛇の頭の付いた洋杖を持って出かけることにする。

敬太郎が田口の命で後をつけた男はじつは松本だった。松本には二人の姉がいて、一人が須永の母、一人が田口の妻という縁続きなのだった。これらは『彼岸過迄』の「停留所」ならびに「報告」という短篇で記されている。

そのつぎの「雨の降る日」という短篇では、須永の家の二階に、須永と、田口の娘で須永の従妹である千代子と、敬太郎の三人がいる。敬太郎が雨の降る日に松本に面会を申し込んで断られたのは、例の洋杖を持ってゆかなかったためだろうとからかわれる。千代子がその洋杖を見せてというが、敬太郎は「今日は持つて来ません」と答えている。敬太郎は、千代子から、松本がなぜ雨の降る日に面会を謝絶するようになったかという話を聴かせてもらう。

千代子は、数え年二つだった、松本の末娘の宵子《よいこ》が急死した出来事を話し出す。千代子が相手をしている最中に急死し、通夜、葬儀、納棺、骨上が執り行われ、遺骨が家に戻るまでの話である。

千代子のするその話には、じつのところ、千代子が感じとれないはずの触感も紛れ込んでいる。敬太郎とともに千代子の話を聴いている須永の感覚も入り込んでいるのだ。感覚の重なりはつぎの部分である。火葬場で、松本の妻、御多代が事務所の男から「鍵は御持ちでせうね」と聞かれる。御多代は変な顔をして懐や帯の間を探り出し、こう言いだした。「飛んだ事をしたよ。鍵を茶の間の用箪笥の上へ置いたなり……」。千代子はこう応じる。「持つて来なかつたの。ぢや困るわね。まだ時間があるから急いで市さんに取つて来て貰ふと好いわ」。

二人の問答を後《うしろ》の方で冷淡に聞いてゐた須永は、鍵なら僕が持つて来てゐるよと云つて、冷たい重いものを袂から出して叔母に渡した。御多代が夫《それ》を受付口へ見せてゐる間に、千代子は須永を窘《たし》なめた。

「市さん、貴方本当に悪《にく》らしい方ね。持つてるなら早く出して上《あげ》れば可《い》いのに。叔母さんは宵子さんの事で、頭が盆槍《ぼんやり》してゐるから忘れるんぢやありませんか」（「雨の降る日」七）

須永が袂から出してきた鍵の触感「冷たい重い」は、千代子に感じ取れていないことのはずだ。彼女は須永がそのように感じて取り出したとはつゆ知らないふうであり、須永を非難している。

その鍵とは遺体を焼く竈の鍵のことである。火葬時間がしばしば日をまたいで長時間に及んだ当時、竈の鍵を管理するのは遺族の責任であった。焼骨の取り出し時に取り違えを防ぐためである。

漱石の五女雛子は明治四十四(一九一一)年十一月二十九日に急死し、十二月二日に火葬に掛けられる。漱石らが翌三日に骨拾いに火葬場に来ると、妻が鍵を忘れたと言うので愚な事だと思ったという漱石の日記が残る。漱石が『彼岸過迄』を構想していたころに起きた事件であり、このエピソードを小説に入れたくなった漱石の個人的理由としてはそれで十分かもしれない。しかし、文学として整合性が取れているだろうかと考えだすと、たちまち創作家の手つきとしてあやしいのでないかという気がしてくる。

なぜ須永は鍵を持って来ることを憶えていたことになっているのか。そもそもこの話が話し出されたきっかけの、松本が雨の降るたびに面会謝絶して、宵子の死を悼むようになったという経緯と、鍵の話とは緊密に連関しているといえるだろうか。また、千代子が、雨の降る日に面会を断るようになった松本のきっかけを明かし、宵子の死に至った日の話が促される前に、敬太郎が洋杖を持参していないとわざわざ確認されるのも、不明瞭なつながりではないだろうか。

六　子を亡くした父親

これらの関係性を『彼岸過迄』内で追求していっても、なかなか明快な解答を見出せない。しかし、テクスト同士を分かつ境界を取り払ってみると、急に視界が開けてくる。

ワーズワスおよびコウルリッジの『リリカル・バラッズ』は第二版(一八〇〇年)で二巻本になり、その第二巻に

「子を亡くした父親」（"The Childless Father"）という詩が入っている。漱石蔵書の *Lyrical Ballads* は先述のとおり初版をリプリントした版だが、漱石はマシュー・アーノルド（Matthew Arnold）による選集 *Poems of Wordsworth*（Golden Treasury Series）を持っていてそこには盛んに書き込みが残る。その本ではワーズワス詩が六種のまとまりで示され、バラッドの形態を取る詩を集めた所（Poems of Ballad Form）に「子を亡くした父親」が収録されている。

その詩には、半年前に、日本風に言えば六回目の月命日に最後の子どもであった娘を亡くした父が描かれている。詩は「立って、ティモシー、杖を持って立って出かけなさい！」（Up, Timothy, up with your staff and away!）から始まる。村びと総出で狩りに出かけるところらしい。半年前のことが振り返られる。

A coffin through Timothy's threshold had past;
One Child did it bear, and that Child was his last.
ティモシーの門口を通ってお棺が出て行った。
ひとりの子が運ばれたのだ、彼の最後の子が。[7]

詩はつぎの聯で半年後の現在に戻る。

Old Timothy took up his staff, and he shut
With a leisurely motion the door of his hut.
ティモシー爺さんは彼の杖を取り上げ、
ゆったりとした動きで小屋のドアを閉めた。

ティモシー爺さんは杖を必要とする老体になっていることが分かる。最後の聯はこうだ。

Perhaps to himself at that moment he said,
"The key I must take, for my Ellen is dead."

But of this in my ears not a word did he speak,
And he went to the chase with a tear on his cheek. (“The Childless Father”)[8]

そのとき彼はおそらく独り言を言った、
「鍵は私が持っていかなければ。エレンが死んだのだから」
だが、これについて私に一言も言わなかった。
そして彼は頬に涙を流しながら狩りに出かけた。（「子を亡くした父親」）

竈の鍵と家の鍵との相違はあるが、須永がこの詩を読んでいると想定しない限り、本来最も近い親族が管理して火葬場に持参すべき竈の鍵を、須永が代わりに持ってきていた理由が分からない。先の、山に盛装してひとり登ってゆく女の話が語られる理由とその目的が不明瞭なのと同様である。叔母は幼い我が子の死に動顛して鍵を忘れるかもしれないから代わりに持って行ってやろうという須永の思い付き自体、この詩を読んでいる者でないと湧かないのではないか。

　須永の読書に帰さなくてもよい。ワーズワス詩「子を亡くした父親」では、バラッドにふさわしく、ティモシー爺さんの様子を注視する語り手がいる。その語り手の「私」によれば、ティモシー爺さんは、自分が鍵を持っていかなければならないことで、最後の子のエレンが死んでしまったという実感と哀しみとを新たにしているが、それを決して「私」に言わない。ティモシー爺さんは、その最後の子が亡くなってちょうど半年経ったその日に、ひとりで涙を流し、耐えているのだ。

　彼の様子は、『彼岸過迄』の松本が、いまだに雨の降る日に客を断り、宵子の死をひとり悼むさまと重なってくる。松本にとって雨の降る日はすべて、喪に服すべき宵子の命日となる。子に先立たれた父親の、不可侵な領域が浮き彫りにされていよう。この状況を共有するのがワーズワス「子を亡くした父親」と『彼岸過迄』なのである。

漱石は留学中、『文学論』に結実するノートを作っていた。その「Pathos and Humour」と題されたノートには、ワーズワス「子を亡くした父親」のくだりの、この鍵をめぐる最後の聯がそのまま引用されている。(9)

さらに、宵子の死のことを『彼岸過迄』の若者の登場人物たちが話題にするそのとき、洋杖がそばにないことの意味も、ワーズワス詩を介してみれば、明瞭になってくる。「子を亡くした父親」では、子を亡くして生きてゆく老体を支える杖として、洋杖が描かれた。松本の噂話から始まる宵子の死についての若者たちの回想には、老軀を支える杖は不要である。子に先立たれてなお生きてゆく親の悲しみをまだ理解していない若者たちのおしゃべりに過ぎないことが仄めかされていよう。

七　死者に手向ける

ワーズワス「子を亡くした父親」と照合させて分かることは、そればかりではない。半年前の回顧がなされている「子を亡くした父親」第三聯は、ティモシー爺さんが現在手に持つ杖から思い起こして連想する情景が示唆されている。

Fresh sprigs of green box-wood, not six months before,
Filled the funeral basin at Timothy’s door;
A coffin though Timothy’s threshold had past;
One Child did it bear, and Child was his last.(10)

まさに半年前、黄楊《つげ》の新しい枝が、
ティモシー家戸口の葬儀用の鉢を満たした。

ティモシー家の玄関口から一つの棺が出ていった。

一人の子が運ばれたのだ、その子はティモシーの最後の子だった[11]。

「葬儀用の鉢」についてワーズワスは自身で注を付けている。そこには「イングランド北部のいくつかの地域では、葬式が行われるとき、黄楊の枝で満たした鉢が家の戸口に置かれている。その戸口からお棺が持ってゆかれ、葬式の参列者はそれぞれ、通常、この黄楊の枝を一本取ってゆき、死者の墓に投げ入れる[12]」とある。

「子を亡くした親」において、ティモシー爺さんにとって、子に先立たれた身を支える杖は、最後の子の葬式で参列者が我が子の墓に投げ入れた黄楊の枝を思い出させる道具であると分かる。

「雨の降る日」に集う若者たちは、千代子に回顧話をねだる。宵子へあらためての弔意を捧げるためではない。ゆえに、「洋杖」はそこにないことになっているのだろう。

これらのことは、ワーズワス詩をあいだに置かなければ判明しない。「風呂の後」の章からわざわざ洋杖を引っぱってきてそのあるなしが問題にされること自体、これまで意味不明の感があった。しかし、ワーズワス詩を間に置いてみるならば、ようやく小説が伝えたい真の事柄が形をなし、靄が開けるように、その意味も見えてくるようになる。よって、ここにおいても、ワーズワス詩が『彼岸過迄』の短篇と短篇とを取り結んでいるといえる。

このような論証を済ませたうえでならば、文学研究として科学性を欠く、漱石実体験と小説とを照合する考察の次元を一気に引き上げることが可能になる。

再検討すれば、漱石は『彼岸過迄』を書き出そうとしていたころ、五女雛子を亡くした。他にも子がいたとはいえ、ワーズワスの「子を亡くした父親」(〝The Childless Father〟)をにわかに思い出し、その子がもういなくなったことを実感したに違いない。作家は、現実に経験することばかりでなく、過去の読書で手に入れた虚構世界もつねに参照しながら生きている。心痛を現実の他者とではなく、ワーズワス「子を亡くした親」のティモシーと分かち合う。

『彼岸過迄』に散在する小道具は、短篇間をつなぐ伏線の域を超えている。秘められた思いに深く関係するそれらを漱石が投入してしまったのは、ワーズワス詩を読んでいた経験の刺激からだろう。ゆえに、それらは回収しきることができない部位として、この小説内で目立っていたのである。

八　アイデア連鎖

漱石『文学論』には、詩的な言語と自然な言語とを区別しながら写実法について考察する部分がある。そこにおいて英詩では、十八世紀、不自然な言語を使用する弊によって、ついに発展の余地をなくしたとき、「Wordsworth」が「忽然として詩壇の刷新家として出現」したとされ、「有名なる Lyrical Ballads の二版の序に曰く」と引用される。それは、漱石の蔵書にある *Wordsworth's Literary Criticism* の *Lyrical Ballads* 第二版から採った序文である。[13] そこより、『文学論』で引用された箇所の末尾を引いてみよう。

(…) and, further, and above all, to make these incidents and situations interesting by tracing in them, truly though not ostentatiously, the primary laws of our nature: chiefly, as far as regards the manner in which we associate ideas in a state of excitement.[14]

（これらの詩で提案した主な目的は）何よりも、私たちが興奮状態にあるさいに諸々の観念（アイデア）を結びつける仕方にとくに見られる本性の根本原則を、これ見よがしではなく真実に即して、事件や状況のうちに辿ることで、それら事件や状況を興味深くさせることである。[15]

そのときどきの事情で興奮状態に陥った人間は、諸観念を結びつけてしまう。ワーズワスは詩において、その結び付け方に人間の性質のならわしが出てくるのを掬いとるという。

諸「観念」の結びつき方は、漱石『文学論』においても、「文学的内容」の根本的な法則として、一貫して論じられている。漱石はワーズワスが十八世紀英国詩壇の刷新者のみならず、文学論を創造する者としても、自分の先駆者であると判断し、自らの『文学論』に引いたのだ。

ワーズワスならびに漱石が重視した、観念（アイデア）の連鎖のしくみから、本章が析出した結果をさらに解きほぐしたい。

漱石が短篇連作のつもりで発表した『彼岸過迄』が、『リリカル・バラッズ』に収められたワーズワス詩を介さなければ、深部に隠された主題が浮かび上がってこず、短篇同士が連結されないことから、小説としての完成度に疑問を呈することができると提示した。

しかしそのことよりも、文学と文学との連帯からなる実りのほうが大きいようなら、一小説の完成度などもはや問題ではなくなってくる。漱石にとって、ワーズワス詩は、子を亡くして居ても立ってもいられない自身の状況に密着してくるものだった。ワーズワス詩に見える観念を引き寄せ、自らのそれと結びつけてしまう。『リリカル・バラッズ』の女も連鎖反応的に思い出されたのであろう。

創作アイデアがつぎつぎと浮かび、動き出す。聞き手として興奮状態にある須永という登場人物が、無関係な話同士を結びつけてしまうという発想が湧く。そこに、ワーズワスの痛切に響く詩が関与を深める。ワーズワスの提示した観念が、漱石の抱いていた観念と結びあい、短篇連作小説を産む。このように、かつて読者であった作家が、世界の文学の生命線を繋いでゆく。ここに、文学の新しい見通しが可能になったといえよう。

（1）「彼岸過迄に就て」『東京朝日新聞』『大阪朝日新聞』一九一二（明治四五）年一月一日、『漱石全集』第一六巻、岩波書店、一九九五年、四八九頁。ルビは現代仮名遣いで振り直した。以下同じ。

（2）有機的つながりを見出すべく私も論考を重ねてきた。拙論「「情緒」による文学生成」（『文学』第一三巻第三号、二〇一二年五・六月）では『彼岸過迄』を漱石『文学論』の「情緒」論に即して論じ、敬太郎の話し相手である須永市蔵の頭のなかにおいて、敬太郎が森本から聞いた話も結び合わされると読み解く。

（3）『彼岸過迄』初出『東京朝日新聞』『大阪朝日新聞』一九一二年一月二日―四月二九日。『漱石全集』第七巻（岩波書店、一九九七年）より章題、章番号を付して引用する。

（4）『文学論』初出は単行本、大倉書店、一九〇七（明治四〇）年。引用は『漱石全集』第一四巻、五〇三頁。

（5）私訳。以下、ワーズワス、コールリッジ『抒情歌謡集』宮下忠二訳、大修館書店、六三―七〇頁を参考に拙訳した。

（6）Wordsworth, "The Thorn," *Lyrical Ballads*. Reprinted from the First Edition of 1798. Edited by Edward Dowden. London: David Nutt, 1891, pp.123–128.

（7）私訳。以下、前掲『抒情歌謡集』（宮下忠二訳）一九五―一九六頁を参考にしながらも、漱石蔵書の版のワーズワス詩に基づき、拙訳した。

（8）Wordsworth, "The Childless Father," *Poems of Wordsworth*（Golden Treasury Series）. Chosen and edited by Matthew Arnold, London: Macmillan and Co. 1910, pp.15–16. 漱石蔵書は同書の一九〇〇年版である。

（9）『漱石全集』第二一巻、岩波書店、一九九七年、五〇六頁。つづけて「○ ballad 中ノ pathos and humour」とある。

（10）*Ibid.*, p.15.

（11）私訳。

（12）*Ibid.*, p.15. 私訳。

（13）なお、漱石蔵書にある *Prose Writings of Wordsworth* には第三版の序文が収録されている。第三版序文では、詩人とは何かという論があらたに加えられた。

（14）*Wordsworth's Literary Criticism*, edited with an Introduction by Nowell C. Smith, London: Henry Frowde, 1905, p. 14. これは漱石の蔵書と同書である。

（15）私訳。邦訳としては前掲『抒情歌謡集』の他に、ウィリアム・ワーヅワス『抒情民謡集　序文』前川俊一訳注（研究社、一九六七年）があり、後者を参考にして拙訳した。

第三章　世界文学の文体チューニング
――手紙の中のローザ・ルクセンブルク

谷川恵一

一　候文から口語文への転換期における女の手紙

一九一九年一月、ドイツ革命の最中に反革命軍兵士によってベルリンで虐殺されたローザ・ルクセンブルクは、同志や友人に宛てた多くの手紙を遺しており、死の翌年から刊行されていったそれらの書簡は、「感受性のつよい女性」が「地味な日常体験を生き生きと語っ」た「詩」（パウル・フレーリヒ著・伊藤成彦訳『ローザ・ルクセンブルク』一九六九年一一月）といった評価を受けつつ、国際的な社会主義者として生きた彼女にふさわしく多くのことばに翻訳され、現在にいたるまで読み継がれている。

一九二〇年に最初に刊行された、ローザとともに殺されたカール・リープクネヒトの妻ゾフィーに宛てて獄中のローザが書いた二十二通の手紙は、一九二五年に、折からドイツに滞在していた井口孝親によって日本語に訳され、井口が書いた彼女の伝記を添えて『ローザ・ルクセンブルグの手紙』というタイトルで刊行された。吉野作造の下で学んだ井口は、東京帝国大学を卒業した一九一七年に大阪朝日新聞入社、翌年、同僚の長谷川如是閑らと大阪朝日を退いた後渡米、外務省嘱託としてヨーロッパに渡り、一九二三年にはドイツにあって文部省在外研究員となっている（「年譜」『九州大学新聞』一九三二年一一月五日）。訳出したローザの書簡集が刊行された一月前、在独のまま九州帝国大学助教授となった井口が、スイス生まれの妻と子供を残して帰国したのは一九三〇年になってからであった。『ローザ・ルクセンブルグの手紙』に長谷川と吉野の序が添えられているのは井口とのこうした関係によるものであり、また、翻訳にあたって「妻の助力」をえたと井口が序で述べているのは、ヨーロッパに残してきたかれの妻のことを指している。

『ローザ・ルクセンブルグの手紙』は、西洋の女性の個人書簡集として日本で初めて刊行されたものであるということだけでなく、明治以降の日本の女性の書簡集を見渡しても、『九条武子夫人書簡集』（一九二九［昭和四］年四月）より前に出たものとしては、小学校教師だった若い女性の手紙を集めたという山崎斌『二年間――ある女の手紙五十八』（一九二一［大正一〇］年一一月）など、真偽不明で色恋沙汰を扱った怪しげなものを除けば、塩原事件前後の一連の書簡が一方の当事者である森田草平の『煤烟』（一九一〇［明治四三］年二月―一九一三［大正二］年一一月）と『自叙伝』（一九一一［明治四四］年一二月）に収められた平塚らいてうをかろうじてあげることができるだけだということによって、近代日本の言説の中で特別な位置を占めている。

『ローザ・ルクセンブルグの手紙』が刊行された二十世紀の初頭は、新しい多くの女性表現者の登場により、書簡を含めた日本語の文章が大きく移り変わった時期と重なっている。「我国の女子の文章は大正以来ほんとうに長足の進歩を示してゐる」と与謝野晶子はいい、読書の範囲の拡大と女学校における新しい作文教授により、「女子みづからの個性」を発揮した「清新」で「自由」な表現にあふれる「口語文」が登場してきたと指摘している（「女学生の文章」『街頭に送る』、一九三一［昭和六］年二月）。一九一三年に初版を出した芳賀矢一・杉谷代水『書翰文講話及文範』の改訂を担当した前田晁も、「口語文の進歩は、ちよつとの間に驚くべきほど」であり、それにより「候文の時代」から

「口語文が本位となつてゐる現代」への急激な転換がもたらされたと述べ、「此書が始めて編著されたころ」と「今日」との隔たりを確認する（「改訂増補に就て」『改訂増補書翰文講話及文範』、一九二九［昭和四］年一二月）。

生涯を通じて候文で手紙を書いた正岡子規が、ロンドンの漱石に宛てて死期の迫った心境を綴った口語文の手紙を書いたのが一九〇一年のことであり、石川啄木が候文に口語文を侵入させた手紙を書いたのがその一年後の一九〇二年だったことから、男性の手紙が候文から離脱し始めた時期をほぼ推定できるが、女性の場合は男性より後になったようだ。『煤烟』と『自叙伝』に「朋子」という名で出てくる平塚らいてうの手紙は、全部で三十通ほどのうち約半数が口語文であるが、一九一〇年から一九二八年までの書簡を収めた『九条武子夫人書簡集』では、口語文の手紙が確認されるのは一九二〇年になってからである。

九条武子らの名流婦人も多く属していた短歌結社竹柏園を主宰していた佐々木信綱は、その『女子消息文のしをり』（一九〇六［明治三九］年五月）で、「今の女子の間に行はる、消息文」には、「専ら古文を学べる」もの、「今やうの口語にて物せる」もの、「男の書翰文とつゆ異ならざる文体にてかける」ものがあると述べているものの、口語文の手紙は「その人と語らひをる様にて面白きもの」で、練習するのはいいが「一定の標準」が形成されるのはまだ先のことになるとして（「書翰文文話」）、文例はすべて「候」の使用を控えめにした文語文に統一している。佐々木にとって女性の口語体の書簡文は「未だ世の研究の中になるもの」、すなわち（東京の教養ある女性を中心に）散発的な試みがなされている段階にあり、こうした認識は、すこし後の調査によっても裏付けられる。一九一〇年、文部省に置かれた国語調査委員会が全国の師範学校を対象として口語体の書簡文をどのように教えているかを調査した報告書の中に、愛知県第二師範学校が「社会に普通に行はる、書簡文を調査」するため各家庭にある書簡を学生に持って来させた結果が報告されているが、それによると「約三千通の中にて、口語体は僅々四通に過ぎ」なかったという（国語調査委員会編『口語体書簡文に関する調査報告』一九一二［明治四四］年四月）。

口語文を用いた女性の書簡は、少なくとも明治が終るころまではごく一握りの事例に止まっていたと推測され、「「候」だの「参らせ候」などの文章」は「徳川時代チヨン髷時代の遺物」だといって「言文一致で手紙を書くこと」を推奨する小森松風『言文一致文範』（一九〇六年一〇月）も、それほど多くの追随者をもつことはできなかった。しかし、「実物はまだ、少なくとも我国には存在してゐないらしい」といって西洋の「新しい女」の事例を紹介した坪内逍遙『所謂新シイ女』（一九一二［明治四五］年四月）が出た翌年の七月には、らいてうたちの青鞜社を対象として『中央公論』が「婦人問題号」を出すように、事態は思いもよらず急速に進展する。「在来の謂はゆる女子用文とは全然異つた色と姿とをもつた」口語文の文例を掲げてみせた『現代女子作文』（一九一六［大正五］年一一月）の著者は、一年前に東京にある成女学校の校長である宮田脩を訪ねて「現下《げんか》女の方が書かれる文章の内容体裁」について教えを乞うたところ、「従来のやうにたゞ〳〵感傷的で長たらしい風のものではなく、寧ろ男のと大差ない程にスツパリしたものになつて来てゐる。手簡などに候文を使ふことさへ滅多に無い」という説明を受けたという（「自序と例言」）。「新らしい女」があっという間に出現したように、一気に女学生をひきつけた女性の口語文の書簡は、大正期における高等女学校の大幅な拡充にも後押しされ、もはや無視できない存在となったのである。

『女子消息文のしをり』の序で、佐々木信綱は、樋口一葉の『通俗書翰文』（一八九六［明治二九］年五月）における「筆致の趣」を推奨していたが、そのわずか十年後には、樋口一葉のようなことばで書くことをやめた若い女性たちが出現してきた。

「今日迄大多数の女は（…）殆ど総てが一葉崇拝者であつた」という現実に対し、平塚らいてうは、「女らしい女の作家」である一葉には「個性的方面」が欠如していること、すなわち「思想がない。問題がない。創造がない」「過去の日本の女」であって、「女はどこまでも物やさしく慎み深く何事にも堪へ忍ばねばならぬ」といった「儒教的思想」に骨がらみになったその生涯には「否定の価値」しかないというアンチテーゼを掲げてみせた（「円窓より――女としての樋口一葉」『青鞜』第二巻一〇号、一九一二［大正一］年一〇月。のち「女としての樋口一葉」と改題して翌年五月刊行の『円窓より』に収める）。一葉の十四歳年下にあたるらいてうによる、このつま先だった鋭角的な時代認識——「私は一切の旧きものの敵である」（『円窓より』序）——は、一葉が明治を代表する女性表現者であることにより、古めかしい女らしさを強制してきた明治の言説秩序を過去のものとして葬り去って、「その内部から根本的に、又全体的に覚醒若くは解放」された女性（「明治より大正に至る我邦の婦人問題」『現代の男女へ』、一九一七［大正六］年一一月）が参画する新しい言説の秩序を打ち立てようとする意欲と一体のものとしてあった。「形式的虚偽、虚飾」以外の何物でもない「万遍なき世辞、愛嬌」が一貫したものとして一葉の『通俗書翰文』を切って捨てた自己の信念を実践するかのように、旧来の女の手紙のスタイルをほとんど無視した口語文による手紙をらいてうは『青鞜』に掲載している。自分の両親に「御両親」または「お父さん」「お母さん」と呼びかけながら「私は現行の結婚制度に不満足な以上、そんな制度に従ひ、そんな法律によつて是認して貰ふやうな結婚はしたくないのです」といって、家を出て奥村博との共同生活に踏み切ることを告げた「独立するについて両親に」（『青鞜』第四巻二号、一九一四［大正三］年二月）はその代表的なものだ。各種の手紙の作法をまとめた服部嘉香『書簡卓上便覧』（一九一八［大正七］年六月）に従えば、父母への称呼は「御両親様、御両所様、御二方様、御父（母）上様、父（母）上様、御父（母）君様、御親父（母）様」と決まっていたのである。

青鞜社創立のころの平塚らいてうについて、山川菊栄は、「『気取りや』とか、『思はせぶり』とか、『傲慢だ』とかいはれて、接する限りの大抵の男女に冷笑や反感をもつて批評されていた」が、「当時の一般女性の群を抜いた」存在として畏敬のまなざしで見ていたといい、そうしたらいてうの活動の意義は「女子を支配した思想や伝統の雰囲気といふものを十分に理解し、その歴史的な背景を十分に考慮に加へた上でなければ」理解できないと述べていたが（「平塚さんの印象」『婦人公論』第一〇年四号、一九二五［大正一四］年四月）、こうした指摘は、書簡を含む彼女の言説についても妥当する。口語文で書かれた「薄い書簡用紙五六枚にペン先の細字で認めた長い手紙」を書き写した森田草平は「如何《どう》も文章が生硬で不可《いけ》ない。同じ事でも何故《なぜ》もつと女らしく書けないんだらう」と不満を漏らしていたし（『煤烟』第三巻「二二」）、著書の出版に関し、追加の稿料を払うか、原稿を戻すかしてくれという、出版者へのらいてうの事務的な手紙を「知名婦人の手紙」のひとつとして掲載した多恵春光『新らしき婦人の手紙』（一九一九［大正八］年九月）は、「筆つきの穏かな中にも、威嚇的な強さがこもつてゐる」ので「受取る者の心持如何によつては、好意を持てない場合もある」とコメントしていた。上野千鶴子が指摘するように、明治以来の言文一致文体の言語規範には性別規範が組み込まれていたが（「平成言文一致体とジェンダー」『上野千鶴子が文学を社会学する』、二〇〇〇年一一月）、らいてうの言説はそうした規範に挑戦するいわば「大正言文一致体」なのである。「その名から、その書いたものからしのんで、どうやら、あらくれた男らしさを見てくれにした人のやうに思つてゐたが、およそ婦人運動に関係した女性で、逢つてみて女史ほど柔か味があつて、親切でとりなりの優美な人はない」という岡田八千代のらいてう評（「平塚雷鳥女史」『白蘭』、一九四三年四月）は、らいてうの言説がどのように扱われてきたのかを如実に物語っている。

二　「新しい女」のことば——ツルゲーネフ『その前夜』の手紙と日記

坪内逍遙の『所謂新シイ女』で相馬御風がとりあげているツルゲーネフの『その前夜』は、父親の勧める結婚を拒否した貴族の娘がブルガリア出身の青年革命家と結ばれ、独立へのうねりに沸き立つ故国へ向け一緒にロシアを後にするという物語だが、経由地のイタリアで夫を喪うも単身夫の故国へ向かおうとしたヒロインが両親へ宛てた最後の手紙を、相馬御風は「文《ふみ》してなつかしき御両親様に申上まゐらせ候。妾は今より皆様方と永久のお別れ申上ぐべきにて候。もはや今世《こんじやう》にてお目にかゝる事も候まじ。ジミトリは昨日みまかり候ひぬ。今や妾が万事はきはまり申候。今宵妾はかの人の亡骸《なきがら》を携へてザラに赴かんと存じ候」に始まり「妾が今迄にかけまゐらせ候おん嘆きのかず〲今は何事も妾の心を抑へかねし約束事と御ゆるし被下度候。（…）願はくば妾が最後の接吻、最後の祝福を受け給ひて、重ねて妾の罪を責め給はぬやうにとそれのみ祈り上げまゐらせ候」と結ばれる日本の女性の候文に訳した（『その前夜』三十四、一九〇八［明治四一］年四月）。ここでの御風の訳しぶりは、同じくツルゲーネフの作品を翻訳した二葉亭四迷の「片恋」（『片恋』、一八九六［明治二九］年一一月）や、トルストイ作品の抄訳である柴田流星『アンナ、カレンナ』（一九〇六［明治三九］年四月）が、それぞれ女性の作中人物の手紙を候文で翻訳していた流儀にならったものだが、これは、主人公は「普通の女の自覚して行く」途上にある過渡的な存在であり、「父母に対する反抗の態度と云ひ、男に対する態度と云ひ、在来の或る種の女と多く違つた所も見えない」という「古い型の娘」としての側面と、「心の底から自分自身の生活を営まうと云ふ要求に動かさ」れる「新しい女」としてのもう一つの側面が同居しているという訳者である相馬御風のとらえ方（『所謂新シイ女』「附録「その前夜」のエレナ」）とむすびついている。親の意向にかかわらず断乎として自分の道を行こうとする「新しい女」らしい意志の表明を「古い型」の手紙によって行わせることによって、主人公が自覚途上にあるということが表象されているのである。日本の「新しい女」であることを自らに引き受けたらいてうの言説の破天荒な新しさが、御風の訳した手紙との比較から浮かび上がってくる。

　ところで、末尾近くにある候文の手紙を除けば地の文も会話文もすべて口語文で訳されている『その前夜』のユニークなところは、男へひかれていく自己の気持ちをヒロインが自覚した彼女の日記と、自己の愛情を男へ書き綴った彼女のもう一通の手紙が、いずれも口語文で訳されているところにある。一人のヒロインがまったくことなる文体を使い分けているのである。

　この頃はまるで日記を記《つ》けない。何も書く気にならないんだもの。また何をかいても妾《わたし》の心の有のまゝ《ママ》影をうつしえやうとは思へない。が妾が妙に胸がさわぐのは何故《なぜ》なのかしら。妾はあの人と長い間談話《はなし》をして、いろ〲

のことを覚えた。あの人は自分の計画をのこらず話してきかした。（…）あの人は、戦争がきつとはじまると云つて喜んでゐた。それでゐながらあんなにDが鬱《ふさ》いで見えるのははじめてだ。何がそんなにふさぐことがあるんだらう。父さんは、けふ町から帰つて来て二人一所に座つてゐるのを見ていやな顔をしてゐた。（…）何だか自分の身のまはりにも心の中にも、何か謎のやうな、何かとかねばならぬことが、わだかまつてゐるやうで。しかもこれは久しい前からだ。昨夜《ゆふべ》は寝られなかつた。頭がギリ〳〵痛むだ。物をかくことは出来ない。あの人はけふ朝早く来たけれど、来るとすぐ帰つてしまつた。話したいことが山ほどある、何だか妾をさけるやうにしてゐるらしい。さうだ。あの人が妾をさけやう〳〵としてゐる気振《きぶり》をたしかに見付けた。／謎は解けた。光明は開けた。神よあはれみ給へ。妾はあの人を恋してゐるのだ――（『その前夜』十六）

相馬御風が翻訳に用いたのはロシア語からの英訳だったと思われる。訳文と対照してみると、御風は、それまでに出ていたC. E. Turner とC. Garnett、およびIsabel F. Hapgood による三つの英訳のうちTurner 訳に拠ったと思われるが、短いセンテンスを連ねたヒロインの手記のすがたは英語の原文からきている。日記の訳文において御風は、文末を「だ」と「だろう」で結んだ文を基調として、ところどころに「もの」「こと」といった、断定や推量を控え目に述べた、女性によって用いられる文末表現を用いている。日記の中で振り返っている男との会話の場面では「あの、あなたが妾にこんなに打とけて下すつたのは始めてゞすわねえ」などと「です」を基調にして「ねえ」「わ」といった終助詞で文を結んでいたから、日記の言葉づかいは発話の際のそれとの差違を明確に意識して造形されている。この日記の文体は、作中にいくどか出現する、「「さう呆気《あつけ》なくあの人に別れることが出来るものか」と、エレナは独語《ひとりご》つたが」（『その前夜』二十）といった「独語」や彼女の心中の思いを直接ことばにした個所と同じものである。これに対し、ヒロインのもう一通の手紙は、彼女が友人たちとやりとりしていることばに接近している。父が娘の婿にしようとして家に呼んだ男についてヒロインが未来の夫に知らせた手紙を、御風は次のように訳している。

なつかしきヂミトリの君。／喜んで下さい、妾《わたし》の夫になる人が出来ましたから、その人は昨日《きのふ》妾達《わたしたち》と一緒に午餐《おひる》をたべました、何でも父《とう》さんが英吉利《いぎりす》倶楽部で知己《しりあひ》になつて、それで家《うち》へ呼んだんでせう、（…）あゝ、妾《わたし》あんまり頭が病めてしやうがないから気晴しにと思つて随分長つたらしくかいてしまつたわねえ、妾《わたし》もうあなたといふものがなければ生きてゐてもつまらないわ、（…）今この手紙を書いて居る所御存知だわね、あの林のなかでね、さらばなつかしきいとしき〳〵君！（『その前夜』二十一）

候文の手紙とは逆に、一途に男に対する思いをつのらせてゆくという「在来の或る種の女」の心中を口語文による新しいスタイルの手紙に盛り込むという手法が、女性だけが用いる「わ」や「だわ」をふんだんに用いて過剰ともいえるほど女らしさを演出した文体をもたらしていた。

彼女の「心の有のまゝ」のすがたを留めたことばは、その手紙ではなく、日記における自己探究の果てに出現する。

エレナはインサロフへ遣る手紙を書かうとしたが、これも果さなかつた。紙上にのぼる文字は、生命《せいめい》もなく儚《はか》ない空《くう》なものに思はれるのだ。日記はその末尾に、太い黒線を引いて、放棄《うつちやらか》してしまつた。これは過去の夢である。今よりは、偏《ひとへ》に思ひを未来に馳すべきであると思つたので。（同二十）

相馬御風の訳した『その前夜』は、「紙上にのぼる文字」と「独語」やことばを用いて心中で行われる思考との間に明確な一線を引くことによって、口に出されたことばと書かれたことばとの関係から心中で行われる思考と外部に表出されたことばとの関係へと近代日本の言説秩序の焦点が移動しつつあることを、ヒロインが操る言説のパノラマによって示しているのである。

このパノラマがもたらす眺望は、当時の日本の翻訳言説について考えていく上でいくつかの重要な座標として機能する。一つは、心中のことばと表出されたことばとの対立が、原文に対する配慮かそれとも日本の言説をめぐる諸事情への配慮かという翻訳の古典的な問題に重ね合わされていることであり、そのことと関連してもう一つは、日本の性別規範が翻訳文にどのように作用しているのかという問題である。

口語文への移行が本格的に始まった時期に登場した、自我の覚醒に最大の価値を置く平塚らいてうの言説は、『その前夜』が思い描いた「未来」のことば＝自我の声をダイレクトに外部に表出しようという意欲によって生み出されたものであり、超越的な高みにまで上りつめた自我が俗世に飛び交う言説を見下ろすという構えによって、口語文の全般的な進出によってともすれば見失われてしまいそうになった自我の優越を再確認するための装置となる。

一九一八年に田中純によって訳し直された『その前夜』は、両親宛の手紙を口語文で訳し、両親宛と恋人宛いずれの手紙においても日本の手紙へ同化しようとする傾向を抑制することによって、それらと日記との差違を比較的ゆるやかなものにしてしまい、結果として、どんなことばにもそれなりの真実が宿っているかのような、のっぺりとした汎神論的な世界を展開していたが、その一方で、顔を原文の方に向けた翻訳テクストと日本の文脈との軋轢は増していた。

親愛なる御両親――私は今永久の御別れを申上げます。私はもう再びあなた方の御目にはかゝりません。ドミトリイは昨日亡《な》くなりました。私の万事は終りました。私は今日、夫の遺骸と共にザラに発《た》たうとして居ます。（…）自分の身が何うなるか、それは私にも解りませんが、たとひドミトリイは死んでも、あの人の記憶、あの人の全生涯の事業には、忠実であり度うございます。（…）あなた方におさせ申した凡ての苦しみを御許し下さいまし。私の力では何うにも出来なかつたのでございますから。（…）私の最後の接吻《キッス》と祝福とを御受け下さいまし。私を罪しないで下さいまし。（田中純『その前夜』一九一八［大正七］年一二月）

「まし」で文を結ぶというほぼ女性に限られた言葉づかいを交えてはいるが、自分の父母を手紙の中で「御両親」「あなた方」と呼ぶ女性など、当時の日本では平塚らいてうを除いて誰がいるだろう。『書翰文講話及文範』後篇（一九一三［大正二］年一一月）の「文範及文例」を見渡しても、親に宛てた手紙は二通しか載せられておらず、そのうちの一つは近況を実家の母に知らせる女性が「母上様」へ宛てた「参らせ候」文で、もう一つは、父親が手紙で知らせてきた縁談を断る息子の返事で、これも「早々頓首」で結ばれた「父上」宛の候文である。相馬御風による参らせ候文が口語文に転換することにより、訳文と原文との距離は縮まり、夫の死に悲嘆にくれるそぶりもみせず旅立とうする主人公の強い意志が前面に出てしまう。「親愛なる御両親」は英訳「My dear Parents」の直訳に「御」を加えただけである。十九世紀半ばのロシアの女性が「たゞにその夫を愛しうるばかりでなく」「社会的理想をも愛しえて、その為めには自分も英雄となり殉難者となることが能きた」と述べる中沢臨川は、その典型的な例として『その前夜』のヒロインを挙げている（「露西亜の女」『中央公論』、一九一三［大正二］年七月）。相馬御風の訳した『その前夜』のエレナが素顔の上に日本の女の化粧を施しているとすると、田中純の訳したエレーナは「殉難者」となる「露西亜の女」の面影を伝えている。

ドミトリイさん、御祝ひを言つて下さい。私に一人求婚者が出来ましたよ。その人は昨日、私共で御飯を召し上りました。多分父が、イギリスクラブで知り合ひになつて、御招きしたのでせう。（…）あゝ、なつかしいあなた！　頭痛を殺さうと思つて、あの紳士の事を、こんなに冗々《くどくど》と書いてしまひました。あなた無くして、私は生きては居ません。（…）お手紙で申し上げましたわね——あの森の中のこと。あゝ、なつかしいあなた！　どんなに愛してるでせう！（田中純『その前夜』十六）

言語生活の「場」に着目して現代日本語の言葉づかいを研究した三尾砂の『話言葉の文法（言葉遣篇）』（一九四二年一月）は、現代語の話し言葉の文体を「常体」の「だ体」と「敬体」の「です体」・「ございます体」に区分した上で、地方とは違い東京では「です体」にともなう敬意が薄れてきているので「敬体」というよりも「日常普通の社交文体」と呼んではどうかと提案している。「ます」で結んだ文を三尾は「です体」に編入しているから、田中純の翻訳においては、「御」の有無によって敬意の程度が加減されているものの、両親に宛てた手紙と恋人に宛てた手紙とが同じ「です体」で書かれていることになる。「です体」より強い敬意をあらわす「ございます」体を両親宛の手紙に採用しなかったのである。「です体」における敬意のゆれがいつごろから始まった現象であるか三尾は指摘していないが、田中の訳した『その前夜』が、自らも版を重ねていただけでなく、一九二一年に出た『ツルゲーニエフ全集』第二巻に収められた牧一也訳「その前夜」や一九二八年の袖珍世界文学叢書『ツルゲーネフ集』中の品川準訳「その前夜」、および同じ年の太宰衛門訳『その前夜』において二通の手紙が田中訳とほぼ同文であることを考慮すると、田中の訳した両親宛の手紙を「日常普通の社交文体」に近接したものとみなす読者が東京にいたことは否定できない。はじめてのロシア語からの翻訳である『その前夜』（一九三二［昭和七］年一〇月）を送り出すとき、訳者である米川正夫は、一八六〇年にロシアでこの小説が刊行された際、「若い大学生や、文士、学者などの間では、嘖々好評を博したけれど」、「社会の上層に属する人々」を中心に「道徳的側面から見た非難」が湧き起こり、「いはゆる良家の父兄は、恋愛と結婚との問題を勇敢に躊躇なく解決したエレーナを、穢らはしい不良少女よばはりした」ことをその序の中で伝えている。二十世紀初頭の日本がこの作品をどのように迎えたのか、手がかりを持たないが、平塚らいてうについて山川菊栄が「伝統の雰囲気」と「歴史的背景」を考慮するよう求めていたことを、エレーナの手紙を読む際にも忘れてはならないだろう。

米川の後、『その前夜』はさまざまな訳者によって新たに訳されていくことになるが、ヒロインの二通の手紙を「です体」を基調に丁寧語や女性らしいいいまわしを加減しながら訳すというやり方において、基本的に田中の訳を継承していた。ただ、父母に対する呼びかけは、すべて「不良少女」らしくない〈ご両親さま〉となっており、モラルと一体となった候文そのままの強固な呼称についての規範が存続していたことを示している。

懐かしきご両親さま、わたしは永久にお二人と告別します。もうお目にかゝる事はありますまい。昨日ドミートリイが亡くなりました。もうわたしに取つては、すべてが終りを告げたのでございます。今日わたしは遺骸につき添つて、ザラへ渡ります。（…）かうした歎きをおかけするわたしを、どうかお赦し下さいまし。わたしの意志から出た事ではないのですから。（…）わたしの最後の接吻と祝福をお受けになつて、わたしを責めないで下さいまし。（米川正夫『その前夜』）

懐しい御両親さま、私は永遠のお別れを申上げます。私を二度と御覧になる事は御座いませんでせう。昨夜ドミートリイは亡くなりました。私にとつては何もかも終つた訳です。本日彼の遺骸を守つて、私はザラへ参ります。（…）私が御両親様を悲しませた事を、どうかお赦し下さい。それは私の意志では無かつたのですもの。（…）私の最後の接吻と祝福とをお受け下さい、そして私をお責め下さいませんやうに。（原久一郎『初恋・その前夜』一九三七年一月）

懐かしい御両親様、わたしはあなた方と永遠にお別れ致します。あなた方は、最早やわたしにお逢ひになることがないでせう。昨日、ドミートリイは死にました。わたしにとつてはすべてが終つたのです。わたしは今日、あの人の遺骸と一緒にザラへ立ちます。（…）わたしがあなた方にお遇はせしたすべての悲しみをお赦しください。わたしの意志ではどうにもならなかつたのです。（…）わたしの最後の接吻と祝福とをお受けください。そしてわたしを咎めないでください。（石井秀平『その前夜』一九四三年二月）

親愛なご両親さま、わたくしは永久にあなた方とお別れいたします。あなた方はもはやわたくしをごらんになることはないでしょう。きのうドミートリイが亡くなりました。何もかもわたくしにとってはおしまいです。きょうあのひとの体と一しょにザラへ出発いたします。（…）わたくしがあなた方におかけした一切のお歎きを、おゆるしくださいい。これはわたくしの本意ではありませんでした。（…）わたくしの最後の接吻と祝福をお受けください。そしてわたくしをお咎めにならないでくださいい。（湯浅芳子『その前夜』一九五一年一一月）

おなつかしいご両親さま、わたしは永久にお別れいたします。もはやお目にかかることはないと存じます。きのうドミートリイが亡くなりました。わたしにとって、すべてが終わりました。きょうわたしは遺骸につきそって、ザラへ渡ります。（…）おふたりにさまざまな歎きをおかけしたわたしを、どうかおゆるしください。わたしはそれを望んだのではありません。（…）／わたしの最後の接吻と祝福をおうけになって、わたしを責めないでください。（金子幸彦「その前夜」世界文学大系31『ツルゲーネフ』一九六二年四月）

両親への手紙が、「わたし」と「わたくし」という自称詞のゆれや、女性にその使用がほぼ限定される敬語の「まし」が消えたのを除きさほどの変化をみせないのに対し、恋心を自覚した男へ宛てた手紙は、女性に限られたことばの用いられ方において、大きくその姿を変える。

懐かしいドミートリイ、どうか、お祝ひを云つて頂戴、わたしには花婿の候補者が出来ましたの。その人は昨日うちで食事をしました。お父さまがイギリス倶楽部で知り合ひになつて、家へ招待したらしいんですの。（…）おゝ、懐かしいドミートリイ！　わたしがこんなに詳しくあの男のことを書いたのは、悩ましさを紛らすためなんですの。わたしはあなたなしには生きて行かれません。（…）わたしが手紙に書いたあの森の中でね……あゝ、懐かしい夫！　わたしがどんなにあなたを愛してゐるか！（米川訳）

実際に女性たちが使っていることばには男のことばも含まれているので、その中での「女らしい」言葉づかいを「女言葉」と呼ぶという三尾は、「女言葉」の主要な要素は、「動詞の中止形」で文を結ぶことと、「わ」「よ」「の」「こと」「な」「ね」「もの」などの助詞が文末に添えられることであるとし、体言どめの発問が多いことと「特異な女性語（単語）」の使用をそれらに加えている（『話言葉の文法』二二一「女言葉」）。なお、三上は、「「歩いて」「落ちて」「来て」のやうに、語尾に「て」のついたもの」を「動詞の中止形」と呼んでいる。これらのうち、文末の助詞について、相馬から金子までの訳文においてどのくらい出現するかを見てみると次のようになる（ただし、「わね」など重複しているものについては末尾の「ね」で採っている）。

【わ】　15（相馬）、8（田中）、20（原）、1（湯浅）
【ね】　6（相馬）、7（田中）、5（原）、4（石井）、1（湯浅）、3（金子）
【もの】　2（相馬）、1（田中）、1（石井）、1（金子）
【の】　1（相馬）、1（田中）、10（原）、1（石井）、9（湯浅）
【よ】　3（相馬）、1（田中）、10（原）、1（湯浅）
【な】　1（原）

すべての訳文の中に「女言葉」が出てくるが、その頻度や分布において大きく異なっており、それにともない、訳文が与える「女らしさ」の印象も違ってくる。

妾《わたし》もうあなたといふものがなければ生きてゐてもつまらないわ、（相馬）
あなた無くして、私は生きては居ません。（田中）
わたしはあなたなしには生きて行かれません。（米川）
わたし、貴方なしには生きて行かれないわ、（原）
あたしはあなた無しには生きて行けません。（石井）
私はあなたなしで暮してはいません。（湯浅）
私は、あなたなしには、生きてゆけません。（金子）

こうしたばらつきが生じたのは、"Я не живу без тебя" というロシア語の原文にも、また、"Without you life is no life"（Turner 訳）や "I don't live without you"（Garnett 訳）といったその英訳にも、どこにも「女言葉」らしきものは見当たらないにもかかわらず、女性の手紙はあくまで「女らしい」ものであらねばならないという、両親にたいする呼称と同じくらい強固ではあるがしかし具体的な指針を伴わない規範のもとで、訳文のどこにどのような「女言葉」を付すのかを訳者たちがそれぞれに工夫していったからである。

『女子消息文のしをり』の「書翰文文話」で佐々木信綱は「文章体にせよ、口語体にせよ、女子の文《ふみ》は女子の文らしき文体こそ望ましけれ」というが、具体的には「こちたき文字、わざとらしきかきぶり、殊更に昔になづみ、新奇によそほふが如きは、女子の文には殊にふさはしからずといふべし。ただ安らかにしかも趣ある様にこそのぞましけれ」というだけであり、結局、「女子の文」とは「こちたき文字」を用いたものではないといった否定命題の寄せ集めにすぎない。「御《おん》といふ字、候《さふらふ》といふ字、申《まを》し上《あげ》、御座《ござ》、などあまりに用ひたるはわろし」というが、それらのことばの用い方には触れないのである。佐々木と同じく候文のみの文例を掲げた春峰女史『女子手紙の文』（一九一〇〔明治四三〕年二月）も「女の書簡は、優にやさしう書くをよしとするを、理屈や何と、こちぐ〵しき書きざまは為すべからず」といっただけですませている。「女子の文らしき文体」という概念は、現実の女性の言葉づかいとの接点をほとんど喪失してしまっているのである。

「女は女としての文章が必要である」（家庭俱楽部『女の手紙』「はしがき」一九一二〔明治四五〕年七月）といった空疎な言い立ても、しかし、候文がまだその命脈を保っていた時代であれば、そのそらぞらしさを暴露されないですんだ。相馬御風が両親宛の手紙で行ったように、原文に「女言葉」が見当たらなくとも、躊躇なく「参らせ候」「かしこ」という型にもってくるだけで、訳文は「女としての文章」になりえた。だが、口語文で「女らしい」手紙にしようとすると、事情はまったく異なる。「御」ということばをあまり使うなとか、理屈っぽいいいまわしは避けよとかいったあいまいな指示だけでは、言葉づかいは区々にならざるをえない。

手紙の「女らしさ」をめぐる事情は、若い世代において口語文の手紙への移行がほぼ完了した時代になっても変わらなかった。八波則吉の『文話作例婦人手紙文範』（一九三六年二月）は、「婦人の手紙と男子の手紙との間には、微妙な相違があります」と前置きした後で、「婦人の手紙」に求められる三つの事項をあげている（第三「婦人の手紙と男子の手紙」)。順に「礼儀正しく、淑やかで、愛嬌」があること、「丁寧で、虔《つゝ》ましやか」であること、および「男子なら口語の『である調』で強く出る所も、婦人は『あります調』で優しく」書くことなのだが、最後の事項がなんとか具体的な書きぶりと関連しているだけであり、これにしても、男子も「あります調」で手紙を書くことがめずらしくないという現実の前に、その意味をあらかた喪失する。

女性の口語文による手紙をめぐる「女らしさ」の問題は、「優にやさしう」などといった女性の本質らしきものの措定の仕方を前提としてなされており、その意味で、「女らしからぬ女」(坪内逍遙「「新しい女」の意義」『所謂新シイ女』)の問題が前景化されていった「新しい女」と平塚らいてうらの出現によって引き起こされた「女らしさ」をめぐる議論と連続している。

三　「女らしい」ことばから「女の言葉」へ——平塚らいてうと山川菊栄

最初の著作である『円窓より』が発売禁止の処分を受ける原因となった「世の婦人達に」で、らいてうは、自分たちが何と戦っているのかを、読者である日本の女性たち——「何の理由もなき偏見から、因襲的な反感から理解なくして、只新しきものに対する世間の有象無象の雑言に眩惑されて無暗に反対される世の婦人達」に向って次のように告げている。

多少なり個人として自覚した現代の婦人は今迄男子から、又社会から強制されてゐた服従、温和、貞淑、忍耐、献身等の所謂女徳なるものを最早有難いものだとも何とも思へなくなつて居ります。何故なら私共は何故に斯くの如きことが婦人に向つて要求されたか、社会はそれを婦人の美徳として承認するに至つたか、そして終にはそう云ふのが婦人の天性だと迄信ぜられるやうに立ち至つたかの原因、其のよつて来る源に溯つて考へて見たからです。（『円窓より』）

「所謂女徳なるもの」こそ「婦人の天性」であるとする主張が、女性の言葉づかいをめぐる問題圏の中でいきついたところに、やがて「婦人の言葉の特徴は優美、即ちやさしくてうるはしいといふ点に帰する。而もこの特徴は我が固有国語の特徴にも一致する、従つて、我が日本語は女性的である」（菊沢季生「婦人の言葉の特徴に就て」『国語教育』第一四巻三号、一九二九［昭和四］年三月）という、日本の「国語」と「優美」な「婦人のことば」との歴史を超越した接合が果たされることになる。国語学者である菊沢は、「室町時代から江戸時代にかけて発達した女房言葉」を、ひとにぎりの宮中の女官たちのことばとみなすべきではなく「当時一般婦人の言葉」であったと解してよいと述べ、そこに見られる「女らしさ」として、「丁寧な言葉遣をすること」「奇麗な上品な言葉を用ひること」「婉曲な言ひ方をすること」「ぎごちない漢語をさけること」という四つの特徴を指摘しているが、こうした属性を、菊沢は時代を超越した日本の「婦人のことば」の「優美」さとして言挙げするのである。

「女らしさ」を日本の「女らしさ」とすき間なく重ね合わせて怪しまないこうした言説に対し、「母たること」こそ「女性に与へられた特別な分野」であるとするエレン・ケイ（らいてう訳『母性の復興』一九一九［大正八］年五月）に依拠しつつ「女性の本能」としての「母性」を対置したらいてうが思いうかべているのは、どこか特定の国に帰属する女ではない。「わが固有国語」を基軸として「女らしさ」を考えたのが菊沢であるとすれば、らいてうのいう「母性」はどこかの国や地域が占有しているものではない。

旧時代の道徳の打破による自我の覚醒と個性の伸張という主張から「母性」の発揮へとその思考を展開していったらいてうに対し、山川菊栄は、同時代の社会における女性の問題に焦点を当てた言説を展開していくことになるが、日本という枠組みのなかで女をとらえなかった点では、らいてうと一致していた。

吾々婦人は、女としては男の下位に在り、無産者としては資本家の慈悲にすがるの外、生き道のない憐れな境遇にある。然し此みじめな境遇を脱する為めには、何よりも先づ勇気が必要である。今まで、女らしいといふことは、只だ意気地の無いこと、無智無気力なことの別名のようになつて居た。然しながら、今日の時勢は、もはや其様な時代遅れな、女を侮辱した婦人観の一掃さるべきことを要求して居るのである。女の使命は只だお化粧をしたり、男に媚びたり、是非善悪を知らずに盲従したりすることに在るのではない、女も又社会の一員として、男子と対等の義務と権利とを完全に遂行することは、今日の世の中に女たる者の、最も重大な使命でなければならぬ。（山川菊栄「現代社会と婦人の使命」九、『女性の反逆』一九二二［大正一一］年五月）

「優美」な「女らしさ」の本質は「意気地の無いこと、無智無気力なこと」であると見抜いた山川は、「女らしさ」ではなく「社会の一員」としての「女の使命」こそが重要なのだとする。山川はその文章を「愛する姉妹よ、戦ふべき場合に飽まで戦ひ、不正と見ては苟も看過せざる底の勇気と熱誠とこそ、真に女らしく、真に婦人の使命に忠なるの所以ではあるまいか」ということばによって結んでいる。「新しい女」たちにとって男たちのいう「女らしさ」とは「時代遅れな、女を侮辱した婦人観」そのものなのだが、そうした主張に半ば同意しつつ、男たちはやはり「女らしさ」にこだわりつづける。

生田長江・森田草平・加藤朝鳥の共著である『新文学辞典』（一九一六［大正五］年一二月）は、おそらく日本の辞典の中ではじめて「女らしさ【Womanliness】」という項目を立てているが、そこでは「女らしさ」とはどのようなものであるのか明示されず、辞典としての役割を果していない。

婦人は先づWomanlinessを捨ててしまつて、今迄の如く種族保存の必要物として単に母として生む代りに、自分自身の為めに生まう、夫や子供に対する義務は拒絶してしまつて、個人たる自己以外に対する一切の義務を脱しやう、今迄のやうに甘むじて他の犠牲《ママ》となる事は堪えられない。愛と同情とを唯一の生命として、男子の為め唯だ「愛すべき者」として生きんには情の力の余りに弱く、理智の力余りに強いといつたやうな個人的自覚に達した女性の態度が彼のイプセンの戯曲によく描かれて居る。（『新文学辞典』）

この辞典が「女らしさ」について触れるのは、森田草平による「新しい女」という項目においてである。

『新しい女』に成るといふことは、女の有らゆる属性を擺脱して、男に成る。いや、男でも女でもない中性に成るのだと云ふ風に考へられたことも有つた。これは従来女の属性として考へられて居たものが、多くは女の本能から出発しないで、男に依つて強ひられたもの、強制的に馴致せしめられたもので有つたために、それに反抗して立つと云ふことが、即て有らゆる女の属性を抛つ、振落すことに有ると考へられるやうに成つたので有らう。例へば、『女らしい女』の属性として、所謂男に都合の好い『自己犠性《ママ》』を女に迫つたとする。そして、それを拒んだ時、其女は最早『女らしい女』でないとして、排斥するが如きは、明かに誤まれる思想で有る。が、左様いふもの以外に、なほ女性の本然から出た女の本分、『旧い女』が『新しい女』に成つても消滅する患いのない女の本分が有るべき筈で有る。で、それは何だ？　自分は今早速それに答へることが出来ない。が、只かう云ふ事だけは解つて居る。それは他から強ひられ、若しくは教へられたものでは不可ない。当然女自ら考ふべきもので有る、発明すべきもので有る。『新しい女』に成ると云ふことは、女が男に成ると云ふことではない、矢張文字通りに『新しい女』に成ることで有る。それと共に、『旧い女』といふ類型を脱しながら、更に『新しい女』といふ類型に堕することでないことは言ふ迄も有るまい。そんな事は個性を有する『新しい女』の断じて耐え得ることではなからう。事実として、既に『新しい女』『目醒めた女』『自覚した女』の類型は生じつゝ有るかの如くで有る。（同）

「『旧い女』が『新しい女』に成つても消滅する患いのない女の本分」とはどのようなものなのか、ここでも森田草平は「答へることが出来ない」のだが、にもかかわらず、「新しい女」にも「旧い女」のもっていた「女らしさ」ではない「女らしさ」が「有るべき筈」だというのである。

口語文の女性の手紙についての言説の場合と同じく、「女らしさ」は、内実の伴わない空虚な記号として男たちの言説の中に流通しつづける。

「優美」＝「女らしい」ことを男たちが女性の言葉づかいに求めつづけるのに対し、「女らしさ」を退ける平塚らいてうが自分たちの言説そのものについて正面から論じることはなかった。わずかに、「女としての樋口一葉女史」を含む、一九一一年の『青鞜』創刊から一九二五年までの文章を集めた書物のタイトルに「女性の言葉」ということばを選んでいること（『女性の言葉』一九二六［大正一五］年九月）に、ことばの性別規範に対する彼女の反応をみることができるだけである。ともすれば「あらくれた男らしさ」（岡田八千代）といった見方をされた自分の文章こそ「女性の言葉」であり、またそうあらねばならないという自負がそこに託されている。「女性の言葉」についてのこうした意識をらいてうと共有し、それをはっきりと全般的に表明したのは山川菊栄だった（「女の髪、女の言葉」『読売新聞』一九三五年八月五日。のち『評論集婦人と世相』［一九三七年三月］に収める）。

今から三十年前、目下断髪禁止令で名声を博してゐる府立第二高女に私の在学したころ、時の校長は『てよ、だわ』禁止のお触れを出したことである。即ち『よくてよ』『いやだわ』式の言葉は、元来花柳界の女性の慣用語だつたのを、彼女らが明治元勲の間に勢力を得てから、その影響が上流へ、ひいて一般婦人へも及んだ結果であつて断じて良家の子女の口にすべきものでないといふのだつた。成程『よくてよ』『いやだわ』は上品な言葉でない。といつて校長閣下の命令通り一々『よろしうございます』『いやでございます』といつてゐたのでは短い遊び時間に用が足りない。結局折角のお触れも無視され黙殺されたまゝで終つた。

近頃女学生間の『君、僕』の流行が問題にされる。しかしこれが一般平民の娘の間の流行でなく、表面『遊ばせ』言葉をあやつり慣れてゐる学習院のお姫様方の間から起り、上流有閑階級の中に最も行はれてゐる流行だといふ点が面白い。かの『てよ、だわ』といひ、この『君、僕』といひ、冗漫で虚飾的な女言葉への謀反を意味し、簡易素朴を求めんとして、たまたま下品や粗暴へ行きすぎたものだと見ることはできないだらうか。

　日本でも平安朝時代までは男も女も自分のことは『まろ』といひ、他の点でも男女によつて言葉使ひに違ひのなかつたことは、今日の外国語と同様だつたらしい。武家時代に入つて身分制度の固定に従ひ、衣食住の様式に微に入り細を穿つ厳密な制限が加へられると共に、姓《ママ》や身分による敬語や卑称の種類もふえ、言葉の使ひ分けが無限に複雑となつた。が、さういふ身分制度の亡びた今日では、衣装や髪容の上の儼たる差別と同様、言葉の上の階級的差別も時代後れなものとなり、漸次に言葉が平等化し、単一化して統制されて行かうとする。所が上流の、殊に女仲間はとりわけ保守的で、一方で虚礼格式に捉はれて馬鹿丁寧な遊ばせ言葉を捨てられぬ反動で、他方では『君、僕』の遣り取りで埋め合せをつけたくなるのだらう。勿論よい趣味ではないが、上流階級の古めかしい小面倒な女言葉への反撥と全體としての言葉の簡易化への一つの動向と見られぬこともない。

「姓《ママ》や身分による」「言葉の使ひ分けが無限に複雑」で「冗漫で虚飾的な女言葉」から、「平等」で男女のことばも「単一」である「簡易素朴」な言葉づかいへ移行していきつつある過渡期であると現代をとらえた上で、女学生たちの「てよ、だわ」や「君、僕」はそれ自体としては「下品」で「粗暴」であるが、「虚飾的な女言葉」や男女間の「言葉の使ひ分け」に対する「謀反」として肯定的にみている。男たちが「女らしい」言葉づかいを女性にもとめていることなど気にもとめない若い女性たちによって言葉遣いの古めかしい規範は打ち破られつつあり、やがて「今日の外国語と同様」に「男女によつて言葉使ひに違ひのな」い時代がやってくるのである。女性たちの言葉づかいの問題に続いて「女学校の断髪禁止」を批判的に取り上げた山川は、この文章の最後を「断髪といひ、新しい言葉使ひといひ、大きな社会的変化の洪水が女学校の塀を乗り越えて娘達をさらつていくのを、あれよ〳〵と見送る先生方こそ痛ましい」ということばで結んでいる。山川の女性のことばへの関心は、「大きな社会的変化」との関連に向けられていて、女たちの「個性」との関連にではない。

「青鞜社同人の婦人解放の要求は、形式に於て幼稚であらうとも、その精神に至つては確かに革命的なものであつた」が、その「独善的個人主義」と「エレン・ケイ一流の保守的婦人主義」により停滞を余儀なくされたと総括した山川は、これからは「社会政策的要求」を掲げた「婦人運動」へと転換しなければならないと説いていた（「婦人運動に現はれたる新傾向」『現代生活と婦人』一九一九［大正八］年一〇月）。「個人」「個性」から「社会」への視角の切り替えは、「狭義の個人主義的主張の上に立つ中流婦人の解放運動」から「労働婦人」を「中心的要素」とする「労働運動と接近し」た「婦人運動」への転換であり、そこで参照されるのは、エレン・ケイではなく、ドイツ社会民主党の創立者の一人であり、第二インターナショナルでも活躍したアウグスト・ベーベルの『婦人の過去現在未来』（山川菊栄訳、一九二五［大正一四］年一一月）である。

私共は或は女子の就職を根本的に否定する反動論者と戦ひ、或はこの種の奴隷道徳鼓吹者を撃破しつゝ、全人類の社会的経済的自由といふ終極の決勝点を目がけて、堅実なる一歩一歩を踏みしめて行かなければならぬ。これが婦人の解放を志す者の光栄ある使命であり、愉快なる任務でなくてはならない。（「婦人運動に現はれたる新傾向」）

この「全人類の社会的経済的自由といふ終極の決勝点を目がけて」戦い抜いた女性こそローザ・ルクセンブルクであり、その生涯にわたる活動を山川は『リープクネヒトとルクセンブルグ』（一九二五年一二月）によって紹介していた。

森田草平の『煤烟』にも描かれている、成美英語女学校で生田長江らが開いていた閨秀文学会で初めて知り合ったころの山川菊栄のことを回想した平塚らいてうは、「西鶴や一葉のものがお好きのやうでした」といい、「今日の社会主義的婦人評論家としての山川さんより御存じない人達は、一葉や西鶴を口にする過去の山川さんを想像することが出来ないかも知れません」と注意しているが（「あの時分の山川さん」『婦人公論』第一〇年一二号、一九二五年一一月）、かつて一葉の愛読者だった山川がローザ・ルクセンブルクの生涯を伝える本を世に問い、その一年後には、『ローザ・ルクセンブルグの手紙』とらいてうの『女性の言葉』がほぼ同時に刊行されていることには、象徴的な意味がある。ポーランドに生まれ、ドイツで活動した革命家ローザと、「革命的な」「婦人解放の要求」を日本で最初に掲げたらいてうという二人の「女性の言葉」が、ここで出会い、交錯する。『ローザ・ルクセンブルグの手紙』に序を寄せた長谷川如是閑は、「嘗て、どこからか『現代の女性に是非とも読ませたいと思ふ書物』の名を上げることを求められたことがあつた」が、思い浮かぶ書物はなかった。しかし、このローザの書簡集を読んで、これこそがそうした書物であると思ったといい、「漠然としてゐる『現代の女性』といふものが、このローザ・ルクセンブルグに於て頗るはつきりとしてゐる」と述べている。『女性の言葉』が出たのはローザの書簡集の二か月後のことだから、長谷川如是閑が、この時点で『女性の言葉』を読むはずはないのだが、仮に読んだとしても、如是閑はこの本を「現代の女性に是非とも読ませたいと思ふ書物」として推奨することはなかったろう。「現代の女性」を体現するのはローザであり、もはやらいてうや『その前夜』のエレーナではない。

かつて博文館で『少女世界』の主幹をしていた沼田笠峰は、高等女学校の校長に転身してから著した『若き婦人の行くべき道』(一九二四[大正一三]年一〇月)で、「近代の教育によつて覚醒された婦人」は「伝統による無理解な抑圧を厭ひ、盲従を斥け、自由の天地に自己の運命を開拓して、充実した生活をしようと望む」(第二「自我の成長」七「寂しさから強さに」)と、かつてのらいてうさながらの意見を披露しつつ、「青春の悩み」に苦しむ女性たちに、徹底的に「自分で自分をみつめ」「自分で自分のすべてを知」った上で、「自分に最も適すると信ずる所に進む」ようにしたらよいというアドバイスを与えるに際して、わざわざ自分で訳した『その前夜』の「エレナ」の日記を紹介しているが(同八「エレナの悩み」)、「ロシアに於ける活動的な新しい革命婦人のタイプの先駆者」(楠山正雄「脚本『その前夜』のはじめに」『脚本その前夜』一九一五[大正四]年五月)だったエレーナを、自己探究という文脈へ引き戻そうとするには時期が遅すぎた。「現代の女性」という座を新たに獲得していたのは、「先駆者」であるエレーナの志を引き継ぐように、社会の中で「自分に最も適すると信ずる所に進」んでいった「革命婦人」だったからである。

『婦人公論』の「新選女子読本」という企画で、長谷川如是閑は、実際に『ローザ・ルクセンブルグの手紙』の中の一通を挙げている（第一一年四号、一九二六〔大正一五〕年四月）。また、『現代日本文章講座』第七巻「研究篇」（一九三五年五月）で「女性としての文章表現の特異はどうあらうか」という課題を与えられた山崎斌は、ローザがドイツ社会民主党の理論家だったカール・カウツキーとその妻ルイーゼに宛てて書いた手紙を訳した『ローザ・ルクセンブルグの手紙――カール及ルイゼ・カウツキーへの（一八九六―一九一八）』（松井圭子訳、一九三二年五月）の中から、ローザの獄中書簡を二通選んでその全文を掲げた後、「この闘士もまたよき女性として在つてこそ、他に深大の影響を与へ得たらうと思はれるのであります。私共は、茲に、また一種の、やはらかくして強い、力ある女性の文章表現を見たと思ふのであります」というコメントを加えていた（「女性と文章表現の特質」）。「女性は女性らしい本来の質によつて書かうとするところに、真によき女性の文章表現が在るのではありませんか」などと空疎なスローガンをぬけぬけと掲げてみせる山崎によって、ローザは、なんと一葉とならぶ「女性表現」の名手とされていた。

王朝の大散文家、清少納言、レーニンの所謂「鷲」なる闘士ローザ・ルクセンブルグも、ポーランドのイプセンなる作家エリイザ・オルゼンコも、日本近代の真の女流作家樋口一葉も、かくて、実に女として、女らしい文章を貽してゐるのでありました。（「女性と文章表現の特質」）

だが、如是閑がいうように「誰れでも、ローザ・ルクセンブルグに於て『現代の女性』を読むことができ」（「序」『ローザ・ルクセンブルグの手紙』）、また、山崎がいうように、そこには「やはらかくして強い、力ある女性の文章表現」が満ちているのだろうか。ローザの手紙において、日本の女性の口語文は、それまでになかったどのような文章と出会うことになるのか。

四　世界文学への回路としての女のことば――ローザはどのようなことばで語るか

『ローザ・ルクセンブルグの手紙』の刊行に際し、発行元である同人社は、次のような広告を新聞に掲載した。

カール・リプクネヒトと共にドイツ革命の犠牲となつた女性革命家ローザ・ルクセンブルグの嵐のような生涯の裏には、薔薇の花のこれよりも床かしい女性的の薫りが流れてゐた。戦士としてのローザの男らしい行動は、生々しい革命の歴史を残したが、女性としてのローザは、その濃やかな女らしい情緒を、彼女の僅かばかりの手紙にとゞめた。それがこの書である。（『東京朝日新聞』、一九二五［大正一四］年七月一四日）

翻訳原本に添えられた序は、「学者であり、また戦士である、ローザ・ルクセンブルグを知つてをる人でも、未だ彼女の人間のすべての方面を知らない。獄中からの手紙は、その俤を完全にする」と簡潔に述べているだけであり（「序言」）、それをうけて、訳者である井口もまた「彼女の人間を知る上において、実に吾々に与へられた、ほとんど唯一の秘鑰」が本書であると、「女性」としてではなく「人間」としてのローザについて語っていたから（「訳者序」）、「薔薇の花のこれよりも床かしい女性的の薫り」とか「濃やかな女らしい情緒」といったコピーを考えついたのは、まだドイツにいた井口ではなく、「現代の女性」を強調する長谷川如是閑や、ローザの手紙に「美しい情緒」を見出して彼女についての先入観を改めたと述べた吉野作造の序（「此書をはじめて読んだときの感想」）に感化された同人社のサイドであったと思われる。ドイツ留学中にしばしば「社会党幹部の生温い態度を攻撃する」記事を新聞で読んでいた吉野は、「ひそかに彼女の姿を明治の初年民権運動に参加した某々女史のやうなものと想像」し、「一私人としては相当荒々しい調はゞ女らしくない人と想像して居つた」が、教え子の井口が訳したローザの手紙を読むに及んでそうした見方を改めたのだと、岡田八千代が平塚らいてうについていったこととよく似た感想を述べていた。

吉野の序や本書のコピーに誘導されたわけでもないだろうが、男の読者の中には、それまで味わったことのなかった「女らしさ」をローザの手紙から読み取るものが出てくる。

ドイツに留学していたころ、カールとローザが殺害される日に連行されたホテルの近くに下宿していたという櫛田民蔵は、ポツダム広場のカフェでコーヒーを飲んでいたら一人の婦人が立ち上がって「自分の背後には百万の労働者がある」と大声でどなって「ローザの演説の真似」をしたのを見たことや、「立派な花輪」の陰に「小さい「すみれ」の鉢植」が置かれたローザの墓に立ち寄った日のことなどを交えつつ、ローザの手紙には獄中の「自分の周囲」を「美しく詩化」したものがあって、そこには「女性の美はしさの持主」であったローザの姿が偲ばれるといい、また、兵士にむごく鞭打たれる野牛を見たりすると「本当に病気になつてしまう」とローザが書きつけている個所には「優にやさしい一個の女性だけが描き出されてある」と述べていた（「ローザ・ルクセンブルグの思ひ出――『ローザ・ルクセンブルグの手紙』（井口孝親氏訳）を読む」『我等』第七巻一〇号、一九二五年一〇月）。

井口と同じ九州帝大の教授であった藤沢親雄も、東京日日新聞に寄せた長文のブックレビューにおいて、「ルクセンブルグの手紙はかの女《じょ》のいつはらざる内面思想生活の記録であると同時にかの女《じょ》の豊麗なる芸術的作品」であるといい、「この手紙を通して一面熱火の様な反抗的精神に燃えてゐたかの女《じょ》が半面において、いかにも女らしい繊細にして純真な感情を豊富にもつてをつた」ことを指摘している（「『ローザ・ルクセンブルグの手紙』を読む」一九二五年一〇月五日）。

また、「一個の人間としての方面と、社会思想家乃至社会運動家としての方面」というローザの「二つの方面」を尊敬していると述べる青野季吉は、「最近、日本に飜訳されて一般の非常な感激をうけてゐる」井口の訳よりも前にフランス語に訳されたローザの書簡集を読んでその「純人間的なところ」を知っていたと述べてから、「一個の生きた人間としての」ローザが備えていた「三つの要素」として、「普通に謂ふ所の極めて素直な、女らしい感受性に富んだ点」と「一本気な追求性又はその最も極端なる場合には狂熱性とでもいふやうな点」、さらにそれとは正反対の「極めて冷静な批判的な点」を挙げている（「人及び革命家としてのローザ・ルクセンブルグ」『変態心理』第一八巻二号、一九二六［大正一五］年八月）。なお、青野は、これとは別に、ローザの獄中書簡と幸徳秋水のそれに共通して書かれている「白日夢」には、革命家のみならず誰もが抱いているであろう「内部生活の秘密」が顔を出しているとし、ローザのそれは「ポエチヤル」であり「しつとりとした気持があふれたものである」と評した一文を『ローザ・ルクセンブルグの手紙』の刊行直前に『文芸春秋』に寄せている（「ローザの手紙――其他」一九二五年七月）。

櫛田らがローザの「女らしさ」を読み取ったのは、ベルリンの郊外のウロンケにあった監獄で毎日散歩した「壁に添ふ敷石の細い道」のことを伝えた手紙（櫛田）や、「動物や植物に対する清い同情心」（藤沢）のあふれた手紙であった。

「壁に添ふ敷石の細い道」のことを伝えているのは、一九一七年七月二十日付の手紙である。

私の可愛いソニチュカ、こゝでの私の生活はやつぱり私が最初思つてゐたよりも長びくので、あなたは未だウロンケからの最後の挨拶を受けねばなりません。私があなたにもう一本の手紙も書くまいなんて、どうしてあなたが考へることが出来たのでせう！　私の心持では、あなたに対して何一つ変つてをらず、また変り得ませんでした。私があなたがエーベンハウゼンからの出発以来、色んな事で困難にあられることを知つてゐたのと、一部分はまた本当に、私が少時の間その気分になれなかつたため書かなかつたのです。

私がブレスラウに移されることは、あなた多分もう御存じでせう。こゝで私は今朝早く、私の小さな庭に別れを告げました。天気は鬱陶しく、暴れがちでよく雨が降ります。空には千切つたやうな雲が四散してゐます。それでも私は今日、私のいつもの朝の散歩を思ふ存分享楽しました。私は壁に添ふた敷石の細い道に別れを告げました。其上を私は丁度九ケ月間あちこち歩きまはつたのです。私は今ではもうその道にある凡ての石、また石の間に生えてゐる小さな雑草をみんなよく知つてゐます。いろ〱の色彩は私をして敷石の上に興味をもたせます——赤いのや、青いのや、緑や灰色などが。即ち少しばかりの生きた緑を大変待たせた長い冬の間に、私の色彩に渇えた眼は、自分で石の上に少しばかりの絢爛《ブントハイト》と興奮《アンレーグング》とを創造しやうとしたのです。そして今、夏になつて初めて、石の間に沢山の珍らしい、面白いものがあります！　こゝには即ち野蜂や黄蜂が群居してゐるのです。彼等は石の間に胡桃《クルミ》大の円い穴と、更に深い通路とを穿ち、かうして土を内側から地表に運んで、それを全くきれいな小さな塊に積み上げます。其中に彼等は卵を生み、また蠟や野生の蜜をつくるのです。それは一つの間断なき出入りです。そして私は散歩に際して、その地下の住居《すまゐ》を埋没しないやうに、非常に注意しなければなりませんでした。（井口訳）

櫛田はこの手紙の中から一部を引用し、「彼女の苦るしい、きゆうくつな獄屋の生活が何か悩ましげに、しかし、美しく詩化されて居り、革命の戦士として仰がれる彼女は、一面かうした女性の美はしさの持主であつたかと肯かれる。そこには、只だ一個の女詩人としての彼女が浮び出て居る」と述べていた。ローザの手紙は、たしかに「詩」——「散文でありながら同時に詩の味はひを出してゆく」「散文詩」（小山内薫『文芸新語辞典』一九一八［大正七］年九月）であるかもしれない。「自覚せる青年男女が現代に処する最も基本的な準備書」であるという『作法文範新文章精講』（玉文社編輯部編、一九二八［昭和三］年六月）は、「詩は我々の感情を一番卒直に、一番直接的にあらはすものである」と「詩の本質」を定義した後、「散文詩」の例として、「過ぎ去つた日のすべてはいかに空しく味気なく徒らなものであらう！　それはいかに僅かな痕跡を残すのであらう！」で始まるツルゲーネフと、「港は人生の戦ひに疲れた人にとつてチヤアミングな場処《ところ》である。天の広い空間、雲の動揺する建築、海の変化する色、灯台の光などは目を疲らさないで、眺めてゐるのに驚くばかり適した三稜形である」で始まるボードレールをあげている。これらの訳文を「詩」と呼んでいいのなら、井口の訳したローザの手紙もじゅうぶんに「詩」と呼ぶに値する。しかし、ツルゲーネフもボードレールもともに男性であり、「詩」であることと「女性の美はしさ」とはただちにむすびつかない。

「伯林ユンゲガルデ版『ローザ・ルクセンブルグの手紙』が友人井口孝親君に依つて邦訳された」と櫛田の文は始まっていたが、じつは井口は翻訳原本についての情報を記してはいない。「伯林ユンゲガルデ版」とはJugend Internationaleによって刊行されたローザのゾフィー宛書簡のドイツ国内での頒布を担当したJunge Gardeという書肆のことをいい、あるいは櫛田は井口から原本について伝え聞いていたのかもしれないが、本文が五十ページ足らずの薄いものでもあり、井上の翻訳より前に櫛田が目を通していた可能性も排除できない。

ローザの手紙をフランス語訳で読んでその「ポエチヤル」なところに惹かれた青野とおなじように、櫛田がローザの獄中書簡が「美しく詩化」されているというのも、井上の訳ではなくドイツ語の原文に対して述べているのかもしれないのである。青野によると、すでに「独逸原本の新版も先頃丸善に来てゐた」という（「ローザの手紙——其他」）。

先にあげた井口による翻訳に対応する、一九二二年に刊行された「伯林ユンゲガルデ版」第二版の原文は、次のようなものである。

Sonitschka, mein Liebling, da mein Ableben hier sich doch länger hinzieht, als ich ursprünglich annahm, sollen Sie noch einen letzten Gruß aus Wronke kriegen. Wie konnten Sie denken, ich würde Ihnen keine Briefe mehr schreiben! In meiner Gesinnung Ihnen gegenüber hat sich nichts geändert, konnte sich nichts ändern. Ich schrieb nicht, weil ich Sie seit der Abreise von Ebenhausen im Trubel von tausenderlei Dingen wußte, zum Teil wohl auch, weil ich vorübergehend nicht in Stimmung war.

Daß es mit mir nach Breslau geht, wissen Sie wohl schon. Hier habe ich heute früh von meinem Gärtlein Abschied genommen. Das Wetter ist grau, stürmisch und regnerisch, am Himmel jagen zerfetzte Wolken, und doch habe ich meinen üblichen Frühspaziergang heute in vollen Zügen genossen. Ich nahm Abschied von dem gepflasterten, schmalen Weg an der

Mauer entlang, auf dem ich nun fast neun Monate hin und her gelaufen bin, in dem ich nun schon jeden Stein und jedes Unkräutlein, das zwischen den Steinen wächst, genau kenne. An den Pflastersteinen interessieren mich die bunten Farben: rötlich, bläulich, grün, grau. Namentlich in dem langen Winter, der so sehr auf ein bißchen lebendiges Grün warten ließ, haben meine farbenhungrigen Augen sich an den Steinen ein wenig Buntheit und Anregung zu schaffen gesucht. Und jetzt im Sommer erst, da gab es zwischen den Steinen soviel Eigenartiges und Interessantes zu sehen! Hier hausen nämlich massenhaft wilde Bienen und Wespen. Sie bohren zwischen den Steinen nußgroße, runde Löcher und weiter tiefe Gänge hinein, schaffen dabei die Erde von innen an die Oberfläche und schichten sie zu ganz hübschen Häuflein auf. Drinnen legen sie ihre Eier und arbeiten Wachs und wilden Honig; es ist ein beständiges Hineinschlüpfen und Herausfliegen und ich mußte beim Spazierengehen sehr aufpassen, um die unterirdischen Wohnungen nicht zu verschütten.

ローザが別の手紙で引用しているゲーテの「詩」のように、その姿によって「詩」であることを示しているものであればともかく、散文においてそれが「詩」であるのか否かを判断するのは、そのことばで書かれた文学に親しんでいないものにとってはひどくむつかしい。そのテクストについてのメタ言説が読者の判断を大きく左右することになるのはこうした場合である。ローザのこの書簡集には、一九二〇年八月の日付をもつ出版者による序が付されているが、その末尾に近い個所とその井口の訳を示すと次のようになる。

Sie sollen sehen, wie diese Frau, über ihren eigenen Leiden stehend, alle Wesen der Schöpfung mit verstehender Liebe und dichterisher Kraft umfängt, wie ihr Herz in Vogelrufen erzittert, wie Verse beschwingter Sprache in ihr wiederklingen, wie Schicksal und tägliches Tun der Freunde in ihr geborgen sind.

彼等は、如何にこの婦人が、彼女自身の悩みの上に超然として、一切の生物を理解ある愛と、詩人的な力とを以て抱擁し、如何に彼女の心が鳥の声におのゝき、如何に美しい言葉の詩が彼女の中に共鳴し、如何に友人の運命と、その日々の行動とが、彼女の中に蔵せられてゐるかを見るべきである（井口訳）。

ふつう快活なとか生き生きしたと訳される形容詞 beschwingt を「美しい」としたことを除けば、„wie Verse beschwingter Sprache in ihr wiederklingen"を「如何に美しい言葉の詩が彼女の中に共鳴し」と訳すのは原文の意味から大きくそれたものではない。直接的には、鳥の声に耳をすましたり、おりにふれてゲーテらの詩やその他の文学作品を味わっていたという手紙に書かれた彼女の獄中での生活についてのべつつ、そうした„Verse"「詩」との交歓を書きとどめた手紙そのものが、ローザの„dichterisher Kraft"「詩人的な力」によって生き生きした「詩」となっていることを、この序は暗に伝えていた。ローザが獄中生活を「美しく詩化」しているとする櫛田の見解は、「悩みの上に超然として」「詩人的な力」で自然を把握したというこの序から来ている。ただ、こうしてローザの「詩人的な力」についての言及は見られるものの、その「女らしさ」については、この序は一言も触れてはいなかった。ドイツ語の Dichter（詩人）は男性名詞であり、ローザが愛誦したゲーテも男性であるが、櫛田たちは、「詩」と「女性の美はしさ」を直結し、ローザを「女詩人」と呼んで怪しまない。「一切の生物を理解ある愛と、詩人的な力とを以て抱擁」することは、女性にだけ与えられた能力だとみなしているのである。

谷崎潤一郎の『文章読本』（一九三四年一一月）の好評に意を強くした中央公論社が出した『女性文章読本』（一九三五年一月）が「女性文章の特色」を論じている中に、「従来は女性といふと一口に繊細な神経とか細かい観察力とか、優しい同情とかをもつてゐるものときめられ、それが特色だ、それを守れ、といふやうに教へられてきた」が、「この伝統的な約束を打破つてしまはなければ、ほんとうに女性の特色を発揮することは出来ない」と述べているくだりがある。櫛田たちはこの「伝統的な約束」を守っているわけだが、問題は、そうした櫛田らの言明が、日本の「伝統」からするとすんなり「女性らしい」とも「詩」であるともいえそうもない井口の訳したローザの書簡集に対してなされていることにある。

二十二通の手紙を収める井口の訳したローザの書簡集において、三尾砂が指摘した「女言葉」の要素のうち、出現するのは、文末を助詞でむすぶもの九例、「動詞の中止形」でむすぶもの七例、体言止め一例である。

いろんな事もあるが、でも静かに元気にしてゐらツしやいね！（一九一六年八月二四日付）
でもお前さんにもちつとぐらい命が帰つて来なきやならないわねエ！（一九一七年五月末）
こんな形があれば、人生は美しく生甲斐がありますわね。（同年七月二〇日付）
あなたはそれをよく御存じですね（同年八月二日付）
美しい花束をお摘みになりましたつてね。（同年一二月中旬）
いろんな事もあるが、でも静かに、元気にしてゐらつしやいね。（同）
いろんなこともあるが、でも静かに、元気にしてゐらつしやいね。（一九一八年一月一四日付）
でもあなたウンと外出なさいね。（同年三月二四日付）
あなたは元気に、快活にしてゐらツしやいね。（同）
それはあなたの心を惹いて？（一九一七年一月一五日付）
あなた未だ覚えておいで？（同年四月一九日付）
あなたはもう其事を御考へになつて？（同）
それは素敵じやなくつて？（同年一二月中旬）
あなたそれを私に送るか、それとも持つて来てくれることが出来て？（同年一二月中旬）
あなたも世間であんなに大騒ぎをした、カウフマンの遺作を御覧になつて？（一九一八年一月一四日付）
あなたあのシェークスピーアを、多少は折好く御受取りになつて？（同年三月二四日付）
あなた何時御出でになるつもり⁉（同年一月一四日付）

三尾が規定する「女言葉」は、わずかにこれだけであり、用いられた助詞も「ね」と「わ」に限られている。ただし、厳密に女性に限定された言葉づかいを問題にした三尾が、男女ともに用いるものとして「女言葉」に含めなかった助詞「かしら」の文末での使用が一例あり、「女言葉」に準じたものとみなしていいだろう。

あなた御存じかしら?（一九一七年五月二日付）

また、「ごく無造作な言葉づかいで、子供同士の対話などには、よく使われる」と佐久間鼎がのべている「来る?」「いい?」という言葉づかい（『現代日本語法の研究』、一九五六年九月）についても、同様に、女性が多く口にする言葉づかいだったと考えられる。「すてきぢゃないコト?」などの「コト」は「婦人語」であり、「教養のある婦人に用ゐられる上品なことばであるが、今日ではよそいきの、或はやや古い気分が感じられ」るようになっており、東京の「女学生」たちは「コトを切捨てゝ用言に昇り音調を伴はせた歯切れのいゝことばを語」っていた（永田吉太郎「旧市域の音韻語法」『東京方言集』一九三五年一月）。

ソニチュカ、戦争が終へたら私達が何をもくろんでゐたかあなた未だ御存じ?（一九一七年一月一五日付）
あなた巴里風のあの風雅な菜豆料理を未だ覚えてゐらツしやる?（同年四月一九日付）
あなた、（…）あの素敵な月夜のことを未だ覚えてゐらツしやる?（同）
あなたはあなたの所に、私の小さな植物地理を御持ち?（同）
あなた未だ覚えてゐらツしやる?（同年五月一九日付）
どこであなたにこの手紙を書いてゐるかあなた御存じ?（同年五月末）
あなた何を御読み?（同年一一月中旬）
ソニューシャ、あなたプラテンのVerhängnisvolle Gabel御存じ?（同年一二月中旬）
あなたは私のお贈りしたBroodcoorensがお好き?（一九一八年一月一四日付）

あなたも、原色版の此等の本は全くレムブラントを想はせると御考へにならない？（同）
あなた私に帝国図書館か、或は帝国議会の図書館から左記の書物を借りていただけない？（同）
素敵な春を享楽なさらない？（同年五月二日付）
私はルサージュを少しも知りません。そしてもう長いこと彼を読みたいと思つてゐたのです。あなた彼を御存じ？（同年五月一二日付）

しかし、疑問文の音調についての分析の中で、「イッテ？（＝行ったの、婦）」という注記を永田吉太郎が添えていたように、「女学生」のことばから「婦人語」になるには、「あなた何を御読み？」ではなく、女性が用いる助詞を添えて「あなた何を御読みなの？」というべきであって、そうした助詞を切り捨てた「歯切れのいゝことば」には「ごく無造作な」感じ（佐久間）が拭いきれない。

「私」であるローザが「あなた」であるゾフィーに宛てた「敬体」の「です体」による手紙であり、「御」もかなり交えてはいるのだが、そうでありながら同時に、「敬体」であることにふさわしくない、相当ぞんざいな言葉づかいを交えていることも確かなのである。

「元気にしてゐらつしやいね」とともに、末尾の助詞を省いた「元気にしてゐらツしやい」（一九一七年五月二日付、同年五月二三日付）や「元気よく、静かにしてゐらつしやい」（一九一六年七月七日付）があり、「御手紙をくださいね」の用例はないが、「すぐに御手紙を下さい」（一九一六年八月五日付）・「すぐ御便りを下さい」（同年一一月二一日）・「早速御手紙を下さい」（一九一七年一二月中旬）・「すぐ御手紙を下さい！」（一九一八年一月一四日付）・「すぐ御手紙をください」（同年五月一二日付）といった例には事欠かない。同様に、「御覧なさい」というのは「英雄的な景色を想像して御覧なさい」（一九一七年一月一五日付）の一例に止まり、残りは、「まア考へて御覧」（同年五月二日付）・「あなたアナトール・フランスの「神々は渇いてゐる」を一度読んで御覧」（同年一一月中旬）・「御覧、このやうな悩ましい姿、このやうな日常の些細事から、歴史の重大な時機において、最も異常な出来事と、著大な行動とがなされるのです」（同）・「御覧、今また春が初まりました」（一九一八年三月二四日付）・「それ御覧、植物園への一度の訪問が、あなたにどれほどの享楽と感動とを与へることでせう！」（同年五月一二日付）と、すべて文末に助詞を伴わない。「ハンスの書物は、勿論あなたがとつておいてくれなければなりません」（一九一八年三月二四日付）ときつめの口調でゾフィーに言い渡したり、「お前さん、人生は昔から全く「然う」なのですよ」（一九一七年四月一九日付）と、彼女を見下ろすように「お前さん」と呼んだりもするのである。ゾフィーに向けたことばではないが、「彼等はあらゆる荷車を引くために用捨なくこき使はれる。そしてそれがため直ぐくたばつてしまひます」（一九一七年一二月中旬）と、「女らしさ」や「詩」とは対極にあることばさえそこには出てくる。

「男の言葉は単純ですが、女のつかふ言葉は複雑です」と三尾はいう。なぜなら男は女のことばを使わないが、女は君・僕とか「さうか」「さうだよ」といった「男のつかつてゐるとほりの言葉ををつかふ場合」があるからであり、そうした「女のつかふ言葉」の中の女性だけが使う「女らしい言葉」を三尾は分析の対象とする。つまり、「女のつかふ言葉」は、「女らしい言葉」と「男の言葉」という、性別規範からすると対極にある両者をその中に抱え込んでいるのである。

井口の訳したローザの手紙は、三尾のことばを借りれば「女のつかふ言葉」であっても、けっして万遍なく「女らしい言葉」ではない。櫛田らのいう「優にやさしい一個の女性」や「女詩人」がかりにそこにいたとしても、彼女たちの隣には「優にやさしい」などとはいえそうもない女たちが控えていて、彼女たちの品のよさを相対化しようと身構えている。

ローザの手紙がこうした対立を内に含んだテクスト＝「女のつかふ言葉」として実現されたのは、ひとつには、訳者である井口の翻訳に臨む姿勢による。

「出来るだけ原文に忠実に、しかもその心持を失はないことに努めた」と書簡集の序で井口が断っているように、井口の訳文は原文への強い意識に貫かれている。先にあげたローザの手紙でみても、„An den Pflastersteinen interessieren mich die bunten Farben: rötlich, bläulich, grün, grau.“を「いろ〳〵の色彩は私をして敷石の上に興味をもたせます――赤いのや、青いのや、緑や灰色などが。」と訳しているところなど、文章の単位においても、その中の語の排列においても、両者の距離は近接しているし、„haben meine farbenhungrigen Augen sich an den Steinen ein wenig Buntheit und Anregung zu schaffen gesucht“という個所に見られる Augen（目）を主語とする文の構成も、そのまま訳文に持ち込まれて「私の色彩に渇えた眼は、自分で石の上に少しばかりの絢爛《ブントハイト》と興奮《アンレーグング》とを創造しやうとしたのです」となっていることが確認できる。

こうした原文への強い意識が翻訳者を拘束し、訳文が自由にふるまおうとすることを抑圧しているのだが、翻訳者はそれと同時に、「その心持を失はないこと」という課題を自らに課している。「出来るだけ原文に忠実に、しかもその心持を失はないことに努めた」とは、「原文に忠実に」訳しさえすれば「その心持を失はないこと」という課題も同時に果たされるということではない。書き手が書いている場面およびそこに書かれてある場面に寄り添い、その「心持ちを失はない」訳文を実現しようと試みることは、ときに「原文に忠実」であることとの葛藤を引き起こす。たとえば、ゾフィーへ書き送ったある手紙の中に、ローザが三つの問いかけを立て続けに書きつらねているところがある。

Haben Sie den Shakespeare einigermaßen zur Zeit erhalten? Was schreibt Karl, wann sehen Sie ihn wieder?

シェークスピアの作品は手に入ったか、カールはどんなことを書いてきたか、いつ彼に再び会うのかという三つの発問が連続しているのだが、獄中にあるローザが同じく獄中に捕らえられている同志の妻に向けて発した問いかけであるということを考慮して日本語に訳すと、次のようになる。

あなたあのシェークスピーアを、多少は折よく御受取りになつて？　カールはどんな便りをよこしてゐます？　何時《いつ》あなたはまた彼に御会ひです？（一九一八年三月二四日付、井口訳）

佐久間が観察しているように、「実際の口頭語でのうけわたしの場面では、問の態度をあらわすのに「か」を使うことが予想外に少な」いのは、「「か」のついた発問が概して詰問的な態度として受取られる」ので「「か」を避けて、もっと穏かに、やさしく問をかけるという心持がはたらい」たからであり、そのため、「か」を省いたり、「か」の代わりに文末に「の」や「こと」を付加するか、または「「て」のついた中止形」で文を結ぶことになるが、「の」や「て」を用いるのは主に「女性の言葉づかい」である（『現代日本語法の研究』）。「か」を三度続けて用いることは「詰問的な態度」をさらに強くしてしまうので、もし原文の「心持ち」がそうしたものでないと思われるのであれば、それを避けなければならないのだが、そうすると多様な言葉づかいのうちでどれが最も適切かを翻訳者が選択しなければならず、場合によっては、原文にはない「の」や「こと」といった助詞や、「御」などの丁寧語を訳文に出現させることになる。井口が選択したのは、原文の「?」をそのまま訳文にもちこむことによって「か」を押え込むとともに、それによって生ずる「ごく無造作な」感じを「御」によって相殺しつつ、「「て」のついた中止形」をそこに加えることでそれが女性の発問であることを示すというやり方だった。「受取つて?」などではなく「御受取りになつて?」が、「御便りをお届けなさいますの?」などではなく「便りをよこしてゐます?」が、「御主人に御会ひなさいますのですか?」や「彼に会うの?」などではなく「彼に御会ひです?」が、それぞれ選択されているのである。

「出来るだけ原文に忠実に」という日本の翻訳者にとっての至上命題は、女のことばを前にしてもろくも崩れ去る。女の手紙を候文に訳することはもはや彼にはできない。日本語の「女らしい言葉」に相当するものが欠けている「原文に忠実に」訳すと、日本語の訳文は男のことばになってしまう。そこで彼は、日本の女たちが使っていることばを見渡し、それらに似せて訳文を女のことばらしく加工する。「原文に忠実に」というルールは女のことばにだけはこっそりと解除される。だが、それでも、原文こそが真実のことばであるというヒエラルヒーは揺るがず、訳文に対する原文の監視の目がゆるめられることはない。訳文が女のことばになることはいいが、それでも出自である原文を忘れるなというわけだ。このとき、「出来るだけ原文に忠実に」という命題そのものが女のことばに埋め込まれ、女でありながら同時に女であることを否定する志向を内包させた独自の女のことばが日本語の訳文の中に形づくられることになる。

日本の翻訳文学における女のことばは、したがって本来的に不安定な存在であり、その内部に抱え込んだ矛盾を動力としてさまざまな異文を派生しつづける。

このことに、迫りくる帝国主義戦争を前にしたローザが「若し吾々に、我がフランスの同胞を射ち殺すことが強要されるなら吾々はいふ、否《ナイン》、吾々はそんなことはしない」（井口「小伝」『ローザ・ルクセンブルグの手紙』）ということばで労働者に語りかけた社会主義者であることが加重され、翻訳者の困難を倍加させることになる。

ローザの獄中書簡集は、井口の訳の後も翻訳が続けられている。

内田義彦訳『生命の歓びの中に――ローザ・ルクセンブルグの手紙』

野沢敏治編「内田義彦訳、ローザ・ルクセンブルグ『獄中からの手紙』（1）」、「同（2）」（千葉大学経済研究第一七巻四号、第一八巻一号、二〇〇三年三月、二〇〇三年六月）。「一九四六年八月には学生書房から出版する約束ができていたが、何らかの事情で陽の目をみることはなかった」（編者序文）。

孝橋正一訳『ローザの手紙』（一九四九年八月）

のち、一九六四年に再版された後、カウツキー夫妻宛のものを足して『ローザ・ルクセンブルク　思想・行動・手紙』（一九六九年一一月）に収める。

秋元寿恵夫訳『獄中からの手紙』（一九五二年五月）

のち、『ローザ・ルクセンブルク　獄中からの手紙』（一九八一年五月、岩波文庫）として刊行。
北郷隆五訳『ローザ・ルクセンブルクの手紙――ゾフィー・リープクネヒトへ』（一九五二年一二月）
大島かおり訳『獄中からの手紙　ゾフィー・リープクネヒトへ』（二〇一一年四月）

翻訳は一九八四年に出たローザの全書簡集の本文にもとづいている。

この他、全訳ではないが、ゾフィー宛十一通とルイーゼ宛六通の抄訳を収めたパンフレット『ロザの手紙　ロザ・ルクセンブルクの獄中消息』が、山川菊栄と伊藤野枝を顧問として社会主義にもとづく初めての女性組織赤瀾会を立ち上げた経験をもつ堺真柄によって編まれ、一九二六年に出ている。

繰り返される翻訳のたびに、『その前夜』のエレーナがそうであったように、ローザのことばは、さまざまに揺れ動き、けっして一箇所にとどまらない。

シエクスピアはいくらかよい時にお受取になれたでせうか？　カールさんは何を書いてよこしますか？　今度お会ひになるのは何時？（内田）
シェークスピアは間にあいまして？　カールはどんなお便りをしていますかしら？（孝橋）
いまお手元にシェークスピアをお持ちですか？　カールは何を書いておゐでですか、こんどはいつ彼のところへ面会にゐらつしやいます？（秋元）
例のシェークスピアはさしあたりいくらか手にはいりまして？　カールはどんなことを書いてよこしますか？
いつあのひとに面会なさいますの？（北郷）
シェイクスピアは当面いくつか手に入りました？　カールはどんなことを書いてよこしますか？　こんどの面会はいつ？（大島）
dann ist das Leben schön und lebenswert, nicht wahr?（一九一七年七月二〇日付）

人生は美しく生甲斐がありますわね。（井口）
生命は美しく、又生き甲斐があるのですわね。（堺）
人生まさに生きる価値ありですね。（孝橋）
人生こそは美はしく、また生きるに充分値するものではないか？（秋元）
人生はうつくしく生きがいがある、そうじゃないこと？（北郷）
人生は美しい、生きる価値がある。ね、そうでしょう？（大島）

これら後続する翻訳のうちで、もっとも大きな振り幅をもつのは、堺真柄のパンフレットで読むことができるローザのことばである。

私はどうかすると、自分が本当の人間ではなくて、人間の形をした鳥か毛物ではないかといふ気がする。私は草原に蜂の群れてゐる牧場なら猶更だが、この監獄の狭い園ですらも、我党の大会の席上などより、ズット居心地がいゝのです。こんな事を云つても、あなたは直ぐに私を社会主義の裏切者とする様な事はないから安心だ。私はあなたの知る通り、市街戦か監獄かで、職務に斃れたいと望んでゐる。然し私の胸の奥の自分は、謂ゆる『同志』によりも、むしろ山雀《やまがら》に属してゐる。（一九一七年五月二日付、『ロザの手紙』）

大きな振幅の中に動きつづける女のことばは、原文を唯一の真正な言語として頂点に据える翻訳文学のヒエラルヒーを、そのテクストの複数性によって下からゆさぶり、そうすることによって翻訳文学を世界文学――さまざまな言語に翻訳された複数のテクストの集合体――へと転換してゆくための、言文一致体の下にある日本文学におけるほとんど唯一の回路である。

あとがき

まだ学者時代の夏目漱石に、一九〇六(明治三九)年一月『帝国文学』に発表された「趣味の遺伝」という小説がある。語り手で、英文学者と思しき主人公は、医者でも生物学者でもないがと断わりながら目下、遺伝を研究中で、恋愛する相手が先祖に似るという「趣味の遺伝」と名付ける「理論」を抱いている。この「理論」は、人間それぞれの環境次第で、持って生まれた遺伝子に多様な修飾が付け加えられることを考察する現代のエピジェネティクス(後成説)とは、時代的制約から来る差異が当然ある。

しかしながら、この主人公の探究は、我々の、遺伝学を意識しての世界文学論と目指すところが似通うように思えてならない。彼の敬愛する友人は日露戦争に徴兵され、一九〇四年一一月、旅順で二龍山の方面からの大砲によって「射殺」される。主人公は、亡友の日記に記された、郵便局で会っただけらしい女性を、彼の墓に白菊を手向けていた御嬢さんと同一人物であろうと仮定する。調査を進め、亡友の祖父の、引き裂かれた恋を聴き出して因果の糸を撚り、仮定どおりと判明させた。

いまだかつて誰も発見したことのない因果の糸を見つけるには、愛情と「理論」とが必要だ。我々が、オックスフォード大学(英国)、および、国文学研究資料館で行ってきたシンポジウムは、長年交際してきた文学作品への敬愛を絶やさないまま、理論的強度を保持しつづけた点において、類まれであった。シンポジウムのプログラムをつぎに掲げる(各人の所属はいずれもシンポジウム当時のものである)。

第一回シンポジウム「文学の‘DNA’——世界文学と日本近代文学　“Literary ‘DNA’: World Literature and Modern Japanese Literature”」二〇一六年十二月九日、於　英国、オックスフォード大学ペンブルックカレッジ。

野網摩利子（国文学研究資料館）　「約束する者たち——漱石に対する古謡の力」“Making a Promise: The Impact of Old English Ballads and Romances on Sôseki”

スティーブン・ドッド Stephen Dodd（ロンドン大学SOAS（英国））　「モダニズムの部屋における変幻——フランツ・カフカ「変身」と宇野浩二「夢見る部屋」」“The Changing Rooms of Modernism: Franz Kafka’s ‘Metamorphosis’ and Uno Koji’s ‘Yume miru heya’”

リンダ・フローレス Linda Flores（オックスフォード大学）　「『もう一人の私』を語り直すこと——モーリヤックと高橋たか子文学」“Narrating ‘Another Self’: Mauriac and the Literature of Takahashi Takako”

ダリン・テネフ Darin Tenev（ソフィア大学（ブルガリア））　「文学を開く猫との対話——コレット『雌猫』と谷崎潤一郎『猫と庄造と二人のをんな』を読む」“Conversations with a Cat and the Potentiality of Literature: On Colette’s “La Chatte” and Tanizaki’s “Neko to Shôzô to Futari no Onna””

この第一回シンポジウムについては、*Japanese Studies at Oxford*（2017）に“Symposium on “Literary ‘DNA’: World Literature and Modern Japanese Literature””と題する報告を載せた。

第二回シンポジウム「文学の‘DNA’——世界文学と日本近代文学　“The ‘DNA’ of Literature: World Literature and Modern Japanese Literature”」、二〇一七年六月九日、於　国文学研究資料館。

野網摩利子（国文学研究資料館）　「リリカル・バラッズと漱石小説の世界」“Lyrical Ballads and The World of Sôseki’s Novels”

ダリン・テネフ Darin Tenev（ソフィア大学）　「世界文学のエピジェネティクス」“Epigenetics of World Literature”

スティーブン・ドッド Stephen Dodd（ロンドン大学SOAS）　「運動としてのモダニズム――ニカラグアから日本へ」“Modernism as Movement: From Nicaragua to Japan”

小森陽一（東京大学）　「「坊っちゃん」の世界史――ラファエロからゴーリキーまで」“A World History of “Botchan”: From Raphael to Gorky”

マイケル・ボーダッシュ Michael K. Bourdaghs（シカゴ大学（米国））　「漱石の（反）世界文学と（反）翻訳」“Sôseki’s (Anti-) World Literature and (Anti-) Translation”

谷川恵一（国文学研究資料館）　「世界文学の文体チューニング――ローザ・ルクセンブルクの手紙」“Style Tuning in World Literature: Rosa Luxemburg’s Letters”

本書のダリン・テネフによる序論および第一部第一章の彼の論考は、元来一続きのものとして第二回シンポジウムにて発表された。

本研究は、ＪＳＰＳ科学研究費「国際共同研究加速基金」（15KK0067）「夏目漱石によるイギリス受容――小説理論の構築の一環として（国際共同研究）」の主たる成果である。野網は二〇一六年八月より二〇一七年三月までオックスフォード大学東洋学研究科にアカデミックビジターとして在籍し、本研究ならびにシンポジウム準備を進めることができた。第一回シンポジウムにおいて、オックスフォード大学ペンブルックカレッジ事務局、谷川ゆきプロジェクト研究員（国文学研究資料館）、そして、リンダ・フローレス氏に、第二回シンポジウム、ならびに、本書の編集において、厳教欽《オムキョフム》資料整理等補助員（国文学研究資料館）より、きめ細かな協力をいただいた。

本書の刊行により、文学が生み出される現場で起きていた、文学・文化の接触しあう熱気が伝わり、この伝導によって、国際的議論が湧き立ち、最新科学を理論モデルに据える方法の検討が始まることを願う。

本書は、ＪＳＰＳ科学研究費研究成果公開促進費（学術図書）（19HP5024）の交付を受けた。

最後に、「文学の'DNA'」という新しい理論的問題を提起する本共同研究を最初期より見守り、世界に示せる書物として船出させてくれた東京大学出版会山本徹氏に、著者一同、感謝の念を捧げてやまない。

野網摩利子

執筆者紹介

野網摩利子［編者］　国文学研究資料館研究部准教授（総合研究大学院大学文化科学研究科准教授併任）．専門：日本近代文学

主要著作：『夏目漱石の時間の創出』東京大学出版会、2012 年．『漱石の読みかた　『明暗』と漢籍』平凡社、2016 年．「思想との交信――漱石文学のありか」［上］［下］『書物學』12・13，勉誠出版，2018 年 2 月・8 月．

ダリン・テネフ　ソフィア大学文学部文学理論学科准教授（プロフディフ大学哲学・歴史学部批判社会学研究所長兼任）（ブルガリア）．専門：文学理論

主要著作：『虚構とイメージ』（ブルガリア語），ジャネット 45 社，2012 年．『逸脱――ジャック・デリダについて』（ブルガリア語），イズトクザパド社，2013 年．「猫，眼差し，そして死」南谷奉良訳，『人文学報』No.511，首都大学東京人文科学研究科，2015 年 6 月．

マイケル・ボーダッシュ　シカゴ大学東アジア言語文化研究科教授．専門：日本近代文学

主要著作：*The Dawn That Never Comes: Shimazaki Tōson and Japanese Nationalism*（2003），Columbia University Press. *Sayonara Amerika, Sayonara Nippon: A Geopolitical Pre-History of J-Pop*（2012），Columbia University Press（『さよならアメリカ，さよならニッポン――戦後，日本人はどのようにして独自のポピュラー音楽を成立させたか』奥田祐士訳，白夜書房，2012 年）．「夏目漱石の「世界文学」――英語圏から『文学論』を読み直す」『文学』13（3），岩波書店，2012 年 5・6 月号．

スティーブン・ドッド　ロンドン大学アジア・アフリカ研究学院名誉教授．専門：日本近代文学

主要著作：*The Youth of Things: Life and Death in the Age of Kajii Motojirô*（2014），Hawai'i University Press. *Writing Home: Representations of the Native Place in Modern Japanese Literature*（2004），Harvard University Press.「永井荷風『すみだ川』における空間と時間の意識」『世界のなかの子規・漱石と近代日本』（アジア遊学 221），勉誠出版，2018 年 8 月．

小森陽一　東京大学名誉教授．専門：日本近代文学

主要著作：『漱石を読みなおす』（ちくま新書，1995 年），岩波現代文庫，2016 年．『漱石論――21 世紀を生き延びるために』岩波書店，2010 年．「世界文学としての夏目漱石」『生誕 150 年　世界文学としての夏目漱石』岩波書店，2017 年．

リンダ・フローレス　オックスフォード大学東洋学研究科准教授．専門：日本近代文学

主要著作："Matrices of Time, Space and Text: Intertextuality and Trauma in Two 3.11 Narratives," *Japan Review 31*（2017）. "War Brides as Transnational Subjects in Mori Reiko's The Town of the Mockingbirds," *Ca' Foscari Japanese Studies*（2017）. "Narrating Trauma in Takahashi Takako's 'Sora no hate made': Perverse Motherhood," in "The Fragmented Family in Modern Japan"（special edition），Intersections: Gender and Sexuality in *Asia and the Pacific Issue* 40, January 2017.

谷川恵一　国文学研究資料館研究部教授（総合研究大学院大学文化科学研究科教授併任）．専門：日本近代文学

主要著作：『言葉のゆくえ――明治二〇年代の文学』（平凡社，1993 年），平凡社ライブラリー，2013 年．『歴史の文体　小説のすがた――明治期における言説の再編成』平凡社，2008 年．「テクストの中の時計――「クリスマス・キャロル」の翻訳をめぐって」『もう一つの日本文学史――室町・性愛・時間』（アジア遊学 195），勉誠出版，2016 年 3 月．

索　引

さ　行

た　行

な　行

は　行

ま　行

や　行

ら　行

わ　行

世界文学と日本近代文学

2019年11月25日　初　版

[検印廃止]

編　者　野網摩利子《のあみまりこ》

発行所　一般財団法人　東京大学出版会

代表者　吉見俊哉

153-0041 東京都目黒区駒場4-5-29
http://www.utp.or.jp/
電話 03-6407-1069　Fax 03-6407-1991
振替 00160-6-59964

組　版　有限会社プログレス
印刷所　株式会社ヒライ
製本所　誠製本株式会社

ISBN 978-4-13-086058-1　Printed in Japan